Adrian Stahlecker

Een liefde tussen oorlog en vrede

De stormachtige relatie tussen Marlene Dietrich en Jean Gabin

Uitgeverij Aspekt 2005

Een liefde tussen oorlog en vrede
© Adrian Stahlecker
© 2005 Uitgeverij Aspekt bv
Amersfoortsestraat 27, 3769 ad Soesterberg
info@uitgeverijaspekt.nl
www.uitgeverijaspekt.nl
Ontwerp omslag: Marike Stokker
Binnenwerk: Van Swieten & Partner, Nieuwegein

ISBN: 90-5911-211-3

Een liefde tussen oorlog en vrede

Inhoud

Met dank aan Jan Neurdenburg.

Inleiding

Jarenlang waren Frankrijk en Duitsland historische aartsvijanden. De buurlanden, slechts gescheiden door de Rijn, waren in de loop der tijd regelmatig
met elkaar verwikkeld in een bloedige oorlogen.

De jonge Marlene Dietrich zag bij het uitbreken van de Eerste Wereldoorlog
Duitse troepen zingend en overstelpt met bloemen naar het front vertrekken
en na de verloren oorlog kreupel en mismaakt op krukken door de straten van
het hongerende Berlijn strompelen. Ook Jean Gabin, die een paar jaar jonger
was, zag het Franse leger oprukken en moest vanwege inslaande projectielen
met zijn familie vanuit zijn woonplaats Mériel verhuizen naar Parijs.

U kunt beider levens van jongsaf aan volgen in het verarmde, door geweld
getroffen Europa waarvan de bloem der jeugd was gevallen op het slagveld en
waar steden en dorpen geheel of gedeeltelijk in puin lagen en overal honger
en chaos heerste.

Hun eerste schreden op de planken van Berlijn en Parijs gedurende de wilde
jaren twintig en hun succesvolle filmcarrière aan het begin van de jaren dertig.

De toename van het antisemitisme en nationalisme in hun geboorteland en
aan de andere kant het pacifisme en communisme dat zich vanuit de Sovjet-
Unie over Europa had verspreid. Politieke stromingen zochten een weg om
hun macht te vergroten. Zowel in Frankrijk als in Duitsland vonden rellen en
straatgevechten plaats tussen linkse en rechtse betogers. In Duitsland leidde
dat in 1933 tot de machtsgreep van de nazi's en zes jaar later uiteindelijk tot de
Tweede Wereldoorlog waarbij Duitse troepen half Europa onder de voet liepen.

In 1930 was Marlene na de triomf van *Der blaue Engel*, haar eerste geluidsfilm, onmiddellijk naar Amerika vertrokken. Nadat maarschalk Pétain de
Duitsers in 1940 om een wapenstilstand had verzocht, kon ook Gabin met een
Hollywoodcontract op zak vanuit de vrije zone via Lissabon per schip de overtocht naar de nieuwe wereld maken.

In Hollywood leerde Gabin Marlene Dietrich kennen. Tussen hen ontstond een intense liefdesaffaire. Hun relatie werd echter onderbroken toen Amerika zich in de oorlog mengde en Marlene naar het front vertrok om op te treden voor de geallieerde troepen en Gabin zich in Algiers aansloot bij de Vrije Fransen.

Na de oorlog zetten ze hun relatie voort in het verarmde en verpauperde Parijs, waar het normale leven weer langzaam op gang kwam. Na er samen een mislukte film gemaakt te hebben, ging Marlene terug ging naar Amerika vanwege contractuele verplichtingen. Het zou het einde betekenen van een verhouding waarbij men zich af kan vragen of hij niet vanaf het begin gedoemd was te mislukken omdat zowel hun opvoeding als hun karakters zo ver uiteen lagen.

De boertige, nonchalante en volkse Fransman met zijn *laisser-aller* mentaliteit en de intellectuele, kosmopolitische Pruisische officiersdochter met haar *Gründlichkeit*, ingehamerd plichtbesef en eerzucht, vormden tegenpolen met gewoontes die voortdurend botsten. Desondanks beleefden zij samen een jarenlange vurige liefdesrelatie die echter vanwege de grote verschillen geen stand kon houden.

Legende

Een jaar na het overlijden van Marlene Dietrich in 1992 verschenen in vele talen biografieën over het leven van deze legendarische filmactrice-zangeres. Het meest geruchtmakende boek was ongetwijfeld dat van Maria Riva, Marlenes enige dochter, die als geen ander veel saillante details uit haar moeders liefdesleven openbaarde.

Hoewel er begin jaren dertig al enkele weinig opzienbarende publicaties in Duitsland verschenen, was er lange tijd weinig bekend over Marlenes privéleven, afgezien van datgene wat de ster zelf kwijt wilde. Daarbij legde ze vooral de nadruk op haar aristocratische afkomst, haar afkeer van het nazi-regime en haar optreden voor de geallieerde troepen aan het front gedurende de oorlog.

Een van de eersten die de stoute schoenen aantrok en voor interviews naar Wenen, Berlijn, Parijs en Londen reisde om wat meer aan de weet te komen, was de Engelse schrijver en publicist Leslie Frewin. Hij schreef zijn manuscript in 1955, het jaar dat Marlene als zangeres in nachtclubs een tweede carrière begon die later zou uitgroeien tot een geoliede theatershow.

Dietrichs loopbaan als filmactrice was in de jaren vijftig praktisch tot stilstand gekomen nadat ze in 1952 een rol had gespeeld in de mislukte film *Rancho Notorious*. Regisseur van deze western was de Duitse immigrant Fritz Lang, met wie Marlene een tijdlang intiem bevriend was. Aan die vriendschap kwam tijdens de opnames een abrupt einde. In nagelaten geschriften noemt ze hem een sadist die zowel haar lichaam als ziel wilde bezitten.

Het zou vier jaar duren voor ze weer een filmaanbieding kreeg en dat was slechts een gastrol in Mike Todds kostbare megaproductie *Around the World in 80 Days*.

Nadat in 1955 de chronisch in geldnood verkerende Marlene een aanbod had aangenomen om op te treden in het Sahara Hotel in Las Vegas introduceerde in datzelfde jaar haar vriend, de acteur en toneelschrijver Noël Coward, haar in het Londense Café de Paris waar hij zelf enkele jaren daarvoor had opgetreden. In juli begonnen haar shows waarvan de eerste door Coward in zijn staccato-Engels met veel humor werden ingeleid. De Britse upper ten bezocht de voorstellingen en er werd een elpee van uitgebracht.

Deze nieuwe ontstane publiciteitsgolf rondom de vedette deed Frewin besluiten zijn boek te schrijven. Helaas rekende hij buiten de waard, want toen Marlene er achter kwam, poogde ze op allerlei manieren de publicatie te voorkomen en te saboteren. De schrijver werd plotseling overstelpt met telefoontjes van vrienden die hem er omslachtig van af probeerden te houden zijn verhaal te publiceren. De conversatie begon gewoonlijk met een zijweg door te vragen naar zijn gezondheid, waarna het gesprek een andere wending nam en Frewin al snel ervoer dat de enige reden was, hem over te halen zijn plannen te herzien. Er werden hem zelfs geldbedragen geboden. De druk werd dermate groot dat de advocaten van de uitgever in het manuscript begonnen te strepen uit een panische angst voor processen waardoor Frewins oorspronkelijk verhaal volledig werd ontdaan van de meest sappige details die juist het lezen de moeite waard maakten. Toen de uitgever er financieel geen brood meer in zag, ging het plan van de baan.

Pas twaalf jaar later waagde een New Yorkse uitgever het uit te brengen. Het was de eerste poging om het privé-leven van miss Dietrich te ontrafelen. Er zouden er meer volgen. Gecoacht door machtige uitgeverijen verscheen een reeks van publicaties.

Tien jaar na Frewins boek verscheen een biografie door Charles Higham. De auteur van de bestseller *Kate the Life of Katharine Hepburn*, ging niet over een nacht ijs en interviewde zowel vrienden als kopstukken uit de filmbranche die met Marlene gewerkt hadden. In haar commentaar reageerde Marlene woedend: 'Als ik al die seksuele relaties had gehad die men mij toeschrijft was ik nooit meer aan werken toegekomen.' Fans die tijdens haar optreden bij de artiestenuitgang wachtten om een handtekening in het boek te bemachtigen, kwamen van een koude kermis thuis doordat Marlene pertinent weigerde die verzoeken in te willigen.

Nadat de ster haar ogen voor eeuwig had gesloten, kwamen er lijvige boeken op de markt van biografen als Alexander Walker, Donald Spoto en Steven Bach die niet verder kwamen dan wat meer details toe te voegen aan Highams boek. Maar het boek dat de grootste impact had, was dat van Marlenes dochter Maria. Uitgebreid gaat ze in op het liefdesleven van haar moeder met zowel mannen als vrouwen waarbij tal van beroemdheden de revue passeren: regisseurs, acteurs, zangers, en een generaal die volgens Maria allemaal het bed gedeeld hadden met de Blauwe Engel.

Marlene leefde gescheiden van haar echtgenoot de Sudeten-Duitser Rudolf Sieber, een regieassistent die ze begin jaren twintig in Berlijn had ontmoet. Kort na de geboorte van hun dochtertje Maria was het huwelijk al gestrand en hadden beiden andere relaties. De scheiding werd nooit uitgesproken en voor de buitenwereld bleven ze een paar. Toen Sieber na Marlenes eerste Hollywoodfilms naar Amerika reisde, poseerde het gelukkige gezin uitgebreid voor de fotografen. De hereniging was strak geregisseerd omdat de vrouw van Von Sternberg de scheiding had aangevraagd op grond van een buitenechtelijke verhouding van haar man met Marlene.

Een schandaal kon de nieuwe importster niet gebruiken.

Toen tijdens de fotosessie een journalist aan Sieber vroeg wat hij het meest bewonderde in zijn vrouw, antwoordde deze dat ze zo lekker pannenkoeken kon bakken. De pers slikte de opgevoerde komedie en de aantijging van overspel was daarmee van de baan. Marlene bleef loyaal tegenover haar echtgenoot, die ze tot zijn dood financieel ondersteunde.

Onder de mannen waarmee haar moeder volgens Maria intieme relaties onderhield, bevonden zich naast haar ontdekker Josef von Sternberg de collega's Gary Cooper, Brian Aherne, Maurice Chevalier, John Gilbert, Douglas Fairbanks jr., James Stewart en Yul Brynner.

De meesten van die relaties waren echter van korte duur. Als het op echte liefde aankwam waren er slechts drie mannen van wie de ster echt gehouden heeft. Een van hen was de Amerikaanse schrijver Ernest Hemingway. Hij noemde haar 'Kraut' zij hem 'Papa'. Zowel in haar memoires als in een later op band opgenomen gesprek met acteur Maximilian Schell betoonde ze dat de relatie puur platonisch was en ook de correspondentie van Hemingway aan Marlene, die Marlenes dochter onlangs aan de Kennedy Library schonk, staaft die bewering. Hemingway was haar kameraad, de 'rots van Gibraltar'.

De relatie die lang standhield was die met haar landgenoot, de intellectuele schrijver Erich Maria Remarque, maar omdat de schrijver door overmatig alcoholgebruik aan impotentie leed, was het contact meer geestelijk dan lichamelijk. De gekwelde Remarque vond bij Marlene troost en warmte. Ook nadat de liefde voorbij was bleven ze bevriend. Toch irriteerde het Marlene dat haar ex-minnaar in 1958 de Amerikaanse actrice Paulette Goddard trouwde, welke relatie standhield tot Remarques' dood in 1970.

Ongetwijfeld was de viriele Franse acteur Jean Gabin zonder overdrijving de liefde van Marlenes leven. De verhouding bloeide op in Hollywood gedurende de Tweede Wereldoorlog en duurde voort in het bevrijd Europa.

Nadat ze samen in 1946 gespeeld hadden in de mislukte Franse film *Martin Roumagnac* ging Marlene voor filmopnamen terug naar Amerika. Nog voor haar terugkeer naar Parijs was Jean Gabin halsoverkop met een ander getrouwd en had haar volledig uit zijn leven gebannen.

Jarenlang zou ze mijmeren over de verloren liefde van haar 'Jeannot'. De knappe Franse acteur Jean Marais, met wie Marlene bevriend was, vertelt in zijn memoires dat Marlene dikwijls bij de woning van Gabin postvatte om mogelijk een glimp van hem op te kunnen vangen.

Marlenes goede vriend, de Franse tv-presentator Louis Bozon, zou een programma aan Marlene wijden waarvoor hij bandopnamen maakte. Hij vroeg haar: 'Wilt u praten over Jean Gabin,' waarop ze antwoordde: 'Ik praat graag over hem. Hij was, en ik haat dat woord te gebruiken, in het "verleden", een zachte en tedere man die aan mij hing als een dier zich hecht aan een mens. Ik heb hem ontmoet in Hollywood waar ik alle Franse emigranten ontving. Toen hij er in een film ging spelen, heb ik hem geholpen met het leren van zijn Engelse tekst en getracht hem het leven aangenaam te maken, hij hield van me zoals ik van hem gehouden heb. De pijn die ik voelde toen ik begreep dat ik hem verloren had, ervaar ik nog dag en nacht.'

In 1976 overleed Rudolf Sieber, Marlenes echtgenoot van wie ze al jaren apart leefde maar van wie ze nooit wilde scheiden. Het was een grote schok voor haar toen plotseling in november van dat jaar haar grote liefde Jean Gabin overleed. Ze belde hun gemeenschappelijke vriend acteur Marcel Dalio en zei: 'Nu ben ik voor de tweede keer weduwe geworden.'

Ze zou haar 'Jeannot' vijftien jaar overleven.

Soldatendochter

In 1888 overleed na een kort ziekbed de Duitse keizer Friedrich III. Hij leed aan strottehoofdkanker en had slechts 99 dagen geregeerd. De liberale vorst werd opgevolgd door zijn zoon die als keizer Wilhelm II de troon besteeg.

De nieuwe heerser was een pronkzuchtig en ijdel man die soms drie keer per dag van kleding wisselde. In officiële gebouwen maar ook in theaters en restaurants werd men overal geconfronteerd met levensgrote portretten van de vorst in zijn operetteachtige uniformen en bepluimde helmen. Met opgeheven hoofd keek hij vanaf zijn portret hautain en krijgshaftig op zijn onderdanen neer. Zijn snorrenpunten, verstevigd met was, wezen parmantig omhoog, de borst behangen met medailles en ordetekens.

In de Pruisische staat beklede de adel vooraanstaande posities in het leger. Wilhelm II hield van militaire parades en machtsvertoon. De troepen waren gelegerd in het aangrenzende Potsdam en beheersten in hun kleurige uniformen het Berlijnse stadsbeeld; regelmatig marcheerden ze op de tonen van vrolijke marsmuziek door de straten.

Door de Franse herstelbetalingen, de uitvinding van de stoommachine en andere technische modernisering floreerden de industrie en de handel als nooit tevoren. Berlijn werd het politieke en economische centrum van het land en groeide uit tot de belangrijkste metropool van het continent. De paleizen en residenties uit de tijd van Frederik de Grote maakten langzaam plaats voor monumentale kantoorgebouwen.

De hoofdstad was de flonkerende diamant in de kroon van de keizer die er met veel luister het ene na het andere protserige monument onthulde. De verering van de keizer en het vaderland nam onder Wilhelms regering absurde vormen aan. Al op de lagere school werden kinderen bewust gemaakt van hun *Deutschtum* en werd hun bijgebracht: 'Eert de staat, vreest de keizer.'

In 1901 vierde Duitsland de dertigste verjaardag van het keizerrijk. Dat ging

Jean Gabin als kind.

gepaard met tal van festiviteiten. Op 18 januari vond in de Berlijnse Hofopera de uitvoering plaats van *Der Adlerflug*, een bombastische toneelstuk, geschreven door de gepensioneerde artillerieofficier Josef Lauff. Bij de vertoning van het stuk, een ode aan Wilhelm ii en zijn dynastie, was de voltallige keizerlijke familie aanwezig. Tot de genodigden behoorden uitsluitend de Europese aristocratie en de top van de diverse legeronderdelen.

Diezelfde avond opende de uit een adellijke familie afkomstige Ernst von Wolzogen in Berlijn het eerste literaire cabaret, het zogenaamde *Überbrettl*. Von Wolzogen zette die avond de trend voor het politieke cabaret toen hij zich in zijn conference afvroeg: 'Zou de keizer niet een hofnar nodig hebben die hem af en toe eens de waarheid vertelt?'

Hoewel nog stevig in het zadel, kwam er steeds meer kritiek op de keizer. Wilhelm stond niet bepaald bekend om zijn tact en zijn boute uitspraken veroorzaakten menigmaal een politiek incident. In zeventien jaar hield hij maar liefst 577 officiële redes. Naar aanleiding van zijn lange en belerende speeches zong cabaretière Claire Waldoff in Berlijns dialect: 'Willem red doch nich so viel, ich hab's endlich satt.'

Vanwege de uitvinding van de stoommachine en de expansie van de industrie waren er steeds meer arbeiders naar de hoofdstad getrokken om in de vele fabrieken te werken. De lonen waren karig en de kinderrijke families woonden dicht op elkaar gepakt in overvolle, troosteloze woonkazernes, die aan de lopende band in de buitenwijken van de stad werden gebouwd. Om enigszins het hoofd boven water te houden moesten ook vrouwen en kinderen meewerken. Hygiëne was er nauwelijks waardoor er vervuiling en ziektes ontstonden. De uitzichtloze situatie had tot gevolg dat onder de arbeidersbevolking het drankgebruik schrikbarend toenam.

In 1901, het jaar van het dertigjarige bestaan van het keizerrijk, werd op 27 december in de Sedanstrasse 53 in Schöneberg, een chique buitenwijk van Berlijn, Maria Magdalena Dietrich geboren. De geboorteakte vermeldt: dochter van Louis Erich Otto Dietrich en Wilhelmine Elisabeth Josephine Dietrich geboren Felsing. Een jaar daarvoor was het echtpaar reeds verblijd met de geboorte van dochter Elisabeth.

Louis Dietrich was aanvankelijk officier bij de Ulanencavalerie. Na de Frans-Duitse oorlog (1870) werd hij onderscheiden met het IJzeren Kruis en bevorderd tot majoor. Daarna werd hij luitenant van de Pruisische politie in

Schöneberg. Louis was een rokkenjager die eigenlijk onder dwang van zijn familie was getrouwd. Ook na de geboorte van zijn dochters hield hij er amoureuze relaties op na. Dergelijke buitenechtelijke verhoudingen waren in die tijd bij mannen uit de upper ten gemeengoed en werden over het algemeen gedoogd indien er voldoende discretie in acht werd genomen.

Louis Dietrich was volgens de normen van die tijd beneden zijn stand getrouwd omdat de familie van zijn vrouw niet van adel was, noch kon bogen op enige militaire status. Zijn schoonvader Conrad Felsing behoorde tot de nieuwe rijken. Hij bezat op de Kurfürstendamm een gerenommeerd juweliersbedrijf; men had hem zelfs het predikaat hofleverancier toegekend.

Maria Magdalena, thuis Lena genoemd, was nauwelijks zes jaar oud toen haar vader overleed. Hoewel de oorzaak niet bekend is, betrof het naar alle waarschijnlijkheid de val van een paard na een hartaanval. Zijn weduwe vond daarna werk als gezelschapsdame bij de bevriende adellijke familie Von Losch.

Aan haar biologische vader had Marlene nauwelijks herinneringen. Toen Maximilian Schell haar jaren later vroeg of ze hem had gemist, antwoordde ze: 'Nee, wat men niet gekend heeft kan men ook niet missen.'

Enkele jaren na de dood van haar eerste echtgenoot trouwde Josephine Dietrich-Felsing met Eduard, zoon van de familie Von Losch. Evenals haar eerste echtgenoot was ook Von Losch officier bij het keizerlijke leger.

Elisabeths (Liesel) en Lena's jeugd en opvoeding verliepen volgens de strenge Pruisische traditie. De ijzeren discipline werd de kinderen al vroeg bijgebracht. Sentimenten werden niet getolereerd, gevoelens diende men te onderdrukken: 'Een soldatendochter huilt niet!' Zowel thuis als op school werd absolute gehoorzaamheid geëist en tegenspraak werd niet geduld. De kinderen werd al jong duidelijk gemaakt wat hun plichten waren en als ze de regels overtraden, werden ze bestraft of tot de orde geroepen met de woorden: 'Een meisje van goeden huize doet zoiets niet.' Al jong werden ze voorbereid op een huwelijk en het moederschap. Alhoewel er een staf huishoudelijk personeel aanwezig was, moesten ze leren koken, poetsen en schrobben zodat ze later leiding konden geven aan het personeel. Daarnaast kregen de kinderen al heel jong onderricht in vreemde talen. Frans had Marlenes voorkeur en toen ze vijf jaar oud was sprak ze de taal al goed. Wekelijks kwam er een muzieklerares aan huis om de meisjes piano- of vioolles te geven.

De familie behoorde tot de bezittende klasse, de welgestelden die 's avonds, gekleed naar de laatste mode, restaurants en theaters bevolkten en zich niet druk maakten over het armetierige leven van de arbeiders in de volkswijken. Het leven in van de gegoede burgerij in het wilhelminische Duitsland leek onbezorgd en niemand realiseerde zich dat er veranderingen op komst waren.

Het resultaat van de welvaart was de groei van de arbeidersklasse. Het steeds uitdijende stadsproletariaat begon zich al rond de eeuwwisseling te roeren en zich aan te sluiten bij verenigingen en bonden. Ze eisten, tot groot verdriet van de keizer, betere levensomstandigheden.

De keizer haatte de steeds meer aan terrein winnende socialistische oppositie. In een van zijn toespraken voor arbeiders schoffeerde hij de socialisten: 'Als mannen van eer kunnen jullie je toch met zulke mensen niet inlaten.' Maar zijn oproep mocht niet baten.

Op 12 januari 1912, twee weken na Marlenes tiende verjaardag, behaalden de socialisten in de Rijksdag 110 zetels, maar liefst 67 meer dan bij de vorige verkiezingen van 1907 en werden daarmee de grootste partij van Duitsland. Ofschoon men hen nog buiten de regering kon houden, was het voor de keizer een teken aan de wand. Hij maakte zich terecht ongerust, temeer daar Gustav Noske, een van de socialistische leiders, openlijk had verklaard voorstander te zijn van een republiek.

Daarop wilde de keizer prompt de wapenproductie opvoeren omdat volgens hem 'de vijand niet alleen van buiten, maar ook van binnen het land komt'.

Artiestenkind

Drie jaar nadat Marlene in Berlijn het levenslicht zag, werd op 17 mei 1904 in de woning van de vroedvrouw in de Parijse rue Rochechouart Jean Moncorgé geboren.

In tegenstelling tot het aristocratische milieu waarin Marlene Dietrich opgroeide, was de familie van Jean van uiterst eenvoudige origine. Zijn grootmoeder van moederskant had in het arbeiderswijk Ménilmontant, op de hoek van een boulevard, een kraam waar ze gestoofd rundvlees met frites verkocht.

Jeans grootouders van vaderszijde woonden in Boulogne-Billancourt, een dorp dat later uitgroeide tot een kleine stad in het departement Haut-de-Seine, een streek ten westen van Parijs. Zijn opa was stratenmaker.

Ferdinand Moncorgé, Jeans vader vond, na het doorlopen van de lagere school, een baantje als leerling koetsmaker, een solide beroep omdat het meeste personenvervoer nog per rijtuig plaatsvond. Ferdinand had onder druk van zijn vader het werk geaccepteerd maar toonde weinig interesse in het vak, hij voelde er niets voor om zijn leven in een werkplaats te slijten. Ferdinand had een aardige zangstem. Hij droomde ervan artiest te worden. Op een dag trok hij de stoute schoenen aan en vertelde zijn ontstelde ouders dat hij van plan was zijn baan op te geven om zanger te worden. Zijn vader ontstak daarop in blinde woede: 'Als je dat schandalige idee niet laat varen, weet je waar het gat van de deur is.' Maar Ferdinand Moncorgé wilde zijn droom verwezenlijken en hield voet bij stuk ook al moest hij het ouderlijk huis verlaten. Met zijn weinige bezittingen vertrok hij naar Parijs. Toen hij de deur uit ging, riep zijn vader hem nog na: 'Het is een schande voor de familie, je zult nog eens onder de guillotine eindigen!' Toen Ferdinand nog een keer omkeek, zag hij zijn moeder die met de punt van haar schort de tranen van haar wangen veegde.

Het jaar dat Ferdinand Moncorgé zijn ouderlijk huis verliet, behoorde de Frans-Duitse oorlog al veertien jaar tot het verleden. De nederlaag van Napoleon III

Gabin als kind met vader Ferdinand Gabin.

in 1870 bij Sedan en zijn overgave had het einde van het tweede keizerrijk betekend. Een deel van het leger had echter volhard in de strijd. Dit had tot gevolg dat Parijs maandenlang werd belegerd en er hongersnood uitbrak. Uiteindelijk staakte men het verzet en kwam het tot een wapenstilstand waarna Duitse troepen de verlaten stad binnentrokken.

Het was een enorme vernedering voor de Fransen dat de Duitsers in de spiegelzaal van het historische paleis van Versailles de Pruisische koning Wilhelm I uitriepen tot keizer van een verenigde Duitsland.

Nadat de uit Marseille afkomstige Adolphe Thiers president van de derde republiek was geworden, ontstond er onder een deel van de Parijzenaars een opstand tegen het beleid van de nieuwe regering. Tijdens rellen stichtten anarchisten brandjes waarbij een aantal gebouwen in vlammen opging. Bij het neerslaan van de revolte door het leger vielen er twintigduizend slachtoffers.

Op het moment dat Ferdinand Moncorgé in Parijs aankwam, was de stad al decennia ontwaakt uit de verwoestende nachtmerrie. De wederopbouw was in volle gang en het leven van alledag ging zijn gewone gang. Theaters floreerden en in de straten van Parijs rook men weer de geur van gebraden vlees uit de keukens van de vele restaurants die als paddestoelen uit de grond schoten.

In de arbeiderswijk Belleville wemelde het van café-concs: zaaltjes in of achter een café met een houten podium en een oude piano waar met name in de weekends artiesten optraden, meestal amateurs, die voor hun bijdrage een maaltijd en een klein geldbedrag verdienden. De prijzen van de drankjes waren er laag en het amusement zat meestal vol dubbelzinnigheden en seksuele toespelingen. Doordat arbeiders de hele week hadden gezwoegd, gingen ze zich het weekend meestal te buiten aan overdadig drankmisbruik. Het kostte de optredende artiesten soms moeite de lallende menigte tot stilte te bewegen. Het publiek was soms meedogenloos: wie niet voldeed, werd getrakteerd op schrille fluitconcerten en scheldkanonnades, maar als men goed was, kon men rekenen op bijval. Dergelijke etablissementen vormden voor aankomende artiesten een leerschool in het bespelen van het publiek en dienden soms als springplank naar betere engagementen in theaters met een goede reputatie en een beschaafder publiek.

Na de Franse nederlaag en het verlies aan Duitsland van Elzas-Lotharingen was er een grote vluchtelingenstroom op gang gekomen van Elzassers die niet onder Duitse heerschappij wilden leven. Het verlies van het gebied vormde voor dichters en tekstschrijvers de inspiratie tot het schrijven van patriottische liederen, meestal emotionele smartlappen, over het drama van de verloren oorlog. Uit de teksten sprak de diepe haat jegens Les Fritz of Les boches (moffen).

Als de van oorsprong Italiaanse zangeres Amiati haar chanson *Maître d'école alsacien*, over de verloren Elzas en een Franse schoolmeester die plaats had moeten maken voor een Duitser, kon ze rekenen op veel bijval en maakte ze met haar treurige lied heel wat tranen los.

Maar de meester van het vaderlandslievende repertoire was de zanger Paulus. In 1889 zong hij bij de officiële inwijding van de Eifeltoren zijn hymne *Le Père de la Victoire*.

Hoe diep de afkeer van de overwinnaars zat in de Franse geest, bleek toen in 1890 de Italiaan Imoda in de rue Royale een ijssalon te opende. Imoda kwam op het onzalige idee toeristen te trekken door het uithangen van een Duitse vlag. Dat werkte op de Parijzenaars als de rode lap op een stier. De menigte stortte zich dan ook op de ijssalon en sloeg alles kort en klein. Een jaar later ontstonden er op de Place de l'Opéra relletjes naar aanleiding van de première van Wagners *Lohengrin*.

Toen de nog door Toulouse Lautrec vereeuwigde diseuse Yvette Guilbert in 1900 voor een aanzienlijke gage in Berlijn optrad, was ze bij terugkomst vol lof over de intelligentie van het Duitse volk, maar ook over de schone straten van de Duitse hoofdstad. In tegenstelling tot Parijs waar de vuilnisophaal slecht functioneerde, waardoor afval op de trottoirs achterbleef, wat op warme zomerdagen voor stankoverlast zorgde. Haar reactie werd haar niet in dank afgenomen. Er waren Fransen die vonden dat ze dan maar naar Berlijn moest verhuizen.

Het was met name Paulus' krachtige stem en emotionele voordracht die Ferdinand Moncorgé deed besluiten diens chansons voor te dragen. Hij had daarbij het geluk dat Paulus op het idee was gekomen de muziek en teksten van zijn repertoire in boekvorm te publiceren.

Ferdinand Moncorgé begon op te treden voor verenigingen, in cafés-concerts en in kleine zaaltjes. Op aanraden van een collega gebruikte hij het pseudoniem Ferdinand Gabin als artiestennaam. Na een moeilijke start wist hij toch een carrière als zanger op te bouwen en verdiende hij er een aardige boterham mee.

Tijdens een van zijn optredens maakte hij kennis met de drie jaar oudere Hélène Petit, een talentvolle zangeres wiens naam hoger op de affiches prijkte dan de zijne.

Hélène had, voordat haar zangcarrière begon, in een modeatelier gewerkt waar ze kunstbloemen en veren schikte op de dameshoeden uit die tijd. Tijdens hun werk zongen de meisjes. Hélènes mooie stem viel daarbij op. Op aanraden van haar collega's maakte ze van het zingen haar beroep. Nadat Ferdinand en Hélène hadden besloten te gaan samenwonen, beviel Hélène in 1888 van een zoon, waarna nog twee meisjes werden geboren. Om de kinderen te verzorgen moest ze, zeer tegen haar zin, haar zangcarrière opgeven. Door de gezinsuitbreiding had de familie behoefte aan een groter huis, maar door de industrialisatie waren er veel arbeiders naar de hoofdstad getrokken, waardoor er een tekort aan woningen was ontstaan. Daarom kocht Ferdinand met wat gespaard geld en een krediet een ruim huis met een grote tuin in Mériel, een klein dorp dertig kilometer ten noorden van Parijs, aan de rand van het bos van l'Isle Adam. Omdat er een station was en een treinverbinding met Parijs kon hij voor zijn werk dagelijks heen- en weer reizen.

Na de geboorte van hun derde kind traden Ferdinand en Hélène pas in het huwelijk.

Ferdinand speelde in revues en operettes en was een tijdlang verbonden aan het theater Gigale dicht bij de Place Clichy.

Hélène voelde zich als stadskind ongelukkig in het saaie provinciale gat. Ze was niet geschapen voor het moederschap en miste de bonte caleidoscoop van het theaterleven. Haar grote frustratie was bovendien dat haar man wél zijn carrière kon voortzetten terwijl zij veroordeeld was een leven als sloof in een boerengehucht te leiden. Tot overmaat van ramp beviel ze nog van drie kinderen die kort na de geboorte overleden. Ook de oudste zoon stierf jong. Hélène had de illusie dat ze terug kon keren naar de planken als de kinderen iets groter zouden zijn. Maar haar wens kwam niet uit, want vijftien jaar na de geboorte van haar eerste kind beviel ze weer en ditmaal van een gezonde jongen. Daardoor vervlogen al haar dromen. Dat ongewenste kind was Jean Moncorgé, die later als Jean Gabin een grote carrière zou maken. Na de bevalling keerde Hélène met haar baby terug naar Mériel.

Jean groeide op in het boerengehucht. Hierdoor zou zijn liefde voor de natuur groeien. Hij was een vrijbuiter die school als een gevangenis zag en dan ook dikwijls spijbelde. Leraren wisten niet veel raad met de ongeïnteresseerde jongen en gaven hem maar allerlei baantjes zoals het opvullen van de kachels. Met de meeste dorpskinderen had de zwijgzame jongen nauwelijks contact. Zijn lust en leven was het om urenlang door de bossen en velden te zwerven.

Als hij 's avonds thuiskwam, was zijn kleding gehavend door de doorns van bramenstruiken en hij zat onder de bulten en schrammen. Hij genoot het meest als hij op een boerenhoeve de stallen mocht uitmesten en mocht helpen met de verzorging van de dieren of mee mocht met de jachtopziender, van wie hij soms even het geweer mocht vasthouden. Zelf joeg hij met een katapult op vogels, maar als hij 's avonds thuiskwam met de buit, griezelde zijn moeder en begon ze zelfs te huilen. Zijn grootmoeder echter, een vrouw van het land, plukte de vogels en braadde ze voor hem, waarna Jean ze rap verorberde. Ook het komen en gaan van de treinen op het kleine station fascineerde hem. Hij droomde ervan later als machinist op een locomotief het wijde landschap te doorklieven.

Met zijn moeder had hij weinig contact, want als hij thuiskwam pakte hij een stuk brood waar hij een plak kaas tussen stopte om al etende de vrijheid in te rennen. Zijn vader zag hij nauwelijks, want die kwam altijd met laatste trein uit Parijs terug en sliep tot laat in de middag, als Jean thuiskwam, was hij alweer vertrokken. Het beste contact onderhield hij met zijn veertien jaar oudere zuster Madeleine, op wie hij erg gesteld was. Zij werd een soort surrogaatmoeder voor hem.

In het Gabinmuseum in Mériel bevindt zich een foto van de negenjarige Jean in boerenkieltje met een hoepel in zijn hand. Zijn kousen zijn afgezakt tot onder zijn knieën en zijn voeten steken in een paar onder de modder zittende schoenen. Op zijn brede hoofd draagt hij een muts en zijn vierkante gezicht zit onder de vlekken alsof het dagenlang niet gewassen is.

Als men de foto vergelijkt met een foto van Marlene als kind, is het contrast groot. Ze zit in een stoel, gekleed in een gesteven kanten jurkje, hagelwitte sokjes en mooie schoentjes, strikjes in de lange gekamde haren en grote elegante hoed op het hoofd.

Bij het zien van beide foto's kan men zich alleen maar verwonderen en zich afvragen hoe het mogelijk was dat deze kinderen uit een totaal ander milieu, eenmaal volwassen, zo'n veertig jaar later samen een grote liefde zouden beleven. Maar niet voor niets zegt een Frans spreekwoord 'Les extrêmes se touchent'.

La Belle Epoque

Hoewel rond de eeuwwisseling het politieke klimaat in Frankrijk vanwege corruptie en schandalen niet erg stabiel was, floreerde de handel en keerde langzamerhand de welvaart terug. In 1897 maakten de gaslantaarns plaats voor elektrische. Het leverde Parijs het predikaat La ville Lumière, de lichtstad op.

De wereldtentoonstelling 1900 was gepland in Parijs en met het oog daarop verrezen er tal van nieuwe monumentale bouwwerken. De Duitse keizer Wilhelm II was woedend toen hij hoorde dat de internationale tentoonstelling in Parijs zou worden gehouden in plaats van in Berlijn. Tot zijn grote ergernis waren de Fransen hem voor geweest door, al jaren van tevoren afspraken te maken met andere deelnemende landen.

De kosten van de expositie werden geschat op zo'n honderd miljoen francs, waarvan de staat en de stad Parijs een groot deel voor hun rekening zouden nemen, de rest werd verkregen door het uitschrijven van loterijen en uit de opbrengst van entreekaarten.

De opening ging gepaard met tal van feestelijkheden. Een van de hoogtepunten was de première van Edmond Rostands drama *L'Aiglon* (het adelaarsjong) waarin de legendarische actrice Sarah Bernhardt de in ballingschap gestorven zoon van de grote keizer Napoleon speelde. Aan het feit dat Sarah met 56 jaar een jongeman vertolkte, die 21 was toen hij aan tuberculose overleed, nam niemand aanstoot. Op de avond van de première laaide het nationalisme in alle hevigheid op. De entree van het Théâtre Sarah Bernhardt was versierd met de driekleur. Nadat het orkest van het conservatorium de *Marseillaise* had gespeeld, hield de minister van Handel een vurige patriottische speech.

Gedurende het internationale evenement werd de stad bezocht door duizenden toeristen. In de voormalige Italiaanse ijssalon, die tien jaar daarvoor door een woedende massa was verwoest vanwege het uithangen van de Duitse vlag, was nu het chique restaurant Maxim gevestigd. Daar deed de Europese crème de la crème zich te goed aan exquisiete maaltijden en mengde zich met de demi-monde.

Het was de periode van in de korsetten geregen dames met wespentailles en de *décolletés en coeur*. In het Café de la Paix soupeerde na haar optreden regelmatig Yvette Guilbert, en de beroemde Italiaanse operazanger Enrico Caruso amuseerde er zich met het maken van karikaturen op servetten, terwijl het zigeunerorkest van Boldi van het ene naar het andere etablissement trok. De champagne vloeide rijkelijk en er klonk tot diep in de nacht muziek.

In 1889 was de befaamde Moulin Rouge geopend waar op muziek van Offenbach de 'cancan', een acrobatische quadrille, werd gedanst door La Goulue en haar partner Valentin le Désosse. Het etablissement verwierf internationale faam toen Henri de Toulouse Lautrec er de affiches voor ontwierp.

In het Parijse Bois de Boulogne flaneerde de beau monde en reden de koetsen van Liane de Pougy, Emilienne d'Alençon, 'La belle Otère' en Cléo de Mérode. Deze internationaal beroemde 'artistes' kregen meer publiciteit vanwege hun turbulente veroveringen, onder wie veel gekroonde hoofden, dan door hun artistieke prestaties. Hun schoonheid en vaardigheden in bed leverden hun een aanzienlijk vermogen op bestaande uit juwelen, koetsen, stallen met volbloed paarden en onroerend goed.

Onder de bezoekers van de wereldtentoonstelling bevonden zich tal van vertegenwoordigers van Europese vorstenhuizen. Edward, prins van Wales kwam echter niet vanwege de anti-Engelse gevoelens ten aanzien van de Boerenoorlog. Weliswaar had hij het Britse paviljoen tijdens de bouw enkele keren bezocht maar hij vond het raadzamer de opening niet bij te wonen. De Duitse keizer Wilhelm was niet uitgenodigd omdat men vreesde voor anti-Duitse demonstraties en provocerende verklaringen van de tactloze vorst.

De expositie trok duizenden bezoekers, zowel Fransen als buitenlanders. Hotels zaten boordevol en gerenommeerde Parijse restaurants beleefden gouden tijden ondanks hun niet bescheiden prijzen. Toen een Russische generaal in een exclusief restaurant twee perziken bestelde, en een rekening kreeg van vijftien franc, wat in die tijd buiten proporties was, merkte hij schamper op: 'De perziken zijn hier zeker erg zeldzaam,' waarop de kelner gevat antwoordde: 'Nee meneer, de perziken niet maar de generaals wel!'

Veel gebouwen en tevens de entree van de metro waren speciaal voor de expositie gebouwd in de nieuwe Jugendstil of art nouveau, toen meestal 'modern style' genoemd. De Fransen maakten daar in hun haat jegens de Duitsers de *Munich Style* van.

Het nieuwe medium film had ook zijn intrede gedaan. Voor de eerste publieke première hadden de gebroeders Lumière in 1895 een zaaltje gehuurd in het souterrain van het Grand Café op de Boulevard Capucines. Het was rond Kerstmis, de periode dat de boulevard vol stond met venters die er hun waren aanprezen, waarop veel nieuwsgierigen afkwamen. Georges Méliès, directeur van het Théâtre Robert Houdin, was een van de eersten die met het nieuwe procédé begonnen te experimenteren en films uitbrachten. Hij legde onder andere het bezoek van de Russische tsaar aan Parijs op celluloid vast en maakte met kunstlicht opnamen van zanger Paulus, die daarop had aangedrongen omdat zijn rimpels dan minder zichtbaar zouden zijn. De opnamen slaagden boven verwachting en Paulus oogstte veel succes toen hij bij de vertoning achter het witte doek zong om daarna al zingend vóór het doek te verschijnen.

Men begon daarna met het vervaardigen van korte en langere speelfilms. Veel veterane toneelacteurs incasseerden grote gages om filmrollen te spelen. Maar helaas was de techniek nog verre van perfect, waardoor de acteurs soms op het witte doek niet erg voordelig overkwamen. Toen Sarah Bernhardt haar succesvolle toneelrol in Dumas' *La Dame aux camélias* voor de film speelde, schok ze zo van het resultaat, dat ze ter plekke flauwviel.

In 1908 ontstonden in Frankrijk een vijftigtal kleine firma's die films produceerden. Maar de film moest het nog steeds afleggen tegen het theater en de music-hall. In tegenstelling tot Duitsland waar het nieuwe medium grote opgang maakte doordat de keizer zich graag in vol ornaat liet filmen. Dat had tot gevolg dat film niet meer werd gezien als uitsluitend volksvermaak voor de allerlaagste klassen, en er spoedig luxueuze theaters verrezen waar stommefilms werden begeleid met orkestmuziek.

Daarentegen waren de Franse filmzalen armoedig en weinig comfortabel en werden in plaats van een orkest bewegende beelden meestal door een slechte pianist begeleid. In de provincie werden films geprojecteerd in scholen of dorpskroegen.

De music-hall bleef de grootste publiekstrekker. Onder de sterren die opgang maakten bevond zich de jonge Mistinguett, pseudoniem voor Jeanne Bourgeois. Samen met de populaire revuester Max Dearly creëerde ze in 1909 in de Moulin Rouge de 'Valse Chaloupée', oftewel een Apachendans op muziek van het ballet *Papillons* van Offenbach. Drie jaar later was ze de ster van de Folies Bergère, waar de vijftien jaar jongere Maurice Chevalier niet alleen haar partner werd op het toneel, maar ook in bed.

Chevalier was de zoon van een huisschilder, getrouwd met een Vlaamse vrouw die negen kinderen baarde, van wie alleen drie jongens in leven bleven, onder wie benjamin Maurice. De familie woonde in armoedige omstandigheden in een steeg in de arbeiderswijk Ménilmontant. Vader was een notoire alcoholist die na een ruzie het huis verliet om nooit meer terug te keren. Moeder onderhield daarna het gezin met het doen van verstelwerk. Na een mislukte poging om met zijn vijf jaar oudere broer een acrobatisch duo te vormen begon de jonge Maurice liedjes van populaire komieken te zingen waarmee hij als twaalfjarige zijn debuut maakte in Café Trois Lions. Daarna kreeg hij zijn eerste engagement in het Casino de Tourelles voor twaalf franc per week waar hij als 'Le petit Chevalier comique miniature' komieken uit die tijd als Dranem en Boucot imiteerde. Hij trad op in krappe bontgeruite kleding en te grote schoenen en een te klein bolhoedje. Met veel vallen en opstaan wist hij al jong een plaats te veroveren in het Parijse amusementscircuit door al spoedig op te treden in music-halls als Eldorado en Folies Bergère. Zijn clowneske imago leverde hij later in voor een onberispelijke smoking en een strohoed.

In 1909 kwam ook het beroemde Ballets Russes onder leiding van de geniale impressario Diaghilev naar Parijs voor een reeks optreden in het Théâtre de Châtelet. De groep was de sensatie van het Parijse theaterseizoen en het publiek maakte kennis met legendarische dansers als Tamara Karsavina, Vaslaw Nijinsky en Anna Pavlova dansend op muziek van Strawinsky, Ravel en Debussy.

Parijs bloeide weer als de culturele hoofdstad van Europa. Hoewel het leek of de stad zich in een voortdurende feestroes bevond, zou daaraan weldra een einde komen, waarna het nooit meer zou worden als het was.

Einde van een tijdperk

In 1909 kwam vanuit Rusland niet alleen het Diaghilev-ballet naar Frankrijk, ook de vonk van de revolutie, die was ontvlamd na de verloren oorlog tegen Japan en zich weldra over heel Europa zou verspreiden.

In hetzelfde jaar werd in Frankrijk Aristide Briand gekozen tot premier. Deze uit Nantes afkomstige advocaat, was een tijdlang secretaris geweest van de socialistische partij en had samen met Jean Jaurès het partijorgaan *L'Humanité* opgericht. Toen hij een post aanvaarde als minister van Cultuur en Onderwijs in het burgerlijke kabinet-Sarrien, werd hij door de partij geroyeerd. Hij stichtte toen met andere politici de Parti Socialiste Républicain. In 1906 wist Briand de scheiding tussen kerk en staat door het parlement te drukken en drie jaar later werd hij premier.

In die functie had hij de moeilijke taak te strijden tegen stakingen en ongeregeldheden onder de arbeiders. Door een deel van hen doodleuk op te roepen voor militaire dienst loste hij een staking op van het spoorwegpersoneel.

Leider van de Franse socialisten was nu Briands vroegere partijgenoot Jean Jaurès, een overtuigd marxist en woordvoerder van de vakbond Section Française de l'internationale Ouvrière. Jaurès was pacifist en tegenstander van het overzeese koloniale beleid van de regering.

Toen de oorlogsdreiging toenam en de regering besloot de wapenproductie op te voeren, verzette Jaurès zich met hand en tand tegen de bewapening. Hij riep zijn aanhang op te protesteren met de kreet 'Guerre à la Guerre!' (oorlog tegen de oorlog). Zijn campagne leidde in 1913 tot grote aanvallen en bedreigingen op zowel zijn politieke ideeën als zijn persoon.

Zijn tegenstanders kwamen uit de ultrakatholieke en nationalistische hoek. Hoe in die periode de verrechtsing snel toenam, blijkt onder andere uit een onderzoek onder studenten van de Sorbonne. Het patriottisme en nationalisme uitte zich in een bijna ziekelijke verering van Jeanne d'Arc, die uitgroeide tot een ware cult. De draai naar rechts ging tevens gepaard met een toename van het antisemitisme waarbij Jaurès werd gedoodverfd als een marionet van de invloedrijke joodse Rothschild-familie.

Op 30 juli 1914 woonde Jaurès in Brussel een internationaal socialistisch congres bij dat zich ten doel stelde de tegenstellingen in Europa te verminderen en zich in te zetten voor de vrede. Toen Jaurès de volgende dag met vrienden soupeerde in het Café du Croissant op de hoek van de rue Montmarte was het een warme avond en waren de ramen van het restaurant geopend. Op het moment dat Jaurès genoot van zijn dessert, een aardbeientaartje, werd er achter het gordijn een revolver op hem gericht. Er klonken twee schoten die Jaurès dodelijk in de nek troffen. Zijn moordenaar was de 29-jarige Raoul Villain, een ultrakatholieke nationalist en lid van de Jeunes Amis de l'Alsace-Lorraine, een militante beweging die opriep het door de Duitsers geannexeerde Elzas-Lotharingen te heroveren.

Niet lang daarna zou die wens werkelijkheid worden en brak de Eerste Wereldoorlog uit.

De aanleiding was Sarajevo, waar de Oostenrijkse-Hongaarse troonopvolger Frans Ferdinand en zijn morganatische echtgenote koelbloedig werden vermoord door een jonge tot fanatisme opgezweepte Bosnische student. Wenen stuurde toen de Servische regering een ultimatum waarin werd geëist dat het land zich zou distantiëren van de pan-Slavische gedachte, die pleitte voor aansluiting bij Servië van door Oostenrijk geannexeerde gebieden. Toen de eis niet werd ingewilligd, verklaarde Oostenrijk de oorlog en trok het Duitsland vanwege een eerder afgesloten overeenkomst mee in de strijd. Toen Rusland de zijde van Servië koos, moest zowel Frankrijk als Engeland, vanwege de eerder gesloten Triple Entente, de kant van Rusland kiezen.

Op 1 augustus kondigde de Franse regering de mobilisatie af en twee dagen later verklaarde Duitsland de oorlog aan Frankrijk. Een dag later vond onder overweldigende belangstelling de begrafenis van Jaurès plaats. Hoewel overal toen nog de kreet 'A bas la guerre' (weg met de oorlog) klonk, sloeg de stemming algauw om. Een groot deel van de bevolking zag de oorlog als een revanche tegen de gehate Duitsers en voelde zich eensgezind in de geestdrift ten aanzien van de herovering van Elzas-Lotharingen. Kort na de oorlogsverklaring werd zowel het monument van Jeanne d'Arc als dat van Strasbourg op de Place de la Concorde bedolven onder een ware bloemenpracht en versierden bloemen spoedig de petten en geweren van de soldaten. De euforie was zo groot dat wildvreemden elkaar op straat omhelsden en vreugdedansjes maakten.

Maar niet iedereen was zo ingenomen met de oorlog. De beroemde tragedienne Réjane zwoer dat ze een einde zou maken aan al die nonsens. Ze opperde het plan de Duitse keizer te bezoeken en hem, als een heldin uit een stuk van Racine, te smeken de oorlog te stoppen. Haar plan liep op niets uit want de grensovergangen zaten al potdicht.

Op de dag dat ook Maurice Chevaliers regiment naar het front vertrok, wuifde Mistinguett en zijn moeder hem uit.

Tijdens de eerste gevechten bleken de oprukkende Duitse troepen sterker en moesten de Fransen zich al snel terugtrekken. De eerste week van de oorlog vielen er aan Franse zijde zo'n tienduizend doden. Toen de Duitse troepen nog maar 32 kilometer van Parijs waren verwijderd, ontvluchtte de Franse regering de stad. Ze vestigde zich in Bordeaux. Als de wind uit het noorden waaide, kon men in het Parijse Bois de Boulogne het dreunen van de kanonnen horen. In september vloog een Duits vliegtuig over Parijs en wierp drie bommen af. Daarbij kwam een oude vrouw om het leven. Dicht bij het slachtoffer vond men een brief met de tekst: 'Het Duitse leger staat voor uw deur!' Binnen de kortst mogelijke tijd verschenen er meer bommenwerpers aan de Parijse hemel.

De stad werd overspoeld door honderden verwilderde en angstige Belgische vluchtelingen. De meesten van hen hadden als enige bagage een koffertje met hun weinige schamele bezittingen. Het Grand Palais en een zestal scholen werden ingericht als hospitaal en dames uit de society meldden zich bij het Rode Kruis om dienst te doen als verpleegster.

Bioscopen en restaurants sloten en de straten waren leeg. Evenals in Duitsland sloegen de vrouwen, na een oproep in de kranten, aan het breien. De dames van de Franco-British Society maakten wollen onderbroeken voor de in kilt geklede Schotse Hooglanders.

Bij het uitbreken van de oorlog was de frêle Franse homoseksuele dichter Jean Cocteau 25 jaar oud. Hoewel hij zich direct meldde als vrijwilliger, werd hij afgekeurd. Daarop nam Cocteau, nadat hij zich een elegant uniform had laten aanmeten door de befaamde couturier Paul Poiret, dienst bij het Rode Kruis als ambulancechauffeur. Bij de kathedraal van Reims kwam het konvooi waarin zijn ambulance zich bevond, onder vijandelijk vuur te liggen.

Cocteau beschrijft de verschrikkingen van soldaten die overleden aan hun verwondingen of van de honger, dorst, door tetanus of door het aanhoudende granaatvuur. Het aantal slachtoffers was dermate hoog dat generaal Février hen midden in de nacht Parijs liet binnensmokkelen om de inwoners niet te demoraliseren.

Tijdens de gevechten kwam ook de heldhaftige piloot Roland Garros in handen van de Duitsers, maar na ontsnapt te zijn, stond hij er op zijn vluchten te hervatten ondanks dat hij een psychisch wrak was. Jean Cocteau, die smoorverliefd was op Garros, probeerde hem te overreden niet terug te keren naar de het front. Aan een invloedrijke vriendin schreef hij: 'Stop Garros tot elke prijs. Zeg hem dat we ook in vredestijd helden nodig hebben!' Garros sloeg echter deze goede raad in de wind en hervatte zijn luchtgevechten. Tijdens zijn derde vlucht vond hij de dood toen zijn toestel door vijandelijk vuur werd getroffen en neerstortte. Cocteau herdacht Garros in een gedichtenreeks met als titel *Le Cap de Bonne-Espérance*.

Ook Maurice Chevalier nam actief deel aan de bloedige strijd. Zijn regiment marcheerde vijftig kilometer vanaf een klein station naar een dorp aan de Belgische grens. Toen ze vandaaruit het dorp Cutry zouden innemen, kwamen ze tot de ontdekking dat de Duitsers zich er al uit hadden teruggetrokken. Maar het bleek een valstrik, want de volgende dag gingen de Duitsers alweer tot de aanval over. Tijdens een vuurgevecht met de vijand zag Maurice de soldaat naast hem achterover vallen. Hij had een klein gaatje in zijn hoofd van waaruit het bloed over zijn gezicht sijpelde. Plotseling volgde er een hevige explosie waardoor ook Maurice met kracht werd weggeblazen en met een klap op de grond belandde. Hij kreeg een waas voor zijn ogen, voelde een brandende pijn in zijn rug en merkte nauwelijks dat hij werd opgetild en op een brancard werd weggevoerd. Nadat er in een hospitaal een granaatscherf was verwijderd, wist men de bloeding te stoppen.

Toen hij twee dagen daarna uit een diepe slaap ontwaakte, zag hij soldaten in Duitse uniformen, fanatiek zwaaiend met hun geweren. Met andere Franse militairen bleek hij per veewagen overgebracht te worden naar het krijgsgevangenenkamp Alten-Grabow, bij Berlijn.

Deutschland über alles

In Berlijn was het uitbreken van de oorlog op vrijdag 31 juli 1914 bekendgemaakt.

Na de oorlogsproclamatie was de hoofdstad een deinende mensenzee. Soldaten marcheerden onder luid gejuich in eindeloze colonnes door de straten. Het *Deutschland über alles!* klonk uit vele kelen. Stenen vlogen door de ruiten van de Engelse ambassade, terwijl het gebroken glas neerviel op de hoofden van de schreeuwende en tierende massa.

Maar de euforie bleef niet beperkt tot Berlijn, want ook andere Europese steden als St.-Petersburg, Wenen, Londen en Parijs waren het toneel van dergelijke taferelen, waarbij voorstanders van de oorlog hossend en juichend door de straten trokken. De weinige kritische stemmen gingen verloren in het oorverdovende lawaai.

In overvolle Berlijnse bierhallen en restaurants liepen violisten van tafel tot tafel onder het spelen van *Die Wacht am Rhein* en op de pianotoetsen beukte men *Heil dir im Siegenkranz* terwijl de gasten zich onder invloed van bier en overwinningsgevoelens tot diep in de nacht de keel schor schreeuwden met patriottische oorlogsmarsen.

De avond voor de oorlogsverklaring had de keizer de voor het kasteel verzamelde mensenmassa toegesproken: 'Als het tot een oorlog komt, houdt elk partijgevoel op, we zijn dan alleen nog Duitse broeders!'

Op zondag vond er voor de Rijksdag een oecumenische kerkdienst plaats onder leiding van de hofprediker die God genadig smeekte om de overwinning, en protestanten en katholieken gezamenlijk *Grosser Gott, wir loben dich!* zongen. Het appèl van enkele socialistische groeperingen in de Rijksdag om terughoudendheid in acht te nemen werd met hoongelach ontvangen.

Na de eerste gunstige berichten van het front werden op de bovenste etages van de achterhuizen van miserabele huurkazernes de vlaggen uitgehangen. Zelfs de communistische beeldende kunstenaar Käthe Kollwitz liet zich bij de val van Antwerpen verleiden tot dat vlagvertoon.

Toen Duitse theaters hun personeel ontsloegen omdat ze verplicht waren te sluiten, stelden veel acteurs en andere artiesten zich beschikbaar voor het fronttheater.

Het wekelijkse Franse *Pathé Journal* en de *Gaumont Woche* moesten plaatsmaken voor de *Messter Woche* van de hand van de Duitse filmpionier Oskar Messter. Uit angst voor spionage stelde de legerleiding zware eisen aan de firma's die aan het front werden toegelaten om te filmen.

Bij het uitbreken van de oorlog was de dertientienjarige Lena Dietrich leerling op de meisjesschool die de naam droeg van keizerin Auguste-Victoria. Hoewel ze goed was in alle vakken, blonk ze meest uit in het Frans, de taal waarin ze als kind al les had gehad. Gedurende die periode verkortte ze haar geboortenamen Maria Magdalena en werd Lena voortaan het meer Frans klinkende Marlene. Een van de redenen was haar dweepzieke verering voor haar Franse lerares mademoiselle Breguand. Groot was dan ook haar teleurstelling toen ze na de zomervakantie, bij het begin van het nieuwe schooljaar, mademoiselle Breguand niet meer aantrof. Frans was geschrapt van het lesrooster en met het oog op de vijandelijkheden was de lerares afgereisd naar haar geboorteland.

De lessen werden aangepast en voor een deel zelfs opgeheven. In plaats daarvan moesten de meisjes onder leiding van de handwerklerares sokken, truien en sjaals breien voor de soldaten. Op weg naar het station, voor transport naar het front, werden de marcherende soldaten door de enthousiaste menigte onthaald op bloemen. Ook Marlene en haar medeleerlingen werden ingezet om de soldaten ten afscheid toe te zingen.

Het vertrek van de Franse lerares was voor de jonge Marlene een enorm gemis. Dikwijls dwaalden haar gedachten af naar de vereerde mademoiselle. De zomer bracht ze door op een zomerschool die door enkele leraren op het platteland was opgezet. Dicht bij de school bevond zich een krijgsgevangenenkamp.

Op een dag, tijdens het maken van haar huiswerk op de veranda, realiseerde Marlene zich plotseling dat het 14 juli was, de dag dat in Frankrijk de bestorming van de Bastille van 1789 en het begin van de Franse Revolutie werd herdacht. Deze historische gebeurtenis ging altijd gepaard met feestelijkheden. Ze moest denken aan de Franse gevangenen in het kamp en er ontluikte toen bij haar een plan, dat ze zag als een soort eerbetoon aan haar geliefde Franse docente mademoiselle Breguand. Nog voor de schemering inviel ging ze de tuin in, sneed zoveel witte rozen als ze maar kon dragen en liep heimelijk met de bloemen in haar armen in de richting van de bosrand waar zich het krijgsgevangenenkamp bevond. Ofschoon de doornen van de rozen door haar dunne zomerjapon staken, deerde het haar niet: een soldatendochter kent immers geen pijn. Toen ze dichterbij kwam, ontwaarde ze achter een prikkeldraadomheining de gezichten van de gevangenen. Ze liep weliswaar het risico ontdekt te worden door de bewakers, maar toen ze zag dat de weg veilig was, liep ze naar de afrastering toe. Hoewel ze niet huilde, welden er toch tranen in haar ogen bij het zien van de bewegingloze gestaltes die zich achter de prikkeldraadomheining als silhouetten aftekenden tegen de ondergaande zon. Zwijgend staarden de bebaarde, verwaarloosde mannen met hun donkere ogen het jonge, blonde meisje aan. Marlene pakte de eerste roos en stak hem door het prikkeldraad. Er was geen response, de mannen reageerden niet, maar staarden wezenloos in het niets. En terwijl ze in haar beste Frans zei: 'Het is vandaag de dag van de Bastille, en ik dacht dat u blij zou zijn met mijn rozen,' overhandigde ze de bloemen door de afrastering heen. Zwijgend namen de mannen stuk voor stuk de bloemen in ontvangst.

Daarna haastte ze zich terug, hopend dat niemand haar gezien zou hebben. Maar dat was wel het geval. De volgende dag kreeg haar moeder bezoek van een leraar van haar school, de man was bereid het voorval te vergeven, maar moeders van haar klasgenoten zagen het als verraad en drongen aan op haar verwijdering van school. Ze werd op de trein naar Berlijn gezet.

Naarmate de oorlog voortduurde, vielen aan beide zijden steeds meer doden en gewonden. Ook een oom en enkele verre neven van Marlene kwamen om in het oorlogsgeweld. Toen Marlenes stiefvader Eduard von Losch werd overgeplaatst naar Dessau vergezelde de familie hem en werd Marlene ingeschreven in een plaatselijk lyceum.

Ondanks de vele slachtoffers boekte het Duitse leger aan het oostfront succes. Onder leiding van generaal Paul von Hindenburg versloegen de mannen in augustus de in Oost-Pruisen binnengedrongen Russische troepen bij Tannenberg. Hindenburg, die daarna werd bejubeld als 'de held van Tannenberg', gaf de Duitsers hoop op de overwinning.

Bij de gevechten tegen de Russen kwam ook Von Losch om, waardoor Marlenes moeder voor de tweede keer weduwe werd. Marlene keerde met haar moeder en zuster terug naar Berlijn.

De strijd zette zich nu hoofdzakelijk voort aan het westelijk front. Steeds meer vaders en zonen kwamen niet meer terug van het slagveld en de euforie van het eerste uur veranderde in verslagenheid en rouw. Degenen die overleefden waren dikwijls lichamelijke of geestelijke wrakken. Men zag in de straten van Berlijn steeds meer kreupelen en verminkten die zich strompelend voortbewogen op krukken of in een invalidewagentje. De stemming werd steeds bedrukter naarmate het aantal doden en gewonden toenam.

Daarnaast ontstonden er nijpende voedseltekorten. Koffie werd vervangen door een surrogaat gemaakt van eikels en het enige eetbare was koolraap. Volgens Marlene aten ze die groente 's morgens, 's middags en 's avonds en werd koolraap verwerkt tot marmelade, koek, soep en nog tal van andere variaties.

Marlenes moeder nam de dood van haar man gelaten op: 'Mijn noodlot is dat van miljoenen vrouwen.'

Marlene schreef over haar moeder: 'Ze was een goede generaal en had haar eigen regels: ze was het voorbeeld dat wij nodig hadden. Geen ijdelheid over geleverde prestaties, geen erkenning of schouderklopjes; vanzelfsprekend was plichtsbesef haar enige doel.'

Marlenes moeder kleedde zich na de dood van haar man in zwart. In het Berlijnse stadsbeeld overheerste het grijs en zwart. Ook Marlene droeg donkerblauwe kleding, een zwarte haarband en een rouwband om haar arm.

Oorlog en vrede

Bij het uitbreken van de oorlog was Jean Moncorgé tien jaar oud. Mériel, de woonplaats van de familie, lag aan de doorgangsroute van de Franse troepen op weg naar het front. Onder hen bevonden zich veel Zouaven afkomstig uit de Franse kolonie Algerije. Voordat ze naar het twintig kilometer noordelijker gelegen front vertrokken, sloegen ze enige tijd hun kamp op in Mériel. De kleine avontuurlijke Jean raakte gefascineerd door de prachtige uniformen, blinkende geweren en bajonetten, die in fel contrast stonden met de oude buks van zijn vader en die van de jachtopziener. De hele dag hing hij rond het tentenkamp en sloot al snel vriendschap met de soldaten die de kleine jongen gingen zien als hun mascotte. Toen hij eenmaal met ze mee mocht eten, was hij er niet meer weg te slaan.

Toen de regimenten verder trokken, marcheerde Jean doodleuk met hen mee. De jonge soldaten, nauwelijks de puberteit ontgroeid, zagen er niets fouts in en zorgden ervoor dat de officieren hem niet zagen. Toen hij 's nachts niet thuiskwam, raakten zijn ouders in paniek en waarschuwden de politie. Twee dagen later vond men hem in datzelfde militaire kamp slechts twee kilometer verwijderd van het front.

Naarmate de Duitse troepen vanuit het noorden verder oprukten en al ver waren doorgestoten op Franse bodem, werd het ook in Mériel steeds gevaarlijker. Het dorp lag midden in de vuurlinie, waardoor projectielen soms rakelings over het huis van de familie Moncorgé vlogen. Toen er op een keer een in de moestuin belandde, was voor Ferdinand de maat vol: hij zocht voor zijn gezin een veilig heenkomen. Zijn schoonzuster schoot te hulp door de familie tijdelijk onderdak te verlenen in haar Parijse woning, toen haar echtgenoot, Ferdinands jongere broer, was opgeroepen voor frontdienst. Toch bleven ze er niet lang omdat Ferdinand een parterrewoning vond in de rue Custine, op de hoek van de rue Clignancourt. Jean werd al snel ingeschreven op de gemeenteschool van Montmartre, waar de leraren bij de jongen ook weinig enthousiasme konden opwekken. Hij bleef school zien als een gevangenis, als aan het einde van de lessen het verlossende geluid van de bel klonk, rende hij de vrijheid tegemoet. Uren kon hij door de Parijse parken en rond de trappen van de Butte Montmartre zwerven.

Wonder boven wonder wist hij toch de school te doorlopen. Dat had hij echter niet te danken aan zijn ijver, maar aan zijn door de jacht sterk ontwikkelde gezichtsvermogen waardoor hij tijdens examens kon spieken bij de bolleboos die naast hem in de schoolbank zat. Aan het einde van het laatste schooljaar mocht hij zelfs zijn einddiploma in ontvangst nemen. Zijn vroegere klasgenoten in Mériel konden het nauwelijks geloven.

Hoewel hij zich nooit had ingespannen, had hij de leerstof toch spelenderwijs tot zich genomen, want in zijn latere leven had hij geen enkele moeite met rekenen noch met lezen of schrijven. Wat hem het beste bij bleef van zijn schooltijd was punctualiteit, bepaald geen Franse deugd. Hij zou later altijd zijn afspraken op de minuut nakomen en zich enorm ergeren aan laatkomers.

Bij het uitbreken van de oorlog was al het amusement uit Parijs verdwenen. Ook Jeans vader was werkeloos. Uiteindelijk vond hij werk bij de spoorwegen, waar het leggen van rails en het onderhoud van de spoordijk hem zwaar viel omdat hij niet over een sterke fysieke conditie beschikte.

Jeans oudere zuster Madeleine was achtergebleven in Mériel. Ze was, toen Jean vijf jaar oud was, getrouwd met de uit Marseille afkomstige ex-bokskampioen Jean Poësie. Doordat Madeleine een jaar voor het uitbreken van de oorlog was bevallen van hun zoon Guy was de kleine Jean al vroeg oom geworden. Jean adoreerde zijn zwager die hij als een ware held zag. Poësie ontfermde zich over de jongen: hij leerde hem boksen en fietsen en nam hem mee op jacht in de bossen en velden rond Mériel. Maar na het afkondigen van de mobilisatie was daar een einde aan gekomen doordat Poësie werd opgeroepen voor frontdienst en ernstig gewond raakte, waarbij hem een been moest worden geamputeerd. De kleine Jean overstelpte hem in het lazaret met kinderlijk naïef aandoenlijke brieven waarin hij schreef te hopen dat ze na de oorlog hun sportieve activiteiten weer konden voortzetten. Het drong helemaal niet tot hem door dat zijn zwager nooit meer de oude zou zijn.

De Duitsers, die inmiddels ook Parijs al dicht genaderd waren, beschoten de stad met hun Dikke Bertha-kanonnen. Als de sirenes klonken, zochten de Parijzenaars bescherming in de schuilkelders. De invasie van Parijs door Duitse troepen was bijna een feit.

Maar onverwacht kwam er bij toeval een verandering in die penibele situatie, waardoor het gevaar was geweken. De Fransen waren er achter gekomen dat de Duitsers bezig waren hun troepenmacht te reorganiseren. De reden was dat er manschappen nodig waren aan het oostfront. Toen de troepenverplaatsing door een Franse piloot tijdens een luchtpatrouille werd waargenomen, meldde hij zijn ontdekking aan de legerleiding, die direct tot actie overging. Om de Duitsers in de verzwakte flank te kunnen aanvallen, waren er extra troepen nodig. Er werden zelfs Parijse taxi's ingezet om soldaten naar het front te vervoeren. Doordat Franse en Britse troepen de Duitse linies doorbraken, wonnen ze in september 1914 de slag aan de Marne waarop generaal Moltke zijn troepen in het noorden moest terugtrekken. Het zou het begin van een uitzichtloze loopgravenoorlog worden, die nog bijna vier jaar voortduurde en veel mensenlevens eiste. Maar de terugtrekking van de Duitsers had wel tot gevolg dat Parijs en ook Mériel nu niet meer onder vuur lagen. Omdat het oorlogsgeweld zich nu in het noorden afspeelde, kon ook de familie Moncorgé weer terug naar Mériel.

Hoewel het leven in Parijs weer langzaam op gang kwam en de theaters bedachtzaam hun deuren weer openden, bleef de kaartverkoop echter onder de maat. Dat gebrek aan animo had veel te maken met het feit dat veel prominente artiesten waren opgeroepen voor militaire dienst. Jeans vader, die vanwege zijn leeftijd de dans was ontsprongen, vond weer mondjesmaat werk op de bühne.

In 1916 organiseerde het Rode Kruis een uitwisseling van krijgsgevangenen. Onder degenen die in vrijheid werden gesteld, bevond zich ook Maurice Chevalier. Nadat de trein het Gare de Lyon was binnengelopen en de soldaten met de muziek van een militair orkest en eindeloze speeches waren verwelkomd, sloot Mistinguett na 26 maanden afwezigheid, tot tranen toe bewogen haar minnaar weer in haar armen.

Ze begonnen weer samen op te treden en oogstten beiden veel succes in de Grande Revue van de Folies Bergère. Omstreeks die tijd werd de in Leeuwarden geboren Margaretha Geertruide Zelle, die als een zogenaamde Oosterse danseres optrad onder het pseudoniem Mata Hari, wegens spionage voor de Duitsers in Vincennes gefusilleerd.

In het vierde oorlogsjaar hing er een vreemde sfeer in Parijs en maakte de immense neerslachtigheid onder de bevolking plaats voor de overtuiging dat de strijd zou kunnen eindigen in een overwinning. Reden voor het optimisme was het feit dat in Saint Nazaire de Amerikanen waren geland, die zich hadden aangesloten bij de geallieerde troepen.

De benoeming van George Clemenceau tot voorzitter van de ministerraad droeg bij aan het vertrouwen. Zijn sterke karakter en standvastigheid, alom bekend, leverde hem de bijnaam Le Tigre op. Hij kreeg het voor elkaar dat de gezamenlijke legers hun krachten bundelden onder bevel van generaal Foch en opnieuw aan een krachtig offensief begonnen.

Tegen het einde van 1918 werd het de Duitse bevelhebbers duidelijk dat de oorlog niet te winnen was. Niet alleen waren de verliezen aan het front groot, maar het rommelde ook in het keizerrijk. In oktober weigerden matrozen in Kiel en Wilhelmshaven hun leven nog langer op het spel te zetten. De muiterij breidde zich uit over het land en in de grote steden grepen soldaten en arbeiders de macht. De boodschap was overduidelijk: capitulatie van het Duitse leger, afschaffing van de monarchie en invoering van de republiek.

Toen op 9 november de republiek werd uitgeroepen, werd de sociaal-democraat Friedrich Ebert gekozen als rijkskanselier.

Twee dagen later werd in Rethondes om vijf uur in de ochtend de wapenstilstand gesloten. Om elf uur luidden in Frankrijk alle kerkklokken en op de trappen van de Parijse Opéra zong de beroemde zangeres Marthe Chenal, gehuld in de Franse driekleur, de *Marseillaise*.

De Duitse keizer deed op 28 november officieel afstand van de troon en kreeg politiek asiel in Nederland, waar hij in Doorn een luxe leven leidde tot zijn dood in 1941. Ook het eens zo machtige Habsburgse rijk en andere monarchieën maakten plaats voor republieken. In juli 1918 vermoordden sovjets uit de Oeral in Jekatarinenburg de gevangengenomen Russische tsaar en zijn hele familie.

In 1919 werd de Vrede van Versailles gesloten. Duitsland moest afstand doen van het in 1870 veroverde Elzas-Lotharingen en verloor 7 procent van zijn territorium aan Polen, Tsjechoslowakije en België. De linker Rijnoever bleef bezet en het Roergebied werd gedemilitariseerd gebied. Ofschoon Saarland onder het bestuur van de Volkerenbond kwam, werden de kolenmijnen eigendom van de Franse staat. Daarnaast moesten de Duitsers hun koloniën waaronder Duits West-Afrika (Namibië) en Togo prijsgeven.

In 1921 werd Duitsland verplicht tot herstelbetalingen, die werden vastgesteld op 132 miljard. Die eisen veroorzaakten in Duitsland een enorme inflatie, gepaard gaande met honger en armoede. Terwijl de behoudende adel zich terugtrok op zijn domeinen in de provincie waar ze het feodale systeem voortzette, werd zijn plaats in de grote steden ingenomen door nieuwe rijken die vermogens verdiend hadden aan wapenleveranties en zwarte handel.

Na de oorlog vond Marlenes moeder dat haar dochter haar muziekstudie moest voortzetten aan de Hoge School voor Muziek in Weimar, de stad van Goethe, waar in 1919 de zogenaamde Weimarrepubliek officieel werd bekrachtigd.

Marlene was aanvankelijk intern, waarbij ze zeer tegen haar zin, een kamer moest delen met zes andere meisjes. Om privacy te hebben nam ze daarom een kamer in een pension. In 1921 kwam er ineens een einde aan de muziekstudie omdat haar moeder haar plotseling kwam ophalen. Volgens Marlene vertelde haar moeder nooit de reden, maar veelzeggend is een zin in haar memoires: 'Misschien was ze bang voor mijn morele welzijn, zo alleen in een grote stad.' Hieruit blijkt overduidelijk dat haar moeder inlichtingen had ingewonnen en er achter was gekomen dat haar dochter in Weimar een intieme relatie onderhield met haar muziekleraar. Het bewijs is Marlenes dagboek, dat jaren later werd gevonden en waarin ze de volgende ontboezeming over haar eerste seksuele ervaring doet: 'Hij steunde, hijgde, stootte en had niet eens zijn broek uitgedaan. Ik lag op een oude divan met mijn rok over mijn hoofd terwijl het pluche in mijn dijen prikte. Niet erg confortabel.'

In latere interviews zou ze steeds andere verhalen opdissen over het staken van de muziekstudie.

Artiest tegen wil en dank

Na de nederlaag van de Duitse troepen konden de Fransen de Elzas weer inlijven. Omdat het gebied bijna vijftig jaar een deel was geweest van het Duitse rijk hadden zich er veel Duitsers gevestigd. Wie niet kon aantonen dat zijn voorouders er waren geboren, moest het heroverde gebied verlaten. Ruim 110 duizend Duitsers werden uitgewezen en het Franse taalgebruik werd in ere hersteld.

Het noorden van Frankrijk was veranderd in een spooklandschap. Van veel dorpen stond er soms niet veel meer dan een plaatsnaam op een verkeerspaal. Pas in de jaren dertig, in de aanloop naar een nieuwe oorlog, was de streek weer gedeeltelijk herbouwd. Een groot aantal fabrieken die belangrijk waren voor de plaatselijke economie, zou zich er echter niet meer vestigen.

Hoewel de nationale trots van Frankrijk met het winnen van de oorlog was hersteld, duurde de euforie slechts kort.

1,4 miljoen mannen, de bloem der natie, was gevallen op het slagveld, danwel kreupel, mismaakt en zelfs blind door mosterdgas. Er waren nog steeds voedseltekorten en het bonnensysteem zou nog drie jaar gehandhaafd blijven. In de straten zag men weduwen en moeders van gevallenen in *grand deuil* (grote rouw) met zwarte sluiers voor hun gezicht. Daarnaast was er de *demi deuil* (halve rouw) in welke rouw de zwarte sombere kleding overheerste. In steden en op dorpspleinen verschenen herdenkingsmonumenten met de namen van de slachtoffers, waarbij er soms meerdere namen uit één familie vermeld stonden.

In de komende de jaren zou het feest van de overwinning een somber karakter krijgen en dat nog behouden tot ver in de jaren twintig en dertig.

Een golf van pacifisme overspoelde het land en de algemene tendens was dat zo'n vreselijke slachtpartij nooit meer mocht gebeuren. Het patriottisme was gesneuveld in de loopgraven van Marne en Verdun. Wie de gruwelijke oorlog had overleefd, trof in ieder geval een veranderde maatschappij aan. De rijke Europese adel die vroeger de Franse lichtstad regelmatig bezocht, bevond zich in een staat van ontbinding en verdwenen waren de met juwelen behangen chique maintinees, de wilde feesten en de copieuze diners.

Jean-Alexis Moncorgé, die aan het eind van de oorlog veertien jaar was, had zijn einddiploma op zak. Eenmaal terug in zijn dorp drongen zijn ouders erop aan dat hij verder zou gaan leren, maar dat stootte bij Jean op zoveel weerstand dat ze het idee maar lieten varen. Aanvankelijk kreeg hij werk in een fabriek waar treinrails werden vervaardigd, hoewel hij voor zijn leeftijd robuust was, bleek het werk toch te zwaar. Uiteindelijk werd hij schoonmaker bij de Parijse elektriciteitscentrale en nam hij elke ochtend punctueel de trein naar zijn werk. Ondanks dat hij het niet met tegenzin deed, bleef het zijn grote droom ooit een boerderij te bezitten. Maar met het salaris dat hij nu verdiende, bleef dit verlangen voorlopig een illusie.

Met name door het grote aantal geallieerde troepen dat zich na de oorlog nog in Parijs bevond, floreerden restaurants en theaters weer als vanouds. Ook Ferdinand vond nu weer vast werk bij het variété.

Het was het begin een periode die de geschiedenis in zou gaan als de *roaring twenties*. Op elk gebied was er een grote doorbraak. Uit Amerika kwam de jazz die langzaam Europa zou veroveren en vrouwen eisten hun rechten op.

In 1922 veroorzaakte de Franse schrijver Victor Margueritte een schandaal met zijn roman *La Carçonne*. Het was een pleidooi voor politieke macht en seksuele vrijheid voor de vrouw. De hoofdpersoon in de roman is een vrouw die zelf het heft in handen neemt en de mannen en vrouwen kiest met wie ze het bed wil delen. Om haar gelijkheid te benadrukken, kleedt ze zich als man en draagt een mannenkapsel. Er werden het eerste jaar al 750 duizend exemplaren van verkocht. De auteur werd aangeklaagd voor ondermijning van de goede zeden en hoewel hij werd vrijgesproken, werd hem daarna zijn onderscheiding van het *Légion d'Honneur* afgenomen. Het boek had grote invloed op de samenleving waar een vrouwenoverschot was van 1323 op duizend mannen. Onder de vrouwen die niet voor een vrije liefde kozen, zouden er velen hun leven als oude vrijster moeten slijten omdat een huwelijk en kinderen voor hen niet in het verschiet lag. Ook de mode onderging een revolutionaire metamorfose. Couturiers als Coco Chanel en Paul Poiret bevrijdden de vrouw van de lange tot de enkel reikende rok en het knellende korset. Het lange haar, dat soms tot op de middel hing en meestal opgestoken werd gedragen, maakte plaats voor korte kapsels.

Parijs groeide na de oorlog weer uit tot de stad van de frivoliteit en de on-
deugd, waar men graag naartoe reisde om 'de bloemetjes buiten te zetten'.

Ferdinand Gabin vond vast werk in de revues van Rip die in het Capucines
Theater speelden.

Deze als Georges Thénon in 1883 geboren en onder het pseudoniem Rip werkende auteur en producent, begon na de oorlog met het opzetten van revues
en operettes die tot in de jaren dertig enorm populair bleven. In de meeste revues speelde de voormalige mannequin Arletty kleine rollen. De broodmagere
Arletty die door Rip 'sperzieboon' werd genoemd, kon toen nog niet vermoeden dat ze jaren later in films zou spelen met Ferdinands zoon Jean Gabin.

Tegen het einde van de oorlog overleed plotseling Jeans moeder. Dat was
voor Jean geen groot gemis, aangezien hij nooit een sterke band met haar had.
Haar laatste wens was dat Jean een degelijke opleiding zou krijgen. Na haar
dood plaatste Ferdinand zijn minderjarige zoon daarom op een internaat. Het
huis in Mériel liet hij over aan zijn dochter en schoonzoon en zelf vestigde
hij zich in Parijs. Jean, die immers veel vrijheid gewend was, kon niet aarden
op de strenge kostschool. Vanwege zijn onbehouwen gedrag viel hij danig uit
de toon en stond onder zijn medestudenten dan ook algauw bekend als een
boerenkinkel. Na een aantal vechtpartijen en het behalen van slechte cijfers
kreeg hij als straf een uitgaansverbod. Maar toen hij op een zekere dag zijn
kans schoon zag, ontvluchtte hij de school en reisde naar zijn zuster en zwager
in Mériel. Toen zijn vader dat hoorde, ontstak hij in woede. Het kwam tot een
enorme ruzie. Zuster Madeleine en zwager Poësie probeerden de zaak te sus-
sen door partij te trekken voor Jean. Uiteindelijk trok de woedende Ferdinand
de handen van zijn zoon af met de woorden dat ze het dan maar zelf moesten
uitzoeken.

Wat nu? Jean was nu wel weer vrij, maar realiseerde zich maar al te goed
dat hij niet op de zak van zijn familie kon blijven teren en daarom werk moest
zien te vinden. Ten slotte werd het een job als cementwerker, ook al was dat
van korte duur, want vanwege het slechte salaris en het vuile werk zette hij er
algauw een punt achter. Na nog een baantje in een gieterij vond hij werk als
magazijnbediende bij een autohandel, waar het hem beter beviel. Omdat hij
vroeg moest beginnen, kreeg hij in Parijs onderdak bij zijn tante Louise, waar
de familie gedurende de oorlog enige tijd had verbleven.

Gedurende die periode verbeterde de relatie met zijn vader, die Jean regelmatig bezocht in diens kleedkamer. Het beroep trok hem niet, maar wat wel

zijn aandacht had, waren de danseressen die zich zonder gêne in zijn aanwezigheid verkleedden. Zijn reacties, die schommelden tussen nieuwsgierigheid en schaamte, hadden tot gevolg dat de meisjes zich juist extra uitdagend gingen gedragen. Soms wachtte hij tussen de coulissen tot zijn vader klaar was met zijn optreden, waarna ze dan samen cafés bezochten, waar soms tot laat in de nacht werd gedronken en gekaart.

Ferdinand probeerde al jaren zijn zoon in zijn beroep te interesseren. Hij was de vijftig al gepasseerd en hoopte vurig dat Jean de fakkel zou overnemen, ook al had die nooit enige interesse in het vak getoond. Maar dat hij er langzamerhand naartoe groeide, kwam niet voort uit passie voor het theater of belangstelling voor de mooie meiden, maar louter door het geld!

Hij realiseerde zich dat hij het weeksalaris van 72 franc dat hij als magazijnbediende ontving, al in één avond in het theater kon verdienen.

Na lang aarzelen ging hij overstag. Hij deelde zijn vader mee dat hij er ergens wel iets voor voelde. Over die plotselinge verandering zei hij later: 'Ach, ik zag nou eenmaal liever die meiden in veren dan de smoelen van mijn magazijncollega's.' Hoewel hij geen enkele ervaring had, zag hij er goed uit. Door het leven in de buitenlucht en zijn sportiviteit beschikte hij over een atletisch gebouwd figuur. Ondanks dat hij nog nooit op de planken had gestaan en over geen enkele toneelopleiding beschikte, wist zijn vader gedaan te krijgen dat hij een baantje kreeg als figurant in de Folies Bergère.

Aan zijn oude vriend Pierre Fréjol, beheerder van het theater, stelde hij hem voor met de woorden: 'Nou, hier is dan mijn zoon. Ik vertrouw hem aan je toe. Als je er wat van wilt maken, zul je er je handen vol aan hebben. Zelf heb ik de hoop opgegeven.' Omdat Moncorgé nu niet bepaald een artiestennaam was, moest hij natuurlijk een pseudoniem kiezen. Ofschoon hij als eerbetoon aan zijn vader 'Gabin junior' in gedachte had, drong zijn vader aan op Jean Gabin. In 1922 stond hij voor de eerste keer op de planken in de revue *Folie sur Folie*, waarin de befaamde Bach, een vriend van zijn vader, de ster was. Bach was ongekend populair, vooral nadat hij tijdens optredens voor de troepen *La Madelon* had geïntroduceerd, een lied op marstempo, even verweven met de Eerste Wereldoorlog als het sentimentele *Lili Marleen* met de Tweede Wereldoorlog.

Zijn debuut in de revue, eigenlijk tegen wil en dank, was de aanloop van Jean Gabin naar een briljante carrière die ruim vijftig jaar zou duren.

Het hek van de dam

Bij haar terugkeer uit Weimar trof de jonge Marlene een totaal ander Berlijn aan. In plaats van soldaten liepen er nu bedelende oorlogsslachtoffers. Sommigen probeerden wat geld te verdienen door het bespelen van een orgeltje of harmonica. Anderen liepen rond als levende reclamezuil, met zowel op hun borst als op hun rug teksten die een product of een winkel aanprezen. Voor het arbeidsbureau stonden lange rijen werkelozen, verkleumd door honger en koude te wachten om een stempeltje te krijgen en een schamel geldbedrag te innen.

Heinz Pollack, een journalist van de *Weltbühne*, schreef: 'Berlijn is een heroische stad. Zelfs stervend lacht ze je vriendelijk toe en wil ons doen geloven dat het haar voortreffelijk gaat. Maar voor elke boom staan drie bedelaars en van de gevels valt de kalk naar beneden. Ergens anders wordt weer iemand weggedragen die hongerkrampen heeft. En kijk eens in de cafés en restaurants, daar schuift een kelner in smoking tussen de lege tafels door. De weinige gasten kijken eerst op de spijskaart, dan in hun portemonnee en bestellen uiteindelijk om hun honger te stillen, de goedkoopste rommel. Ze hebben allemaal hun jas aan omdat er nergens verwarming is.'

Ondanks deze pessimistische geluiden bleven de Berlijners optimistisch en zong Walter Kollo in de Haller Revue: 'Solang noch Untern Linden die alte Bäume blühn, kann nichts uns überwinden – Berlin bleibt doch Berlin!'

Ofschoon er weliswaar veel armoede bestond, bevond niet iedereen zich aan de rand van de bedelstaf. Er waren ook mensen die zich juist gedurende de oorlog verrijkt hadden en zich wentelden in weelde.

Toen de strenge censuur van het keizerrijk eenmaal was afgeschaft, was het hek van de dam, Berlijn werd wat vertier betreft de decadentste stad van Europa waar alles mogelijk was en men zich met een goed gevulde portefeuille opperbest kon vermaken. Voor het naar amusement hongerende publiek was er een enorm aanbod aan nachtclubs, dansbars, cabarets, variétés en revues. De stad werd al spoedig berucht door de vele souteneurs, prostituees, travestieten, fetisjisten en gigolo's die op zoek naar klanten, over de Kurfürstendamm flaneerden. In schaars verlichte bars zag men hoe hoge regeringsfunctionarissen tegen betaling matrozen oppikten. Heroïne en cocaïne werden er bij de vleet verhandeld. Actrice Elisabeth Bergner vertelt in haar memoires dat het zogenaamde 'Koksen' in kunstenaarskringen de grote mode was. Het naoorlogse Berlijn was een wereld vol contrasten. Ondanks de armoede en ellende floreerden de grote revues van Haller en later Charell met veel internationale attracties vol schaars geklede of helemaal naakte 'showgirls'.

In die tijd deed ook de zogenaamde *Aufklärungsfilm* zijn intrede. Deze voorlichtingsfilms dienden als waarschuwing tegen 'de gevaren des levens'. Regisseur Richard Oswald nam in deze films voornamelijk seksuele vraagstukken bij de kop in nauwe samenwerking met dr. Magnus Hirschfeld, leider van het instituut voor Seksuele Wetenschappen. Op 28 mei 1919 ging in Berlijn de film *Anders als die Andern* in première. De door Magnus ingeleide film brak een lans voor verwijdering uit het wetboek van strafrecht van paragraaf 175, die homoseksualiteit strafbaar stelde. Hoewel het in Berlijn wemelde van homobars, waaraan de politie geen aanstoot nam, veroorzaakte deze film zo'n groot schandaal dat men in nationalistische en reactionaire kringen aandrong op het hernieuwd instellen van de censuur. Omdat zowel de regisseur als enkele acteurs joods waren, kwam het in de rechtse pers tot antisemitische reacties. De *Deutsche Zeitung* schreef sarcastisch dat de 'Helden' in de film allemaal 'prachtexemplaren van het joodse ras' waren. Ook Oswalds *Es werde Licht*, over geslachtziektes en *Die Prostitution* kregen veel kritiek. Het schandaal en de talrijke negatieve publicaties werkten echter averechts, want hoe meer commentaar hoe meer nieuwgierige bioscoopbezoekers. Dit had tot gevolg dat onder het mom van 'voorlichting' de markt werd overspoeld met soortgelijke sensatiefilms met titels als *Hyenas der lusten, De biecht van een gevallen vrouw, Slaven der zinnelijkheid, Bloedschande* enzovoort.

De nationaal-socialistische filmcriticus Rudolf Oertel zou zich 1941 in zijn *Filmspiegel* beklagen over bordeelscènes en sadistische fantasieën die als enig doel hadden de primitiefste instincten in de massa los te maken en gewetenloze joodse producenten en auteurs forse winsten opleverden. De verderfelijke invloed op de jeugd liet hen volledig koud.

Ook het meer serieuze theatergebeuren stond volledig op zijn kop. De voormalige Hoftheaters, omgedoopt in Staatstheaters, stonden onder progressieve leiding. De uit Königsberg afkomstige ervaren theaterman en sociaal-democraat Leopold Jessner werd intendant van het Pruisische Staatstheater. Hij was een van de eersten die overgingen tot het brengen van experimentele theatervoorstellingen. Zijn opvoeringen met een sterke politieke, linkse tendens zorgden voor rellen omdat niet alle bezoekers het eens waren met Jessners visie. De voorstellingen werden dan ook regelmatig verstoord door getrappel, gejoel en fluitconcerten.

Linkse acteurs en regisseurs die zich naar sovjetmodel gegroepeerd hadden in het zogenaamde *Kollektiv* speelden soms vrijwillig in buurtgebouwen en theatertjes. De pacifistische regisseur Erwin Piscator startte in Berlijn het Proletarische Theater waarmee hij met revolutionaire stukken de interesse van de arbeidersbevolking probeerde op te wekken. Zijn opruiende opvoeringen leidden regelmatig tot rellen en bijtende kritieken in de rechtse pers.

Zelfs achter de schermen van het gerenommeerde Max Reinhardttoneel was de vonk van de revolutie ontvlamd. Acteurs eisten rustpauzes, ook als die soms midden in een repetitie vielen. Ze wilden tevens medezeggenschap in de repertoirekeuze en uitvoering. Reinhardt hield het daarom in 1920 voor gezien door de directie van zijn Berlijnse theaters over te dragen aan Felix Holländer. Zelf zette hij zijn werk voort in Wenen en Salzburg en maakte een aantal buitenlandse tournees.

Ondanks dat de politieke situatie in Berlijn uiterst explosief was doordat de Duitse hoofdstad het grootste communistische bolwerk in Europa na Moskou was geworden, waren er aan de andere kant de nationalisten. Dat waren voor een groot deel werkeloze militairen en adel die heimelijk hoopten op herstel van de monarchie. De socialist Friedrich Ebert, inmiddels verkozen tot rijkspresident, had grote moeite de twee partijen uit elkaar te houden. De partijen wedijverden in het houden van rumoerige bijeenkomsten en betogingen. Ze marcheerden onder het zingen van strijdliederen en het roepen van leuzen door de straten van Berlijn, waarbij provocaties dikwijls ontaardden in vechtpartijen. In 1919 werden Karl Liebknecht en Rosa Luxemburg door nationalisten vermoord. Ze waren de oprichters van het blad *Rote Fahne* en propageerden een linkse staat naar sovjetmodel.

In 1920, het jaar dat Marlene naar Berlijn terugkeerde, vond er een rechtse staatsgreep plaats, die echter mislukte.

Het was in die tijd voor kunstenaars uit de wereld van de film en het toneel geen makkelijke opgave het hoofd boven water te houden, daar gages laag waren. Om toch aan de kost te komen, moesten ze wel alles accepteren wat hun werd aangeboden. Na een toneelvoorstelling haastten ze zich dan ook dikwijls door het drukke verkeer voor een volgend optreden in een revue of cabaret. Ook de zogenaamde *Bühnenschauen* – optreden tussenfilmvoorstellingen – vormden een bron van inkomsten. Ze besteedden hun verdiende geld zo snel mogelijk omdat vanwege de inflatie de koersen van de mark soms met het uur konden dalen. Grote kasmagneten uit de filmwereld als Elisabeth Bergner accepteerde alleen filmaanbiedingen als het salaris in dollars zou worden uitbetaald. Nieuwe kunststromingen deden hun intrede, waaronder het expressionisme, dat grote invloed had op de schilderkunst, de film en het toneel.

Vooral film maakte een grote artistieke bloeitijd door en regisseurs als Joe May, Fritz Lang, Ernst Lubitsch, F.W. Murnau en E.A. Dupont schreven filmgeschiedenis.

Kort na Marlenes terugkomst in Berlijn ging Robert Wienes beroemde film *Das Cabinet des Dr. Caligari* in première; algauw werd de film een internationale kaskraker. Dat succes van de Duitse film had ook te maken met het feit dat naoorlogse Franse en Engelse filmproducties niet goed van de grond kwamen, daar Amerikaanse films de markt overspoelden. Hoewel de geallieerden een boycot hadden uitgesproken over Duitse films werden ze soms onder andere vlag naar het buitenland geëxporteerd, waar ze met veel succes werden vertoond. Dat had tot gevolg dat weldra Duitse regisseurs met een lucratief contract op zak de sprong naar Hollywood waagden.

Doordat de sterrencultus zich steeds meer had ontwikkeld, speelde de commercie handig in op de groeiende populariteit van de filmspelers: hun foto's kwamen als postkaarten in de handel en verschenen in populaire weekbladen. Bij iedere aankoop van chocolade sigaretten trof men een fotootje aan van een favoriete ster.

Joe May, Ernst Lubitsch en later Fritz Lang maakten, in navolging van de Italiaanse producties, massaspektakels met duizenden figuranten, waarbij werkelozen tegen minimale vergoedingen konden worden ingezet.

Ondanks het feit dat haar moeder een peperdure viool voor haar had gekocht, kwam er plotseling een einde aan Marlenes vioolstudie. De oorzaak is onduidelijk. In de loop der jaren kreeg het verhaal steeds een andere wending: dat varieerde van een gebroken vinger tot een verstuikte pols of een zenuwontsteking.

In het nieuwe frivole Berlijn ontdekte Marlene door kunstenaars bezochte etablissementen als het Romanisches Café, Schwannecke en het Café des Westens, ook wel schamper 'Café Grossenwahn' genoemd, waar ze met de wereld van film en toneel in aanraking kon komen en er door gefascineerd raakte.

Ze wist haar moeder over te halen bij de befaamde toneelschool van Max Reinhardt auditie te mogen doen, waarvoor ze de monoloog van Gretchen uit *Faust* had ingestudeerd. Toen ze op het donkere toneel van het Deutsches Theater haar tekst had gesproken, hoorde ze vanuit het donker een stem: 'Juffrouw Dietrich trek uw rok eens op zodat we uw benen kunnen zien!' Niettegenstaande haar perfecte benen werd ze niet toegelaten op de toneelschool; wel mocht ze piepkleine rolletjes spelen in producties van het Reinhardtconcern. Hoewel ze later suggereerde een leerling van de grote Reinhardt te zijn geweest, had ze hem toen nog niet ontmoet daar de meester in Oostenrijk verbleef, waar hij in Wenen het Theater an der Josefstadt leidde.

Marlene begon te poseren voor reclamefoto's, begeleidde in bioscopen stommefilm met vioolmuziek en maakte deel uit van het dansgroepje Die Thielscher Girls.

De meisjes, waaronder Renate Müller, Trude Hesterberg, Charlotte Ander, maakten allen forure bij cabaret en film.

Marlene raakte ook bevriend met Camilla Horn een beeldschone danseres uit de Nelson Revue. Camilla had in die tijd een relatie met graaf Einsiedel, die haar op een dag meenam naar de filmstudio's van de Deutsche Universal in de Cicero Strasse. Toen de productiechef aan wie ze werd voorgesteld haar aanbood als figurant te komen werken, maakte ze van de gelegenheid gebruik haar vriendinnen Marlene en Grete Mosheim te introduceren. Daarna speelden ze, verdeeld over meedere maanden, figurantenrolletjes in enkele stommefilms. Camilla was een geluksvogel, want ze werd prompt door regisseur F.W. Murnau ontdekt voor de rol van Gretchen in zijn *Faust*-verfilming. Het toeval wil dat dit juist de rol was waarvoor Marlene bij het Deutsches Theater auditie had gedaan en was afgewezen. Camilla werd daarmee van de ene op de andere dag een ster en kreeg kort daarop een Hollywoodcontract.

Voor Marlene was de gedachte aan een lucratieve filmcarrière nog ver weg en bleef het voorlopig bij het spelen van figurantenrollen. Volgens Marlene was ze samen met Grete Mosheim gevraagd voor een figurantenrol in Joe May's *Tragödie der Liebe* waarin May's echtgenote Mia May de hoofdrol speelde. In de film zat een iets grotere rol, eigenlijk bestemd voor Mosheim, die er bij nader inzien te onschuldig uitzag om een maintenee te spelen waardoor die rol naar Marlene ging. Het is een kleine, maar opvallende rol waarin ze een monocle draagt en in de gerechtszaal onbeschaamd flirt met de rechters.

Ook Grete had meer geluk bij het toneel dan Marlene: ze maakte furore bij het Deutsches Theater waar ze uitgroeide tot een actrice van formaat, totdat Hitler aan de macht kwam en de joodse Grete Mosheim uitweek naar Amerika.

Het rolletje in *Tragödie der Liebe* had Marlene te danken aan May's assistent, de vier jaar oudere, goed uitziende blonde Sudeten-Duitser Rudolf Sieber. Tijdens het filmen werden ze op elkaar verliefd, waren onafscheidelijk en trouwden in 1923 in de Berlijnse Gedächtniskirche. Daarna nam Marlene een tijdlang afscheid van de film en het toneel omdat het huiselijke leven haar scheen te bevallen. In hun woning aan de Kaiserallee in Berlijn-Friedenau kookte ze graag voor haar man en hun gezamenlijke vrienden. Een jaar na haar huwelijk beviel ze van haar enige dochter Maria Sieber die de bijnaam Heidede kreeg.

In haar memoires beweert Maria dat haar vader, voordat hij met Marlene trouwde, een liefdesrelatie zou hebben gehad met de jonge actrice Eva May, dochter van werkgever, producent-regisseur Joe May. Volgens haar had Eva na de breuk met Sieber een gebroken hart en zou mede daardoor een einde aan haar leven hebben gemaakt. Dat verhaal is louter onzin.

De nymfomane Eva had op 22-jarige leeftijd al drie mislukte huwelijken achter de rug. Na gescheiden te zijn van haar derde man had ze haar neef, wapenfabrikant Fritz Mandeln willen trouwen. Omdat er daardoor grote onenigheid in de familie was ontstaan, zou ze in 1924 in Baden bij Wenen met een geweerschot een einde aan haar leven maken.

Mandeln trouwde later de mooie Weense actrice Hedy Kiesler die later als Hedy Lamarr een grote Hollywoodcarrière zou maken.

De weg naar de roem

In Parijs verliep Jean Gabins carrière voorspoedig. De eerzucht en het geld wonnen het uiteindelijk van zijn aversie jegens de glitterwereld van de revue. Hoewel hij moest wennen aan zijn mededansers, waarvan velen homoseksueel waren, was hij, in tegenstelling tot Maurice Chevalier, geen homohater. Wat hem wel tegen de borst stuitte was het schminken: make-up was in zijn ogen uitsluitend een vrouwenaangelegenheid, hij was dan ook zeer spaarzaam met het aanbrengen. Er was hem alles aan gelegen zich te bewijzen en wilde in geen geval zijn vader te schande maken. Al met al kreeg hij zelfs plezier in het werk. Een goed ritmegevoel en lenigheid door het jarenlange sporten maakten hem tot een uitstekende danser die in het geheel niet uit de toon viel tussen de andere, meer ervaren artiesten. Daarnaast beschikte hij bovendien over een goede zangstem en deed om hogerop te komen audities bij andere gezelschappen. Eerst kreeg hij een engagement bij de revue van Rip en daarna een rol in *La dame en décolleté* in het Bouffes-Parisiens Theater. In deze muzikale komedie trad hij alleen op gedurende de eerste acte. Na zijn optreden haastte hij zich steevast naar de bistro aan de overkant van het theater waar hij zich graag tegoeddeed aan een copieuze maaltijd. Eten bleef zijn hele leven een belangrijk gebeuren, waarbij hij nooit gestoord wilde worden. Wie hem toch aansprak, kreeg als antwoord niet veel meer dan wat gegrom te horen. Toen hij er op een avond smakelijk van een stoofgerecht at, gingen aan een tafel naast hem twee meisjes zitten. Ofschoon hij genietend van zijn maaltijd nauwelijks oog voor ze had, troffen zijn lichtblauwe ogen die van een van de meisjes, toen hij op het punt stond het restaurant te verlaten. Ze was een kleine pittige brunette met een pony tot haar wenkbrauwen. Hoewel ze elkaar een moment strak aankeken, bleef het bij die intense blik, waarna hij zijn weg vervolgde. Het toeval wilde dat de meisjes enkele weken later de voorstelling in het Theater Bouffes-Parisiens bezochten en hem tot hun grote verbazing op het toneel zagen verschijnen. Het meisje met het korte ponykapsel was Gaby Basset, een

Gabin en echtgenote Gaby Basset.

jonge danseres die vlak bij Pigalle in *La Cigale* optrad, waar ook Ferdinand, Jeans vader vroeger had gewerkt. Niet lang daarna kwam het Jean ter ore dat Gaby regelmatig de voorstelling bijwoonde en na het eerste bedrijf steevast opstapte. Toen hij op een avond vernam dat ze er weer was, haastte hij zich na zijn optreden naar de uitgang van het theater, waar hij haar aansprak en haar uitnodigde iets met hem te gaan drinken. Het was liefde op het eerste gezicht en kort daarna betrokken ze een kamer in het kleine hotel Château Rouge in Montmartre. Dat verblijf was van korte duur doordat niet lang daarna het prille geluk werd verstoord toen voor Jean een brief kwam met in de hoek van de envelop de Franse driekleur: het was een oproep voor militaire dienst bij de marine. Ze besloten voor zijn vertrek te trouwen omdat Jean als getrouwd man meer verlof zou krijgen. Het werd een ceremonie zonder franje omdat het geld dat ze verdiend hadden, al was opgegaan aan hun dagelijks levensonderhoud. Jeans vader was verheugd dat zijn zoon een bruid uit de artiestenwereld had gekozen. Om die reden kwam hij te hulp door de trouwringen te betalen en het echtpaar en vrienden uit te nodigen voor een etentje. Gaby's ouders kwamen niet opdagen: ze bleken het er niet eens mee te zijn dat hun dochter ging trouwen met een derderangsartiest die geen stuiver bezat en bovendien ook nog in militaire dienst moest. Na het huwelijk wuifde Gaby haar man uit op het Gare Montparnasse, vanwaar hij vertrok naar zijn marinebasis aan de kust.

Gaby verdiende helaas niet genoeg om in het hotel te blijven wonen. Terug naar haar ouderlijk huis was, gezien de reactie van haar ouders, niet mogelijk. Ferdinand bood haar daarom aan in Mériel te gaan wonen bij Madeleine en Jean Poësie. Lang bleef Jean niet in Lorient, want hij had het geluk na zijn rekrutenopleiding overgeplaatst te worden naar het marineministerie in de Parijse rue Royale.

Tijdens zijn diensttijd zette Gaby haar werk voort. Na het doorlopen van zijn militaire dienstopleiding keerde Jean terug naar Mériel. Omdat het niet gemakkelijk was een engagement te bemachtigen, moest Gaby opdraaien voor de kosten van het levensonderhoud. Ze speelde samen met Ferdinand in het Bouffes-Parisiens theater in de operette *Trois jeunes filles nues* en kreeg goede kritieken. Gelukkig wist Ferdinand uiteindelijk voor zijn zoon een rol als invaller te regelen. Toen er voorgoed een speler uitviel, nam Jean de rol over, waardoor hij voor de eerste keer op de planken stond met zowel zijn vrouw als zijn vader. Jean en Gaby vonden onderdak in een logement in Montmartre. Hoewel de operette nog een jaar liep, stopten de voorstellingen in 1926, waardoor ze beiden zonder werk zaten.

Het was dan ook het jaar dat er inflatie en paniek op de Europese beurzen heerste. In Italië greep Mussolini zijn kans door in het parlement de oppositie uit te schakelen nadat er een aanslag op hem was gepleegd. In New York vonden hysterische tonelen plaats bij de begrafenis van de verafgode stommefilmacteur Rudolph Valentino die op 31-jarige leeftijd was overleden na een infectie die volgde op een medische ingreep. In de bioscopen draaiden kassuccessen als *Ben Hur*, Eisensteins *Pantserkruiser Potemkin* en *Nana* van Jean Renoir. In de Parijse danszalen danste men de charleston die de zwarte venus Joséphine Baker een jaar daarvoor in *La Revue Nègre* in het Théâtre de Champs Élysées had geïntroduceerd.

In Duitsland was een jaar tevoren de socialistische president Ebert overleden. Veldmaarschalk Von Hindenburg, de held van de slag bij Tannenberg volgde hem op. Hitlers bijbel *Mein Kampf* werd gepubliceerd en Josef Goebbels werd dat jaar tot *Gauleiter* van Berlijn benoemd.

In Parijs liep Gabin zes maanden lang alle impressario's af om werk te vinden. Het antwoord was altijd: 'U hoort van ons,' maar er gebeurde niets. Gaby had wel werk gevonden. Om niet helemaal op de inkomsten van Gaby te teren, trad hij op als zanger in kleine plaatsen rond Parijs met het repertoire van Maurice Chevalier en Dranem.

In de Kursaal van Clichy vroeg een impressario hem of hij zin had om op te treden in Rio de Janeiro. Hij accepteerde maar al te graag op voorwaarde dat Gaby mee zou mogen. Niet lang daarna maakten ze vanuit Cherbourg de overtocht met het Britse schip *Andès*.

De draai naar rechts

Nadat in Duitsland bekend was geworden dat Von Hindenburg tot president was gekozen, begon langzamerhand een deel van de adel terug te keren naar de hoofdstad. Men hoopte op herstel van de monarchie. Door hun terugkomst naar Berlijn leken glorieuze tijden te herleven. De aristocratie verscheen weer in groten getale op paardenrennen, in theaters en chique restaurants. Daarbij viel het op dat vooral de dames nogal uit de toon vielen door hun ouderwetse kleding. De nieuwe moderages waren tijdens hun verblijf in de provincie blijkbaar volledig aan hen voorbijgegaan. Het waren nu vooral de nieuwe rijken die gekleed naar de laatste mode de toon aangaven en probeerden aanzien en respect te vergaren. Societyjournaliste Bella Fromm beschrijft in haar dagboek de ontmoeting met een welgestelde fabrikant die tegen haar vertelde: 'Ik schaam me er niet voor dat ik mijn vermogen in de oorlog heb verdiend, maar waar ik me wel voor schaam is dat mijn vrouw anderen probeert wijs te maken dat ze in een villa aan de Wannsee geboren is.'

In de Berlijnse cabarets maakt men nog grappen over Adolf Hitler, die malle Oostenrijkse schreeuwlelijk met zijn Charlie Chaplin-snorretje. Ondanks dat de NSDAP in het rode Berlijn bij de gemeenteraadsverkiezingen van 1928 slechts twaalf zetels kreeg, liet de nieuwe *Gauleiter* Goebbels zich niet uit het veld slaan. In zijn dagboek noteerde hij: '...wie hier zijn ellebogen niet gebruikt wordt onder de voet gelopen.' De toekomstige propagandaminister zou weldra van zich doen spreken. Hij had daarbij de wind in de zeilen. Er was een duidelijke verrechtsing aan de gang die extra werd gevoed door de persmagnaat en leider van de Duitse Nationalistische Partij, Alfred Hugenberg, die geen kans onbenut liet om in al zijn kranten te ageren tegen het linkse front.

De revolutionaire geest was duidelijk stervende. Bertolt Brecht en Kurt Weill probeerden hun *Dreigroschenoper* te evenaren met *Happy End*.

Brechts inspiratiebron was duidelijk George Bernard Shaws komedie *Major Barbara* over de liefde tussen een gangster en een heilsoldaat. Om de auteursrechten te ontlopen beweerde hij dat zijn verhaal was geïnspireerd op een kort verhaal van Dorothy Lane, dat was verschenen in het Amerikaanse blad *J&L Weekly*. Zowel blad als schrijfster bestond niet.*

Brecht wilde zich met dit stuk nog meer houden aan het dogma van de communistische partij. Kurt Weill schreef speciaal voor het stuk de twee prachtige werken *Surabaya Jonny* en *Bills Balhaus in Bilbao*. Maar het publiek was duidelijk uitgekeken op de marxistische provocaties van Brecht. De lange gezichten van de gaderobedames luidden het debacle in: de productie verloor maar liefst 130 duizend mark.

Ook Ernst Tollers stuk *Feuer aus den Fesseln*, over de matrozenopstand in Kiel, kon de gunst van het publiek niet verwerven: de linkse politiek leek in rook op te gaan. Hoewel Caspar Neher als decor een schijnbaar varend schip op het toneel had laten bouwen en de pers lyrisch was, bleef de kaartverkoop tegenvallen. Een propagandastunt om aan arbeidersorganisaties duizenden vrijkaarten te versturen, om zo de zaal te vullen, had geen enkel effect. Het politieke theater van de jaren twintig was dood: men hunkerde weer naar ongecompliceerd amusement.

Inmiddels had Marlene haar werk hervat. In 1926 was ze te zien in de door Jessner geregisseerde komedie *Duell am Lido*. Gekleed in een zijden broekpak, een monocle vastgeklemd in haar ooghoek, speelde ze de dochter des huizes. Kort daarna produceerde Eric Charell in het Grosses Schauspielhaus de revue *Von Mund zum Mund*, waarin Marlene de rol mocht overnemen nadat Erika Glässner die door ziekte was uitgevallen.

Het theater waarin de revue speelde was het voormalige Circus Schumann: in 1918 door Max Reinhardt schitterend verbouwd tot het Grosses Schauspielhaus dat echter rendabel bleek te zijn. In 1924 verpachtte Reinhardt het daarom aan de voormalige joodse danser Eric Charell (Karl Löwenberg) die er met veel succes revues en operettes ten tonele bracht.

Ster van *Von Mund zum Mund* was de 42-jarige populaire Claire Waldoff, een zwaarlijvige, roodharige lesbienne die meestal in mannenpakken door de stad

---

* In 1932 publiceerde de Amerikaanse schrijver Damon Runyon zijn boek *The Idyll of Miss Sarah Brown*. Hij gebruikte Brechts niet-bestaande bron. Zijn boek werd in 1950 door Frank Loesser bewerkt tot de musical *Guys and Dolls*.

struinde en gigantisch populair was onder de Berlijners. Hoewel geboren in Gelsenkirchen, sprak en zong ze uitmuntend pikante teksten in Berlijns dialect. Waldoff, onder de indruk van de mooie jonge Marlene, riep toen ze haar voor de eerste keer zag vol bewondering uit: 'Wie scheen det Kind is! Die beene!' Niet lang daarna waren de twee vrouwen onafscheidelijk en veel geziene gasten in de Berlijnse lesbobars. Die intieme relatie betekende het absolute einde van het huwelijksleven van Marlene en Rudi Sieber: ze spraken af elkaar vrij te laten in de keus van hun seksuele relaties. Sieber vond een nieuwe serieuze levenspartner in de donkerharige Russische danseres Tamara Matul, die tevens een soort surrogaatmoeder voor dochter Maria werd. Hoewel het huwelijk alleen nog op papier bestond, zouden Marlene en Rudolf getrouwd blijven tot Siebers dood.

Na de show was Marlene slechts in een aantal stommefilms te zien in bijrollen. In 1927 speelde ze in de Weense Kammerspiele de rol van danseres Ruby in de Amerikaanse musical *Broadway* en werkte naast de Weense acteur Willi Forst en Igo Sym mee aan de film *Café Electric*. De liefdesscènes brachten geen problemen met zich mee omdat Marlene en de twee jaar jongere Forst die liefde ook buiten de camera bedreven. Forst stond toen nog aan het begin van een bloeiende carrière als acteur en regisseur.

Broadway ging ook in 1928 in première in het Berlijnse Komödienhaus. Naast Oskar Karlweis en Margo Lion oogste ze veel succes in de revue *Es liegt in der Luft* op muziek van Mischa Spoliansky. Echt opzien baarde ze in dat jaar door het dragen van superkorte rokken en het tonen van haar beroemde benen in Shaws *Eltern und Kinder*. De Oostenrijkse acteur Paul Hörbiger schrijft in zijn memoires: 'Alleen over haar benen zou je al een boek kunnen schrijven. Het was stof voor de journalisten een goede publiciteitsstunt voor het stuk. Haar benen waren in Berlijn het gesprek van de dag.'

De bekende theaterrecensent Alfred Kerr schreef: 'Ze komen ver boven de middelmaat uit.' Een ander: 'Marlene Dietrich... Beine! Beine!' Maar er kwam ook kritiek: 'Ze heeft een manier van zitten die men nu niet bepaald decent kan noemen, als ze minder zou tonen zou het nog genoeg zijn.' Marlene speelde het voorval echter volledig uit, haar reactie was: 'Als ze benen willen, dan krijgen ze benen,' waarbij ze haar rok steeds hoger optrok. De voorstelling onder regie van Heinz Hilpert was een enorm succes en beleefde 75 voorstellingen. Voor Marlene was het een doorbraak omdat ze hierdoor een aanbieding kreeg de hoofdrol te spelen in de film *Ich küsse Ihre Hand, Madame*, met als tegenspeler het grote vrouwenidool Harry Liedtke. Aan de film werd een geluidsfragment toegevoegd waarin Liedtke de titelsong nasynchroniseerde met de stem van Richard Tauber. Daarna was ze nog te zien in een drietal stommefilms. In de laatste *Gefahren der Brautzeit* was haar tegenspeler haar oude liefde Willi Forst. Het toeval wilde dat ze beiden pas zouden doorbreken bij de komst van de geluidsfilm. Forst viel toen op door een dramatische scène in *Atlantic*, een verhaal dat was geïnspireerd op de ondergang van de *Titanic*. Hij speelt daarin een zingende pianist die, naarmate het zinkende schip steeds meer water maakt, spelend en zingend ten onder gaat in de golven.

Hoewel Marlenes doorbraak nog een jaar op zich zou laten wachten, maakte ze toch al aardig opgang: haar foto verscheen op de omslag van het populaire weekblad *Berliner Illustrierte*.

In 1929 speelde ze in *Zwei Krawatten* de rol van Mabel, een Amerikaanse miljonaire. Deze revue van Georg Kaiser met muziek van Mischa Spoliansky was te zien in het Berliner Theater.

Natuurlijk kon ze toen niet vermoeden dat juist door deze rol de poort naar Hollywood zich zou openen met in het vooruitzicht een internationale carrière.

Intermezzo in Rio

De bootreis die voor Gaby en Jean een verlate huwelijksreis had moeten worden, zou helaas uitdraaien op een enorme teleurstelling want door irritaties kwam hun relatie regelmatig onder vuur te liggen. Gedurende de overtocht sloeg de verveling toe en kreeg Jean door de beperkte ruimte last van claustrofobie. Hij miste de vrijheid van het theaterleven en de gezellige cafés van Montmartre waar hij met zijn maatjes uren doorbracht met drinken en kaarten. Het eten en drinken aan boord van de Engelse boot vond hij echter niet te pruimen: 'Thee! Alleen maar thee! Het komt m'n neus uit. Ik ben opgegroeid met rode wijn!' riep hij woedend uit.

Toen na een week de boot aanlegde in de haven van Rio de Janeiro konden ze aan land gaan om ondergebracht te worden in een klein eenvoudig hotel. Na de saaie en in zijn gedachte eindeloze reis voelde Jean zich direct thuis in de bruisende metropool die hem aan zijn geliefde Parijs deed denken. Hij was onder de indruk van de gastvrijheid van de Brazilianen en de exotische schoonheid van de vrouwen die duidelijk lieten merken dat ze de goed gebouwde blauwogige Fransman bijzonder aantrekkelijk vonden en schaamteloos avances maakten. Al snel kwam het over en weer tot verwijten. Gaby verdacht Jean ervan een verhouding te hebben met een vurige donkere zangeres die optrad in het theater tegenover het hunne. Ofschoon hij de beschuldiging weglachte was hij op zijn beurt enorm wantrouwend en jaloers toen Gaby van een Braziliaanse bewonderaar een kostbare armband cadeau kreeg.

Die ziekelijke jaloezie, meestal gepaard gaande met enorme woede-uitbarstingen, zou hij zijn hele leven behouden. Als typische Latijnse macho vond hij het normaal af en toe wel eens een scheve schaats te mogen rijden, alhoewel voor vrouwen gold volgens hem dat ze onherroepelijk trouw moesten blijven aan hun partner.

Na het beëindigen van het engagement keerden ze terug naar Parijs. Voor Jean verliep de terugreis voorspoedig doordat hij vriendschap had gesloten met een aantal mannelijke passagiers. Met hen zat hij tot diep in de nacht te kaarten zonder maar een moment om te kijken naar zijn jonge vrouw.

Eenmaal terug in Parijs bezaten ze een aardige financiële reserve. Ze mochten dan weliswaar in Rio geen vermogen hebben verdiend, ze zaten er toch redelijk warmpjes bij. Daarom betrokken ze weer een klein hotel in Montmartre en gaven veel geld uit aan Jeans grootste liefhebberij: eten en drinken. Ook kocht hij een racefiets waarop hij intensief trainde om in vorm te blijven. Daarnaast zat hij in een achterzaaltje van een bistro dagelijks urenlang te kaarten met acteurs Pierre Brasseur en Marcel Dalio. Om werk maakte hij zich nog niet druk. Maar naarmate het verdiende geld echter schrikbarend begon te slinken, zat er niets anders op dan weer aan de slag te gaan, alhoewel niet van harte. Ook dat was zo'n typische Gabin karaktertrek. Zijn devies was: 'Men moet niet leven om te werken maar werken om te leven.'

In de schoenen van Chevalier

Na een gedegen restauratie had het Casino de Paris kort na de oorlog zijn deuren weer geopend. Hoewel het gedurende de oorlogjaren wel open was, had het niet goed gedraaid. Nadat een deel van de eigenaars failliet was verklaard, had Léon Volterra het voor een prikje overgenomen. Na een verbouwing presenteerde hij er zijn eerste naoorlogse revue met de toepasselijke titel *Laissez-les-Tomber!* (Laat ze maar vallen). Omdat het een knaller moest worden, engageerde Volterra voor de opening de befaamde revuester Gaby Deslys en haar echtgenoot de danser Harry Pilcer.

Lang voor Mistinguett was Gaby Deslys al een internationale vedette in shows in Parijs, Londen en New York. Ze was net teruggekomen van een succesvol optreden op Broadway waar ze in de Winter Garden naast de beroemde entertainer Al Jolson had opgetreden in de shows *Vera Violetta* en *The Honeymoon Express*.

In Amerika was ze getrouwd met Pilcer, een tot Amerikaan genaturaliseerde Hongaarse jood. Voordat de fameuze Joséphine Baker met de *Revue Nègre* haar entree in de lichtstad maakte, werd de jazz al door het echtpaar Pilcer-Deslys geïntroduceerd. Pilcers broer Murray was speciaal daarvoor uit Amerika overgekomen met een jazzband. Volterra wilde na de misère van de oorlog een supershow brengen en engageerde daarom niet alleen driehonderd artiesten, onder wie 150 girls, maar besteedde ook een vermogen aan de meest extravagante kostuums. De show, die met name door veel van de in Parijs verblijvende geallieerde militairen werd bezocht, was de sensatie van het theaterseizoen.

Na lange tijd gespeeld te hebben voor een uitverkocht huis kondigden Gaby en Harry aan dat ze aan rust toe waren en wilden stoppen. Bovendien zochten ze naar een nieuwe uitdaging. Maar helaas gingen plannen voor een nieuwe revue in rook op doordat Gaby Deslys ziek werd en twee jaar later overleed aan keelkanker.

Mistinguett.

Onder: Miss en Chevalier.

Mistinguett en Maurice Chevalier namen de show over, waaraan een aantal extra nummers voor Mistinguett was toegevoegd. Ondanks hun samenwerking boterde het allang niet meer tussen Chevalier en Miss. Na zijn terugkomst uit krijgsgevangenschap was hun relatie al enigszins bekoeld. Maurice had een appartement voor zichzelf gehuurd waar hij regelmatig damesbezoek ontving. Toen Mistinguett erachter kwam dat haar minnaar haar bedroog, stelde ze voor een open relatie aan te gaan. Als ze een rode zakdoek had geknoopt aan het balkonhek van haar appartement aan de Boulevard des Capucines was dat het teken dat ze herenbezoek had en Chevalier niet welkom was.

Hoewel dat enige tijd goed ging, leidde het toch tot problemen. De verhouding was voorgoed verziekt toen Chevalier eiste dat zijn naam even groot op de affiches en de lichtreclames kwam te staan als die van Mistinguett. Chevalier: 'Mijn naam komt even groot op de lichtreclame als die van jou of ik vertrek,'

Mistinguett: 'Prima! Vergeet niet de deur te sluiten als je weggaat!'

Miss bleef niet lang alleen. Want na het overlijden van haar concurrente Gaby Deslys zag ze het als haar taak zich te ontfermen over de 28-jarige weduwnaar Harry Pilcer, die ze wist te redden van een zelfmoordpoging. Hij nam de plaats in van Chevalier, zowel op de bühne als in het bed. Of ze wist dat ze de knappe Harry Pilcer ook met mannen moest delen, blijft een raadsel.

Chevalier had in Duitsland Engels geleerd van de krijgsgevangen Britse militairen. Toen de Amerikaanse superster Elsie Janis hem in 1919 vroeg of hij haar partner wilde worden in de Londense revue *Hello America*, zou dat het begin van worden van een internationale carrière.

Doordat Mistinguetts samenwerking met Pilcer ook van tijdelijke aard bleek te zijn en hij danser maar geen zanger was, ging ze naarstig op zoek naar een nieuwe partner.

Toen de financiële situatie van Gaby en Jean Gabin uiterst nijpend werd, zat er voor Gabin niets anders op dan naar werk te gaan uitkijken. Hij had gehoord dat er in de Moulin Rouge een auditie werd gehouden voor zangers en dansers. De ster van de nieuwe show *Paris qui tourne* was niemand minder dan de grote Mistinguett. Toen hij in de Moulin Rouge binnenkwam, wachtte er al een dertigtal jongens en meisjes die hij bijna allemaal kende. Enkelen van hen hadden in de revuewereld al een aardige carrière opgebouwd en waren in zijn ogen stukken talentvoller dan hijzelf. Desondanks besloot hij te wachten tot hij zou worden opgeroepen. Zijn vertrouwen werd er niet groter op toen hij, staande tussen de coulissen, hoorde dat een paar voorgangers op de helft van hun lied abrupt werden onderbroken door een stem uit de zaal die riep: 'Genoeg, de volgende.' Sommigen werden al afgewezen op hun uiterlijk voordat ze hun mond hadden opengedaan. Eenmaal aan de beurt liep Jean het spaarzaam verlichte toneel op, waar de pianist de auditerende artiesten muzikaal moest begeleiden en hij overhandigde hem zijn muziek.

In het donker ontwaarde hij op de eerste rij van de zaal enkele wazige schimmen. Hij overwon zijn plankenkoorts en zette de eerste regels van *Valentine* in, een lied van Maurice Chevalier, dat hij zowel tijdens zijn tournees door de provincie als in Rio op zijn repertoire had staan. Toen hij was uitgezongen, volgde er een ijzige stilte zonder een enkele reactie uit de zaal. Denkend dat hij was afgewezen, liep hij alvast in de richting van de coulissen. Maar voordat hij geheel uit het zicht was, riep de toneelmeester hem terug met de vraag: 'Hoe heet je?'

'Gabin... Jean Gabin.'

'Heb je nog meer repertoire?'

'Jazeker!'

'Men wil graag nog wat horen.'

Terwijl hij weer een lied van Chevalier inzette, ontwaarde hij in het donker het gezicht van Mistinguett. Niemand had ooit gewaagd een lied van haar ex-minnaar te zingen omdat ze dat als een vorm van majesteitsschennis zou hebben gezien.

Plotseling riep haar schelle stem vanuit de zaal: 'Hoe heet je?'

'Jean Gabin?'

'Ben je familie van Ferdinand Gabin?'

'Ja Miss, dat is mijn vader.'

Ze vroeg hem van het toneel af te komen en naast haar plaats te nemen. Terwijl ze hem doordringend aankeek, merkte ze op: 'Je hebt wel lef zeg, om onder mijn neus een lied van m'n kerel te zingen. Niet dat je slecht bent hoor, maar aan hem kun je toch niet tippen. Hij is langer, eleganter en gewoon beter dan jij.'

De kortaangebonden en diep beledigde Gabin stond resoluut op: 'Nou dan ga ik maar.' Maar toen kwam ook Mistinguett uit haar stoel, pakte hem bij zijn hand en leidde hem naar het toneel. 'Zingen kun je wel, maar hoe zit het met dansen.' Luidkeels vroeg ze om een pet die ze op zijn hoofd zette en een rode zakdoek die ze om zijn nek knoopte. Op haar verzoek sloeg de pianist meteen de tonen van een java aan. Toen Miss haar armen om zijn nek sloeg, legde Jean zijn handen om haar ronde heupen en trok haar dicht tegen zich aan. Nauw omstrengeld dansten ze op het ritme van *La java de Doudoune*. Jean Gabin had de slag gewonnen en werd de 'boy' van Mistinguett in de op stapel staande revue *Paris qui tourne*.

In haar memoires schrijft ze bijna dertig jaar later: 'Gabin, zoon van Gabin senior, heel mooie jongen, vedette van de Cigale, deed alles wat ik zei. Dat bracht hem dertig franc per dag op. Als hij met mij het refrein zong, imiteerde hij Maurice Chevalier.' De als ziekelijk gierig bekendstaande Miss probeerde de salarissen laag te houden omdat ze op een provisiebasis werkte. Desondanks wist Jean Gabin van haar gedaan te krijgen dat zijn gage tot twee keer toe werd verhoogd.

Hoewel het engagement naast de beroemde Mistinguett voor Jean een doorbraak betekende, was Gaby niet blij met zijn optreden naast Mistinguett, die alom bekend stond als een mannenverslindster. Ze had zich er niet druk over hoeven te maken want de Miss had allang weer een andere relatie, ditmaal met de jonge Amerikaanse danser Earl Leslie.

Toen de revue ten einde was, wisselde Mistinguett de Moulin Rouge in voor het Casino de Paris. Nadat Gabin had opgetreden met niemand minder dan de befaamde en populaire Mistinguett gingen plotseling alle deuren voor hem open. Zonder audities af te lopen, kreeg hij al direct aanbiedingen. In de Moulin Rouge stond hij in de revue *Allô ici Paris* als 'Vedette Americaine', waarmee in de Franse music-hall een tweedeplansrol wordt aangeduid. Het zou de laatste voorstelling worden van de Moulin Rouge. De eigenaar verkocht daarna het legendarische theater aan de filmmaatschappij Pathé, die het theater liet aanpassen aan het nieuwe procédé: de geluidsfilm De Bouffes-Parisiens, waar Gabin drie jaar daarvoor nog een bijrol had gespeeld in *Trois jeunes filles nues*, bood hem nu de hoofdrol aan in de operette *Flossie*. Deze komische rol bezorgde hem mooie kritieken, een krant vergeleek hem zelfs met de beroemde blijspelacteur Sacha Guitry.

Niet alleen Jean, ook Gaby had succes: ze was zeer gevraagd in Parijse cabarets en behaalde een persoonlijk succes met haar rol in de komedie *Débauche*. Omdat ze allebei op andere uren werkten, zagen ze elkaar nauwelijks meer, waardoor ze steeds meer uit elkaar groeiden. Roem en geld schenen niet de beste formule te zijn voor echtelijk geluk. Gaby dacht soms met weemoed terug aan de magere jaren toen ze samen als bohémiens leefden in Montmarte. Jean was nu een aantrekkelijke jongeman van 26 jaar bij wiens optreden de meisjes praktische in zwijm vielen en de verleiding was te groot.

In de Bouffes-Parisiens was Jeans tegenspeelster, zowel in *Flossie* als in de volgende komedie *Arsène Lupin* de mooie blonde Jacqueline Francell met wie hij al spoedig een intieme verhouding begon. Aanvankelijk was Gaby slechts jaloers, maar toen ze inzag dat ze Jeans liefde had verloren, verhuisde ze uiteindelijk naar een ander adres en vroeg de scheiding aan. Ze gingen vriendschappelijk uit elkaar en maakten samen nog de film *Chacun sa chance* waar Gaby Bassets naam nog voor die van Jean op de affiche stond. Maar naarmate zijn ster aan het firmament steeg, zou de hare steeds meer verbleken.

De blauwe engel

In 1926 besloot de Ufa-filmmaatschappij het contract van de artistieke leider Erich Pommer niet meer te verlengen. Ofschoon Pommer beroemde films had geproduceerd zoals *Der Letzte Mann* en *Varieté* was het budget bij de verfilming van de door Fritz Lang geregisseerde *Metropolis* gigantisch overschreden. Langs massaepos had maar liefst 6 miljoen rijksmark gekost en hoewel het heden ten dage als een meesterwerk gezien wordt, liepen de bioscoopbezoekers er indertijd niet warm voor. Ufa was dan ook door dit geldverslindende project, in combinatie met de inflatie, in financiële moeilijkheden gekomen: de schuldenlast bedroeg een slordige 50 miljoen rijksmark. Om het hoofd boven water te houden moest men een fusie aangaan met concurrerende Amerikaanse filmmaatschappijen als Paramount en Metro-Goldwyn, die meer weg had van een algehele uitverkoop.

Het zogenaamde Parfumetcontract dwong Ufa twintig films af te nemen van beide concerns en 75 procent van de voorstellingen in hun theaters beschikbaar te stellen voor Amerikaanse films.

De grootste filmstudio van Europa had daardoor alle macht uit handen gegeven. Maar een jaar later kwam er redding toen krantenmagnaat Hugenberg, eigenaar van de Scherlgroep en leider van de Nationalistische Duitse Partij, de Amerikaanse aandelen opkocht, waardoor de algehele productie weer in Duitse handen kwam.

Hugenberg benoemde Ludwig Klitzsch tot directeur, wiens eerste taak was Pommer terug te halen uit Amerika, waar hij voor Paramount als producent een tweetal film geproduceerd had met de Poolse actrice Pola Negri.

Tijdens Pommers verblijf in Amerika had de geluidsfilm zijn intrede gedaan en ook Europa maakte spoedig kennis met dit nieuwe procédé. Op 3 juni 1929 ging in het Berlijnse Gloria-Palast de Warner-geluidsfilm *The Singing Fool* met Al Jolson in première.

Na veel gekissebis over de rechten van de geluidssystemen, oriëntatiereizen naar Amerikaanse filmstudio's en een forse investering stapte Ufa uiteindelijk over op geluid en maakte een begin met het aanpassen van de bioscopen. Eind september ging de eerste Ufa-geluidsfilm *Melodie des Herzens* in première.

In Amerika betekende de komst van de geluidsfilm het einde van menig carrière omdat bepaalde stemmen zich niet goed lieten registreren of niet overeenkwamen met de fysiek van de betreffende acteur. Daarnaast hadden filmmaatschappijen buitenlandse acteurs gecontracteerd die de taal niet beheersten of zware accenten hadden. Zo had Sam Goldwyn in 1926 in Boedapest de liefallige Hongaarse actrice Vilma Banky gecontracteerd. Ze speelde met veel succes in stommefilms met tegenspelers als Rudolph Valentino, Gary Cooper en Ronald Colman. Haar eerste geluidsfilm, het melodrama *This is Heaven* ontlokte lachsalvo's in de zaal vanwege haar kromme uitspraak van het Engels. Alhoewel Goldwyn probeerde van haar contract af te komen lukte hem dat niet en moest hij de actrice nog jarenlang haar gage doorbetalen. Ook voor de eveneens Hongaarse Lya de Putti en de Poolse Pola Negri was er vanwege hun Slavisch accent geen werk meer in Hollywood. Anderen die het veld moesten ruimen waren Marlenes vriendin Camilla Horn en de befaamde acteur Emil Jannings.

Jannings was naar aanleiding van zijn rol in Murnau's film *Der Letzte Mann* en Duponts *Varieté*, uitgenodigd naar Hollywood te komen, waar hij bij Paramount een driejarig contract tekende. Hij maakte er furore in een aantal stommefilms en was in 1928 de eerste acteur die een Oscar won. Maar door zijn beperkte kennis van de Engelse taal en zijn Teutoonse tongval betekende de komst van het geluid het einde van zijn Amerikaanse carrière. In het bezit van een aanzienlijk vermogen keerde hij terug naar Europa, waar hij een villa kocht in het Oostenrijkse Ströbl aan de Wolfgangsee, pal tegenover het beroemde *Weissen Rössl*. Jannings was nu internationaal bekend en het was Pommer er alles aan gelegen hem te contracteren voor de rol van Raspoetin, de sinistere Russische gebedsgenezer aan het tsarenhof. Jannings drong er bij Pommer op aan voor zijn eerste geluidsfilm de Amerikaanse regisseur Josef von Sternberg te contracteren, onder wiens regie hij in Hollywood met veel succes had gewerkt in *The Last Command*. Tijdens de opnames had Jannings zich echter gedragen als een verwend kind, waardoor Von Sternberg alle zeilen moest bijzetten om de hysterisch gedragingen van Jannings in goede banen te leiden. Hoewel Von Sternberg aanvankelijk gezworen had nooit meer met deze onhandelbare acteur te werken, aanvaardde hij toch het Duitse aanbod.

De als Jonas Sternberg in Wenen geboren regisseur was als kind met zijn ouders naar Amerika geëmigreerd. Desondanks waren er geen problemen met werken in Berlijn omdat hij de Duitse taal nog steeds goed beheerste.

Von Sternberg ging echter niet akkoord met *Rasputin* omdat hij 'op niemands historische tenen wilde trappen'. De keuze zou uiteindelijk vallen op *Professor Unrat, Das Ende eines Tyrannen*, een boek dat de uit Lübeck afkomstige romanschrijver Heinrich Mann in 1905 had geschreven.

Na in 1928 gescheiden te zijn van zijn vrouw, de Praagse actrice Maria Kanova, had Mann zich in Berlijn gevestigd. Daar onderhield hij een intieme relatie met Trude Hesterberg, actrice-chansonnière en leidster van het befaamde cabaret Wilde Bühne. Voor zijn twintig jaar jongere minnares schreef hij het stuk *Bibi*, door Friedrich Holländer van muziek voorzien. Het was ook Trude die hem overhaalde om *Professor Unrat* vrij te geven voor de film omdat ze ervan droomde de rol van de tingeltangelzangeres Rosa Fröhlich te spelen. Ze bracht de zaak aan het rollen door de interesse op te wekken van Emil Jannings, die het op zijn beurt doorspeelde aan Pommer en Von Sternberg.

Ufa kocht voor een aanzienlijk bedrag de rechten zonder dat er in het contract vermeld stond dat Trude Hesterberg de rol zou krijgen. De aap kwam pas uit de mouw toen alles al in kannen en kruiken was: Von Sternberg wilde in geen geval de mollige Trude Hesterberg die al tegen de veertig liep. Omdat het verhaal geloofwaardig moest overkomen, wilde hij voor de rol van de frivole, volkse 'Lola-Lola' Fröhlich, die een burgerlijke tirannieke professor te gronde richt, een jonge sexy vrouw. Jannings die liever een gerenommeerde actrice als tegenspeler wilde, stelde daarom voor de bekende en talentvolle Lucie Mannheim te contracteren.

Hoewel Von Sternberg er niets in zag, maakte hij om Jannings tevreden te stellen, een proefopname met Lucie Mannheim. Om Jannings te overtuigen van zijn gelijk, richtte hij de camera van haar knappe gezicht langzaam naar beneden op de zware heuppartij en niet bijzonder fraaie benen, waarna Jannings overstag ging. Dus bleef het zoeken naar een geschikte actrice voor de rol.

Het toeval wilde dat Von Sternberg op een avond de revue *Zwei Krawatten* bezocht, waarin acteur Hans Albers en Rosa Valetti speelden. Von Sternberg had Albers in gedachte voor de bijrol van souteneur Mazeppa en wilde Rosa Valetti contracteren als Guste, de leidster van de derderangse cabaretgroep.

Ook Marlene speelde in *Zwei Krawatten* de rol van Mabel, een Amerikaanse dollarprinses. Ondanks dat Von Sternberg foto's van Marlene had gezien, konden die hem aanvankelijk niet overtuigen. Maar toen hij de 28-jarige Marlene

Trude Hesterberg.

Dietrich in levenden lijve op het toneel zag, was hij overtuigd dat zij de perfecte keus zou zijn voor de rol van Lola. Na de voorstelling begaf hij zich daarom naar haar kleedkamer en vroeg haar of ze er iets voor voelde de volgende dag een proefopname te komen maken. Ze stemde toe hoewel ze zich geen enkele illusie maakte over het aanbod. Doordat de films waarin ze had gespeeld, op zijn zachtst gezegd, bepaald geen kaskrakers waren geworden, koesterde ze nog weinig hoop dat haar filmcarrière ooit van de grond zou komen. Kort daarvoor had ze nog tegen Trude Hesterberg gezegd: 'Het wordt nooit wat met me! Geen mens wil me meer, niet in Wenen noch in Berlijn. Ik geef het op, ik ga wat anders doen!'

Toen ze de volgende dag de studio binnenkwam, maakte ze een weinig enthousiaste en bijna apathische indruk, denkende dat het om een bijrol zou gaan. Ze deelde de perplexe Von Sternberg mee dat volgens haar proefopnamen weinig zin hadden omdat ze moeilijk te fotograferen was. Inderdaad hadden cameramannen bij haar vorige films grote problemen gehad haar goed in beeld te brengen omdat ze volgens hen een neus als een eendensnavel had.

Marlene Dietrich in Der blaue Engel.

Von Sternberg keek verbaasd op omdat hij er niet aan gewend was dat een actrice zich zo openhartig en kritisch uitliet over haar tekortkomingen. Integendeel, meestal stelden ze alles in het werk om hun kwaliteiten uitgebreid te etaleren. Von Sternberg, meester in de licht-donkerfotografie, zag het juist daarom als een uitdaging.

De proefopname, die jaren later zou opduiken in de Sovjet-Unie, was een deel van de oorlogsbuit die de Russen in 1945 naar Moskou hadden vervoerd. Dit historische document toont hoe Marlene zittend op een piano, langzaam een (zijden) kous oprolt. Begeleid door een pianist zingt ze met een monotoon stemgeluid schijnbaar ongeïnteresseerd het Engelse *You're the cream in my coffee* en *Wer wird den weinen, wenn man auseinander geht*, een populaire schlager uit de film *Der Fürst von Pappenheim*. In haar Berlijnse dialect valt ze woedend uit tegen de pianist die jammerlijk naast de muziek speelt.

Na het zien van de opnamen stond het voor Von Sternberg vast: zijn Lola Fröhlich was Marlene Dietrich. Toen hij zijn keus bekendmaakte, riep Pommer radeloos uit: 'Ach nee! Alsjeblieft niet die hoer!' Hoewel ook Jannings zich met

Marlene Dietrich in
Der blaue Engel.
Tweede van rechts:
Rosa Valetti.

hand en tand verzette tegen Von Sternbergs keuze, wist die niet van wijken.

De opdracht voor het scenario van de film ging naar Karl Vollmoeller en Carl Zuckmayer. Heinrich Mann, die de supervisie had, moest zich neerleggen bij de veranderingen in het script. De titel *Professor Unrat* werd veranderd in *Der blaue Engel*. Componist en tekstdichter Friedrich Holländer schreef de teksten en de muziek van melodieën die spoedig de wereld zouden veroveren.

Op 4 november 1929 begonnen de opnamen. Tijdens de eerste dagen werd al duidelijk dat de relatie tussen Marlene en Von Sternberg niet uitsluitend professioneel was gebleven. Het was voor Marlene onmogelijk haar beroep van haar privé-leven te scheiden. Tijdens het filmen kwam het op de set tot heftige jaloeziescènes met Jannings, die zich er groen en geel aan ergerde dat Von Sternbergs aandacht volledig was gefixeerd op Marlene. Uiteindelijk hij, als ster van de film, toucheerde een enorm salaris dat niet in vergelijking stond met de luttele vijfduizend mark waarvoor Marlene was gecontracteerd. Hij was er woedend over dat de regisseur hem negeerde en alleen maar oog had voor de dijen van Marlene.

Toen hij in de rol van de bedrogen jaloerse echtgenoot in wilde razernij zijn overspelige vrouw te lijf wilde gaan in een poging haar te wurgen, deed hij dat met zoveel overgave dat zijn vingers nog dagenlang in Marlenes nek stonden.

Tijdens het filmen van *Der blaue Engel* vonden onder regie van Wilhelm Dieterle op een andere set opnamen plaats van een historisch drama. De film werd geproduceerd door de Deutsche Universal een zusteronderneming van de Amerikaanse Universal Film. Toen de tot Amerikaan genaturaliseerde Hongaars-joodse producent Joe Pasternak Dietrich aan het werk zag op de belendende set, vond hij haar zo sensationeel dat hij haar wilde contracteren voor Universal. Doordat Marlene hem, slechts gekleed in een doorschijnende, niets-verhullende peignoir, in haar kleedkamer ontving, kreeg Pasternak het van louter opwinding zo benauwd dat het klamme zweet hem uitbrak. Omdat Marlene wel een open oor had voor een contract zond Pasternak een telegram naar de Universal-directie in Hollywood. Von Sternberg, die maar al te goed begreep dat er kapers op de kust waren, drong er bij Ben Schulberg, hoofd van Paramount, op aan Marlene te contracteren. Schulberg kwam speciaal naar Berlijn opdat Von Sternberg hem fragmenten van zijn film kon laten zien. Schulberg, opgetogen over de beelden die hij zag, wilde Marlene contracteren. Maar er was wel een probleem: Ufa had al een optie.

Tijdens de voorvertoning bleek al dat *Der blaue Engel* geen Jannings-, maar een Dietrich-film zou worden. Door haar natuurlijkheid won ze glansrijk

Emil Jannings en Marlene Dietrich op de cover van Het Weekblad.

van Jannings' theatrale manier van acteren. Desondanks reageerde de Ufa-directie niet en liet de optie verlopen. Na het monteren van de film reisde Von Sternberg terug naar Hollywood met het idee van zijn minnares en protégé een internationale ster te maken. Kort daarop ondertekende Marlene in het kantoor van Ike Blumenberg, de vertegenwoordiger van Paramount, een zevenjarig contract. Zowel Ufa als Universal had het nakijken.

Op 31 maart 1930 vond de galapremiére van *Der blaue Engel* plaats in het Gloria-Palast aan de Kurfürsterdamm. De film, die al vóór de première veel publiciteit had gekregen, was ongetwijfeld de eerste prestigieuze Duitse geluidsfilm. De getergde Emil Jannings, die de voorvertoning al had gezien, moest pijnlijk ervaren dat niet hij, maar Marlene de ster van de film was. Rancuneus weigerde hij een plaats in de zaal en wachtte aan de bar tot de voorstelling ten einde was. Actrice Trude Hesterberg, die ook aanwezig was, zat naast Dolly Haas. Ze merkte op dat het wel weer een 'Emilfilm' zou zijn omdat volgens haar Marlene niet veel te bieden had. Maar haar voorspelling bleek dus niet uit te komen. Toen het licht in de zaal weer aanging en de acteurs Jannings, Albers en Dietrich op het toneel verschenen, scandeerde het aanwezige publiek enthousiast als uit één keel: 'Marlene! Marlene!' Slechts zelden hoorde men roepen: 'Emil!' Het gejubel was zelfs op straat te horen. Bij de ingang van het theater vormden zich dan ook grote groepen mensen die tot op de rijbaan het verkeer totaal ontregelden.

In haar witte avondjapon met daarover een bontjas en in haar hand een boeket rozen verliet Marlene na het laatste applaus haastig de zaal. De politie moest haar uiterste best doen om het publiek in bedwang te houden en de weg vrij te maken opdat ze de wachtende auto kon bereiken. Ofschoon echtgenoot Sieber bij de première van zijn vrouw aanwezig was, zou hij niet meereizen naar Bremen omdat hij was belast met de zorg van hun dochtertje Maria, dat erg verkouden was. Onder de vrienden die Marlene naar de trein begeleidden, bevonden zich Marlenes oude liefde Willi Forst en de in Amerika werkende Tsjechische acteur Franz Lederer.

Ufa had, rekening houdende met haar vele koffers, een vrachtwagen ter beschikking gesteld. Op het station reden de kruiers in vliegende vaart haar bagage naar de treincoupé. Kort na het vertreksein reisde Marlene, uitgewuifd door haar vrienden, met de boottrein naar Bremenhafen, waar ze zich na aankomst inscheepte op de ss *Bremen* voor de overtocht naar New York.

Ondanks dat *Der blaue Engel* van Marlene Dietrich een wereldster maakte, zou ze daarna nooit meer een Duitse filmstudio betreden.

Van revue naar film

Het toeval wil dat de komst van de geluidsfilm juist samenviel met de Amerikaanse beurskrach van 1929 die een recessie veroorzaakte die ook grote gevolgen had voor Europa. Toch moesten filmmaatschappijen en bioscoopeigenaars, om bij te blijven, veel geld investeren in het nieuwe procédé.

Maar algauw bleek dat het publiek juist gedurende de malaise even wilde ontsnappen aan de dagelijkse realiteit door zich te vergapen aan de schijnwereld van de film.

Hoewel er in 1928 nog geharrewar was geweest over de rechten van de geluidsfilm, vond men zich uiteindelijk in een internationaal compromis. De Amerikaanse ondernemingen RCA en Western Electric concureerden met de Duitse Tobis Klangfilm in de levering en installatie van geluidssystemen in bioscopen en filmstudio's in heel Europa. In de herfst van 1929 werd in Frankrijk de filmstudio van Epernay voorzien van Duitse geluidsapparatuur, terwijl de Billancourtstudio koos voor het Amerikaanse systeem.

In navolging van Hollywood werden er in de beginperiode van het geluidfilms ook in Frankrijk films opgenomen in verschillende talen: pas later ging men over op synchronisatie. Acteurs die gedurende de stommefilmperiode louter waren gekozen op hun fraaie uiterlijk, moesten dikwijls het veld ruimen voor acteurs van het grote toneel en voor de productie van muziekfilms deed men bij voorkeur een beroep op revue- en operettesterren. Enkele vermaarde oudere regisseurs hadden moeite met het nieuwe medium dat nog in de kinderschoenen stond en onmiskenbaar nog tal van mankementen vertoonde.

Een van de eerste Franse regisseurs die de geluidsfilm ten volle wisten te benutten, was de jonge René Clair.

Geboren als René Chomette werkte hij aanvankelijk in de journalistiek, alhoewel hij ervan droomde eens een beroemd schrijver te worden. Naast artikelen in kranten en tijdschriften schreef hij gedichten en zelfs teksten voor Damia, tragédienne van het Franse chanson. Zij was het die hem in aanraking bracht met de filmwereld, waar hij vanwege zijn knappe uiterlijk als acteur werd aangenomen. In de jaren twintig speelde hij onder het pseudoniem René Clair *jeune premiers* in een aantal zwijgende films. Zijn zes jaar oudere broer Henri Chomette, assistent van regisseur Jacques de Baroncelli, had in 1923 zijn eerste eigen film geregisseerd. Op voorspraak van Henri nam Baroncelli René ook als assistent aan. Na enige tijd bij hem gewerkt te hebben, begon ook Clair voor zichzelf, met als resultaat enkele baanbrekende zwijgende films.

Voor zijn eerste geluidsfilm liet Clair de geniale decorontwerper Lazare Meerson het decor van een Parijse volkswijk nabouwen. Vanaf een daarvoor geïnstalleerde goederenlift kon de camera het zogenaamde dagelijkse leven tonen van de doorsnee Parijzenaar. Hoofdrolspeler in *Sous les toits de Paris* was de populaire acteur Jean Préjean, die een straatzanger speelt. Deze charmante poëtische, muzikale komedie ging op 2 mei 1930 in première in de Moulin Rouge bioscoop. Op de gevel stond de tekst: 'Sous les toits de Paris, gesproken, gezongen en honderd procent Frans'. De kritiek was niet bijster enthousiast en ook het publiek liep er niet warm voor. Gekwetst trok René Clair zich in juli terug voor een vakantie in het Zuid-Franse vissersplaatsje Saint Tropez. Daar bereikte hem tot zijn verbazing het bericht dat de Duitse Tobis de film in Berlijn wilde vertonen vanwege zijn vele technische vondsten. Clair en de acteurs werden zelfs uitgenodigd de galapremière in de Mozartzaal bij te wonen. Het werd een enorm succes en na afloop van de voorstelling volgde er een minutenlang durend applaus. De Duitse pers riep Clair uit tot Europese cineast van het jaar en zijn film tot de beste Europese film.

Ook in New York viel hem veel lof ten deel: tussen de vijf beste buitenlandse films die het National Board of Review selecteerde, bevonden zich zowel *Sous les toits de Paris* als Clairs tweede geluidsfilm *Le Million*.

Gedurende de periode dat de geluidsfilm opgang begon te maken, trad Gabin nog steeds in Bouffes-Parisiens op in de operette *Les aventures du roi Pausole*.

Inmiddels had in Berlijn ook Pommer zich op operette en muzikale komedie gestort. Hij had via een stroman het contract opgekocht van de populaire Duits-Engelse danseres-zangeres-actrice Lilian Harvey, die hij in films koppelde aan de acteur Willy Fritsch. Samen vormden ze een liefdespaar in een reeks filmoperettes en muzikale komedies.

Ufa maakte van deze films ook Franse of Engelse versies. Voor Lilian Harvey leverde dat geen problemen op omdat ze tweetalig was en gedurende de Eerste

Gabin kreeg de aanbieding om de rol van Fritsch over te nemen in de Franse ver-sies van Die Drei von der Tankstelle. *Toen hij weigerde, ging de rol naar Henri Garat die door die film een idool werd.*

Wereldoorlog een tijdlang in Zwitserland had gewoond, waar ze de Franse taal had geleerd.

Voor *Le chemin du paradis*, de Franse versie van *Die Drei von der Tankstelle* zocht men een Frans acteur die de plaats van Fritsch zou kunnen innemen. De keus viel al snel op Jean Gabin, die als zanger opgang maakte in revues en operettes.

Hoewel tegenspeler van Lilian Harvey te worden enorm aantrekkelijk was, bedankte hij tot ieders verbazing voor het aanbod. Daarop contracteerde de Ufa de charmante zanger Henri Garat.

Zowel de Duitse als de Franse versie werd een kaskraker. Garat, die met Lilian Harvey in nog vijf versies van Duitse Ufa-films zou spelen, verwierf daarmee een enorme populariteit waardoor hij uitgroeide uit tot een idool. Maar helaas steeg het plotselinge succes hem naar zijn hoofd. Zijn komeetachtige carrière kwam door overmatig drank- en drugsgebruik, nog voor het uitbreken van de Tweede Wereldoorlog, tot een abrupt einde.

In 1929 waagde Gabin dan toch de sprong door een rol te accepteren in de Franse versie van de Duitse film *Kopfüber Glück*. De opnamen vonden plaats in de studio's van Joinville waar *Chacun sa chance* werd geregisseerd door de Duitse Hans Steinhoff met als coregisseur de Fransman René Pujol. Gabin speelde dezelfde rol als Willy Fritsch in de Duitse versie. Zijn tegenspeelster was niemand minder dan zijn ex-vrouw Gaby Basset, met wie hij na de scheiding bevriend was gebleven. Gabin kon niet goed opschieten met de autoritaire Pruisische regisseur die met zijn Teutoonse accent aanwijzigingen gaf. Omdat de barse stem van de man hem danig begon te irriteren, riep hij uit: 'Zeg dat'ie z'n kop houdt, ik kan mezelf wel behelpen.'

Drie jaar later zou Steinhoff de sterregisseur worden van het nazi-regime door kort na de machtsovername de propagandafilm *Hitlerjunge Quex* te draaien, waarvoor hij werd onderscheiden door Baldur von Schirach met het gouden insigne van de *Hitlerjugend*. Hij kwam in 1945 om toen het vliegtuig waarmee hij uit Praag vluchtte, werd neergehaald door het Russische leger.

Maar voorlopig was de oorlog nog ver weg en speelden Franse sterren maar al te graag in Frans-Duitse coproducties, die dikwijls in Duitse studio's werden opgenomen. Bij terugkomst waren ze vol lof over de fraaie hotels waar ze elke draaidag punctueel werden afgehaald om naar hun comfortabele kleedkamer in het imposante studiocomplex van Neu Babelsberg gebracht te worden. De Franse studio's waren daarentegen nog verre van perfect en de werkwijze nogal chaotisch.

Na het spelen van zijn eerste filmrol zou Gabin het theater vaarwel zeggen, nadat Albert Willemitz van de Bouffes Parisienne hem had verteld dat hij eens moest uitkijken naar ander werk. Bernard Natan, de joods-Roemeense directeur van Pathé-Natan, bood hem daarop een driejarig contract aan. Gabin zou zich vanaf dat moment, afgezien van een toneelrol in 1949, uitsluitend wijden aan zijn filmcarrière, die in de komende jaren een grote vlucht zou nemen.

Svengali Joe

Tijdens haar overtocht naar de nieuwe wereld leerde Marlene aan boord van de ss *Bremen* het Amerikaanse echtpaar Strook kennen. In zijn memoires schrijft Budd Schulberg, zoon van de toenmalige productieleider van Paramount, over Marlenes kennismaking met Jimmy Strook, eigenaar van een kledingimperium en zijn vrouw Bianca, een ontwerpster. Tijdens de gehele overtocht waren Marlene en het jonge echtpaar onafscheidelijk. Algauw circuleerde aan boord de roddel dat het een *ménage à trois* betrof. Maar Marlenes interesse ging blijkbaar vooral uit naar de knappe Bianca. Op een dag nodigde ze haar uit in haar hut en liet haar onder het drinken van een glas champagne een fotoboek zien met lesbische seksstandjes. Hoewel de arme Bianca zwaar geshockeerd was, lachte Marlene het weg met de woorden: 'In Europa maakt het niet uit of je man of vrouw bent; we hebben seks met iedereen die ons bevalt.'

Onder de reis kwam de boot enige tijd in zwaar weer terecht, waardoor Resi, Marlenes kleedster, zeeziek werd en hangend over de reling, bij het overgeven haar gebit verloor.

Lang voor Marlenes aankomst in New York had Paramount een enorme reclamecampagne op poten gezet met als resultaat dat de pier waar het schip aanlegde vol stond met persmensen. Op verzoek van de fotografen klom Marlene op een grote hutkoffer en trok haar rokken omhoog om Amerika kennis te laten maken met haar beroemde benen. Daarna werd ze in een wachtende auto naar het Ambassador Hotel gereden, waar Jesse Lasky, een van de stichters van Paramount, een persconferentie had georganiseerd. Marlene woog elk woord op een goudschaaltje en gaf, uit angst fouten te maken, bedachtzaam antwoord op vragen van de vele journalisten. Zeer tegen de gebruiken van Hollywood in, waar een ongetrouwde ster meerwaarde had, wijdde ze uit over haar man en kind die ze erg miste en waarvan ze hoopte dat hun visa snel in orde zouden zijn, zodat ze konden overkomen.

Paramount wees daarna alle verzoeken voor interviews van de hand en gaf alleen een persbericht uit: 'Ze heeft blond haar met een rosse glans, groenblauwe ogen, is 1,64 meter lang met een taille van 60 centimeter en weegt 108 pond.'

In New York werd een tandarts gezocht die bereid was met spoed een nieuw gebit voor Resi te maken. Voordat ze naar Hollywood zou vertrekken, logeerde Marlene vier dagen in New York, waar Paramounts productiechef Walter Wanger en zijn echtgenote haar de stad zouden laten zien. Ze bezocht met hen enkele shows en een *speak-easy*, waar clandestien sterke drank werd geserveerd. Na haar korte verblijf in New York nam ze met Resi de trein voor de vijfdaagse reis naar Californië. In Alburquerque stapte Von Sternberg op de trein om haar te vergezellen. Bij aankomst in Pasadena reisden ze per auto naar Beverly Hills, waar Von Sternberg voor Marlene een villa in Moorse stijl had gehuurd.

Von Sternberg, nog steeds haar minnaar, deed haar public relations en introduceerde haar in de filmwereld van Hollywood, waar ze kort na aankomst samen een party bezochten van de Schulbergs in het Beverly Wilshire Hotel.

Irene Mayer Selznick, dochter van filmmogol Louis B. Mayer en echtgenote van filmproducent David O. Selznick, beschreef in haar memoires Marlenes entree als volgt: 'Halverwege de avond viel er plotseling een doodse stilte, alsof iemand van de aanwezigen ertoe gemaand had. Gevolgd door Josef von Sternberg maakte Marlene Dietrich, "Paramounts antwoord op Metro-Goldwyn-Mayers Greta Garbo", een spectaculaire entree. Terwijl ze gracieus over de enorme dansvloer schreed werd de stilte plotseling onderbroken door een enthousiast applaus. Haar aankomst had een dermate grote impact dat het wel leek of zíj de eregaste was.'

Von Sternberg ontfermde zich volledig over zijn pupil en schermde haar zoveel mogelijk af van de pers omdat ze de Engelse taal nog niet geheel meester was. In zijn boek *Fun in a Chinese Laundry* schrijft hij: 'Hoewel ze naast het Duits vloeiend Frans sprak liet haar Engels nog veel te wensen over.' Hij realiseerde zich dat haar uitspraak vlekkeloos moest zijn en kwam daarom met Paramount overeen dat de *Blue Angel*, de Engelse versie van *Der blaue Engel* pas vertoond zou worden nadat haar eerste Amerikaanse film in roulatie was gekomen.

Von Sternberg maakte zich vooral zorgen over Marlenes Duitse tongval vanwege het feit dat juist in die periode het komische duo Weber en Fields een comeback maakte met een act waarin beiden de draak staken met de Duitse uitspraak van het Engels. Joe Weber en Lew Fields (Moses Shanfield) bezaten rond de eeuwwisseling zelfs hun eigen vaudevilletheater op Broadway, waar ze optraden als Mike en Meyer. In wezen was het aangedikte Duitse accent waarmee ze hun grappen maakten niet veel meer dan een verbastering van het jiddisch dat ze in de huiselijke kring spraken.

Maar Von Sternberg, die beslist geen hoongelach in de bioscopen wilde, werkte daarom urenlang met haar totdat de uitspraak van elk woord helemaal naar zijn zin was. Maar ook Marlenes type wilde hij aanpassen omdat ze, evenals indertijd Garbo, voor Amerikaanse begrippen te mollig was. Toen filmmogol Louis B. Mayer Garbo contracteerde, beet hij haar toe: 'In Amerika houden we niet van dikke vrouwen.' Ook Marlene moest wat babyspek kwijt. Lang voor haar vertrek en tijdens de bootreis was ze al begonnen met lijnen door het laxeermiddel bitterzout te gebruiken. Ook het haar werd opgelicht en de wenkbrauwen werden verhoogd. Von Sternberg schiep haar filmuiterlijk, de mythe Marlene Dietrich en als men later naar haar vroeg, antwoordde hij arrogant: 'Marlene Dietrich, dat ben ik.'

Het toeval wil dat in hetzelfde jaar dat Marlene haar Amerikaanse filmdebuut zou gaan maken, Warner Bros *Svengali* uitbracht met in de titelrol John Barrymore. De film was gebaseerd op George du Mauriers roman over de sinistere, verpauperde musicus Svengali (Barrymore) die een meisje (Marian Marsh) onder hypnose omvormt tot een beroemde operazangeres.

Algauw trokken journalisten een vergelijking met de relatie Von Sternberg-Dietrich en begonnen in hun artikelen de excentrieke Von Sternberg als 'Svengali Joe' te betitelen. Maar het was niet alleen Von Sternbergs invloed, ook Marlenes Pruisische geest en opvoeding zouden bijdragen aan het succes. Aan de ene kant de ijzeren wil en het doorzettingsvermogen, aan de andere kant de *Befehl ist Befehl*-mentaliteit. Als kind was gehoorzaamheid haar al tot uit den treure ingeprent. Vijftig jaar later merkte ze op in een interview dat Maximilian Schell met haar had: 'Ik ben actrice en ik doe wat men mij zegt (...) Wij [Duitsers] hebben iemand nodig die ons zegt wat we moeten doen. Zo zijn we opgevoed.' Dat ze zichzelf zag als een creatie van Von Sternberg bewijst een foto die ze hem na de opnamen van *Der Blaue Engel* had geschonken met de opdracht: 'Voor mijn schepper van zijn schepping'.

In *Marlenes* ABC uit 1963 schreef ze onder de S: 'STERNBERG, JOSEF Von. Een man die ik het meest poogde te behagen.'

Marlene Dietrich en Gary Cooper in Marocco *(1930), Marlenes eerste Hollywood-film.*

Voordat Von Sternberg – lang voor de première van *De Blauwe Engel* – de over-steek maakte naar Amerika, had Marlene hem een fruitmand gestuurd met daarin tevens de roman *Amy Jolly*, een verhaal van Benno Vigny dat zich afspeelt rond het vreemdelingenlegioen in Marokko. Von Sternberg, die het tijdens zijn overtocht had gelezen, zag er wel iets in voor Marlenes eerste Amerikaanse film, hoewel ze het zelf 'slappe limonade' vond. Maar Von Sternberg zette door en liet het boek bewerken tot een scenario. In de Paramount studio's verrees vervolgens een mysterieuze oosterse stad met een poort die naar de woes-tijn leidde. Vanwege Marlenes geringe kennis van de Engelse taal wilde Von Sternberg de nadruk op visuele effecten leggen en de dialogen zoveel mogelijk beperken.

Het flinterdunne verhaal gaat over Amy Jolly, een cabaretzangeres en avontu-rierster die op reis is naar een Noord-Afrikaanse stad. Aan boord leert ze de rijke kunsthandelaar Kennington (Adolphe Menjou) kennen. In het cabaret waarin ze optreedt, komen ook veel legionairs voor, onder wie de knappe Tom Brown (Gary Cooper), op wie ze verliefd wordt. Als ze hoort dat hij tijdens een gevaar-lijke missie gesneuveld is, accepteert ze het huwelijksaanbod van de schatrijke Kennington. Wanneer Tom toch nog in leven blijkt te zijn en op het punt staat

Marlene als Amy Jolly in Marocco.

overgeplaatst te worden naar een andere kazerne, vraagt ze Kennington haar met de auto naar de stadspoort te rijden. Daarvandaan trekt op dat moment de colonne legionairs de woestijn in. Achter hen vormt zich een rij vrouwen die hun mannen volgen. Zonder zich een moment te bedenken ontdoet ze zich van haar hogehakschoenen en rent haar geliefde Tom Brown achterna.

De homoseksuele New Yorkse couturier Travis Banton, sterontwerper van Paramount, ontwierp voor Marlene de gewaagde kleding. In navolging van *De Blauwe Engel* draagt ze ook in *Marocco* kousen, opgehouden door jarretels, waardoor haar beroemde benen voortdurend in beeld komen.

De opvallendste scène uit *Marocco* is Marlenes optreden gekleed in een door Banton ontworpen witte zijden smoking met hoge hoed waarbij ze het Franse chanson *Quand l'amour meurt* zingt. Een jonge vrouw die haar een bloem geeft, kust ze op de mond om vervolgens de bloem in de richting van de jonge legionair (Gary Cooper) te werpen. Het was een wonder dat deze duidelijk lesbische scène de preutse Amerikaanse censuur kon passeren.

Marlenes tegenspeler Gary Cooper voelde zich tijdens de opnamen een buitenstaander omdat Von Sternberg zich volledig op zijn nieuwe ontdekking concentreerde. Urenlang was hij bezig Marlene te belichten terwijl de close-ups van Cooper nauwelijks tijd in beslag namen. Het irriteerde Cooper vooral dat hij steeds in het Duits verviel. Maar Von Sternberg realiseerde zich als geen ander dat Marlenes Amerikaanse debuutfilm een succes moest worden.

Uiteindelijk kon hij tevreden zijn want toen *Marocco* midden november 1930 in New York in première ging, was de pers enthousiast over de nieuwe ster. Het blad *Outlook* schreef: 'Hoewel ze van oorsprong uit het Duitse revue-toneel stamt, spreekt ze een onberispelijk Engels.' Ook in andere publicaties en recensies loofde men haar spel en schoonheid.

Ofschoon Marlene een Academy Award nominatie kreeg voor haar rol van Amy Jolly ging de Oscar naar Mary Dressler voor haar rol in *Min and Bill*. Ook Von Sternberg, genomineerd als beste regisseur, zag de Oscar aan zijn neus voorbij gaan. De prestigieuze prijs ging naar Norman Taurog voor *Skippy*.

Schandalen

In Hollywood werd de in Berlijn geboren verhouding tussen Marlene en Von Sternberg steeds inniger. Al tijdens de opnamen van *Der blaue Engel* vonden er regelmatig voor of na het werk tête-à-têtes plaats in zijn hotelkamer. Rudolf Sieber, Marlenes echtgenoot, was volledig op de hoogte van seksuele escapades van zijn vrouw met de Amerikaanse regisseur. Toen Marlene de mannen indertijd aan elkaar had voorgesteld, was er geen sprake van jaloezie omdat Rudi een vaste relatie had met Tamara Matul. Bovendien was hij niet afkerig van de aanzienlijke gage die zijn vrouw in Hollywood ging verdienen omdat ook hij daar revenuen van zou hebben. In 1930 was Marlene voor korte tijd teruggekomen naar Berlijn om haar dochtertje op te halen. Sieber zou met Tamara naar Parijs verhuizen, waar Von Sternberg een baan voor hem had geregeld bij de vertegenwoordiging van Paramount.

Von Sternberg was in 1930 gescheiden van zijn vrouw, de Engelse actrice Riza Royce. Maar na het succes van *Der blaue Engel* en Marlenes vertrek naar Amerika rook Riza plotseling geld. Ze maakte een proces aanhangig tegen Marlene, die ze ervan beschuldigde haar man te hebben gestolen. Ze dreigde zelfs de machtige vrouwenverenigingen in te zetten om Dietrichs films te boycotten.

Paramount wilde ten koste van alles een schandaal vermijden en liet daarom Rudolf Sieber vanuit Parijs overkomen naar Amerika. Op het station van Pasadena zou hij verwelkomd worden door Marlene, haar dochtertje Maria en Von Sternberg. De filmstudio had een grote groep journalisten opgetrommeld om de hereniging van het gelukkige gezin op de gevoelige plaat vast te leggen. Nadat hij uit de trein was gestapt, omhelsde hij innig zijn vrouw en dochtertje in het felle licht van de vele ontelbare flitslampen. Dit aandoenlijke familietafereeltje maakte met een klap een einde aan alle roddels.

Maar niet iedereen liet zich een rad voor de ogen draaien. Insiders als Jesse Lasky jr., zoon van de stichter van Paramount, wisten wel beter. In zijn memoi-

De zogenaamde familiehereniging. Marlene, echtgenoot Rudolf Sieber en dochter-tje Maria (Heidede genoemd).

res weidt hij sarcastisch uit over de opgevoerde komedie: 'De gouden, blonde, blauwogige Teutoonse atleet, [Sieber] die zo uit een Wagner-opera scheen te zijn gestapt, boordevol mannelijkheid en gebruind door de zon van een skivakantie, was haar echtgenoot. De verfomfaaide, onverzorgde, kabouter Von Sternberg haar bewonderaar en ontdekker. Een Hollywoodcliché was daarmee volledig verpletterd want geen enkele filmmaatschappij zou een dergelijke ongelijke relatie als onderwerp voor een film kiezen, maar in Hollywood gaan nu eenmaal de beauty en het briljante beest vaak hand in hand.'

Ofschoon Lasky wist hoe de vork in de steel zat, ging het verhaal van de gelukkige familiehereniging bij lezers van kranten en filmtijdschriften er in als zoete koek. Toen de foto's in de pers verschenen, kon geen mens zich voorstellen dat Marlene haar knappe echtgenoot zou hebben ingeruild voor de turfhoge Von Sternberg.

Rudi was tijdens zijn verblijf regelmatig met Marlene en Maria te zien in restaurants en bij sportwedstrijden waar de familie breed lachend voor de pers poseerde. Toen duidelijk werd dat Riza Royce de zaak had verloren, zat er voor haar niet veel anders op dan haar aanklacht in te trekken, weliswaar nadat Paramount een aanzienlijk bedrag op haar bankrekening had gestort.

Hoewel heimelijk, bleef de bizarre relatie tussen Marlene en Von Sternberg een tijdlang doorgaan. Tijdens opnamen pijnigde de sadistische regisseur urenlang zijn ontdekking totdat een scène naar zijn zin was, 's nachts deelde hij het bed met haar. Voor Marlene werd de op seks beluste Von Sternberg soms een last. Ze beklaagde er zich bij haar echtgenoot over dat de regisseur 'er geen genoeg van kon krijgen en almaar wilde'. Daarbij kwam ook het er door de jaren ingestampte Pruisische antisemitisme en de fabel van de enorme wellust van het joodse ras tot uiting: 'Die joden willen voortdurend.'

Maar de verhouding met haar regisseur bekoelde aanmerkelijk toen Von Sternberg ervaarde dat Marlene niet van plan was zich te laten scheiden van Sieber.

Tijdens de opnamen van *Marocco* had Von Sternberg zich geërgerd aan Marlenes fascinatie voor haar tegenspeler, de knappe Gary Cooper. Toen de deur van haar kleedkamer op een dag op slot bleef, wist Von Sternberg dat hij niet meer de enige was. Zijn droom ging in rook op.

Spoedig zou er weer een andere man in Marlenes leven verschijnen. Dit keer import uit Frankrijk, niemand minder dan Maurice Chevalier.

Na zijn breuk met de dertien jaar oudere Mistinguett schitterde Chevalier als ster in revues en operettes. In 1924 had hij danseres Yvonne Vallée leren kennen, met wie hij ging samenwonen. Hij vierde dat jaar triomfen in de operette *Dédé*. Op een dag werd de voorstelling bezocht door de Amerikaanse componisten Gershwin en Irving Berlin, die beiden vol lof waren. Daardoor rijpte bij Maurice de gedachte dat *Dédé* misschien ook op Broadway zou kunnen aanslaan. Hij besloot daarom naar New York te reizen om het stuk aan de man te brengen maar kreeg nul op het rekest, want geen enkele producent toonde interesse. Gedemoraliseerd keerde hij terug naar Parijs, waar hij in een zware depressie belandde die hij trachtte weg te spoelen met een overmaat aan alcohol. Boze tongen beweerden dat hij leed aan een ziekelijke verhoogde geslachtsdrift door het afkicken van cocaïne. De crisis was dermate ernstig dat hij zelfs een zelfmoordpoging ondernam. Blijkbaar had Maurice de genen van zijn notoire alcoholistische vader geërfd.

De voor de buitenwereld optimistische en populaire zanger-acteur Cheva-

Marlene en Maurice Chevalier op de filmset van The Song of Songs.

lier zou zijn hele leven blijven lijden aan een minderwaardigheidscomplex, paniekreacties en irritaties die hevige maagkrampen veroorzaakten.

Met hulp van Yvonne wist hij echter zijn zelfvertrouwen terug te winnen. Ze trouwden in 1927 en begonnen aan een tournee door de provincie. Ofschoon Yvonne zijn partner werd in een aantal revues, miste ze het charisma van een Mistinguett. Chevaliers moeder was zeer gelukkig met Yvonne als schoondochter: eindelijk een solide vrouw die verlangde naar een warm gezinsleven met een trouwe echtgenoot. Tijdens zijn solo-optreden zat Yvonne tussen de coulissen te breien. Chevalier, die van aparte sexy vrouwen hield en een open en vrije relatie prefereerde zoals met Mistinguett, realiseerde zich steeds meer dat hij opgescheept zat met een burgerlijke huismus. Toen Yvonne kort na haar huwelijk in verwachting bleek te zijn, leek haar wens uit te komen. Maar een miskraam met complicaties maakte een einde aan die droom, waardoor de relatie in zwaar weer terechtkwam.

Bij de komst van het medium film had Maurice al in 1908 in enkele korte stommefilmpjes gespeeld met Chaplins voorloper en inspiratiebron, de geniale Franse komiek Max Linder en twee films met Mistinguett. In al deze films speelde hij evenwel secundaire rollen en na 1923 werd hij helemaal niet meer gevraagd.

Tijdens een optreden in het Casino de Paris, waar hij met het oog op de vele Amerikaanse toeristen drie nummers in het Engels zong, kreeg hij in zijn kleedkamer bezoek van MGM productieleider Irving Thalberg en zijn echtgenote, de Hollywoodster Norma Shearer. Beiden waren enthousiast over Chevaliers performance. Thalberg wilde Chevalier contracteren om in Hollywood te filmen. Ze spraken af dat Chevalier naar de Franse Paramountstudio's zou komen voor proefopnamen. Hoewel die goed gelukt waren, kwam men niet tot overeenstemming omdat Chevaliers agent Max Ruppa te hoge eisen stelde. Hij vroeg voor de eerste film van zijn cliënt maar liefst een bedrag van 25 duizend dollar en eiste bovendien dat voor de maaltijden van Chevalier een Franse kok zou worden aangenomen op kosten van MGM. Daarna kwam er een aanbod van Paramount. Nadat Ruppa wat water bij de wijn had gedaan, kwam het tot een vergelijk met Jesse Lasky.

Op 28 juni 1928 begonnen Maurice en Yvonne aan boord van de *Ile de France* de oversteek naar de nieuwe wereld.

In Hollywood maakte Chevalier onder regie van Richard Wallace *Innocents of Paris* waarin hij een lorrenboer speelt die het tot zanger in music-halls brengt. In de film zingt hij een aantal liedjes uit zijn Franse repertoire als *Louise* en *Valentine* Ondanks dat de film middelmatig was, bleek de kritiek het over een ding eens te zijn: Chevalier was sensationeel.

Nog groter was het succes van zijn volgende film, *The Love Parade*, onder regie van de Duits-joodse regisseur Ernst Lubitsch. Zijn tegenspeelster, sopraan Jeanette MacDonald, vanwege haar koele puriteinse houding de 'Iron Butterfly' genoemd, ergerde zich tijdens de opnamen groen en geel omdat Chevalier de gewoonte had haar in de billen te knijpen. Hoewel Chevalier aanvankelijk de rol van een prins niet zag zitten omdat hij altijd eenvoudige volkse types had gespeeld, ging hij overstag toen Lubitsch hem fotografeerde in zijn militaire uniform. Lubitschs eerste geluidsfilm werd een gigantisch succes. Toen Maurice daarna voor korte tijd naar Frankrijk terugkeerde, werd hij op het station ontvangen door een uitzinnige menigte. Na enkele weken rust op zijn buiten La Louque in La Boca bij Cannes, trad hij op in een totaal uitverkochte Empire Music Hall.

Maurice Chevalier.

Daarna vertrok hij met Yvonne weer naar Amerika, waar hij de hoofdrol zou gaan spelen in *The Playboy of Paris*. De opnamen vonden plaats in het studio-complex van Paramount, waar Marlene onder Von Sternberg aan haar eerste Amerikaanse film, *Marocco*, werkte.

Hoewel Chevalier heimelijk avontuurtjes beleefde met vele jonge figuranten en starlets, wist hij zelfs een afspraak te regelen met niemand minder dan de goddelijke Garbo. De excentrieke Zweedse sfinx stelde hem voor rond middernacht samen te gaan zwemmen in de ijskoude Stille Oceaan maar daar voelde hij weinig voor. Zijn weigering betekende het einde van hun vriendschap, want daarna was hij lucht voor Garbo.

Aangezien Maurice en Marlene gelijktijdig op de Paramount-set werkten, kon een ontmoeting niet uitblijven.

Naarmate Marlene wel erg dikwijls Chevaliers set bezocht en hij de hare, ging er bij Yvonne Vallée een lampje branden en werd ze steeds achterdochtiger. De kleine, weinig flamboyante Yvonne viel in de glitterwereld van Hollywood nogal uit de toon. Een journalist maakte toen ze voor de eerste keer

Maurice Chevalier en Jeanette MacDonald.

haar man vergezelde naar een party, de kwaadaardige opmerking: 'Taking an old ham sandwich to a banquet.'

Ondanks zijn filmsuccessen bleef Chevalier verknocht aan het theater omdat hij bij het filmen zijn publiek miste. Zo gauw hij weer terug was in Parijs trad hij dit keer zonder Yvonne op in een revue in het Casino de Paris. Zij zou hem ook op zijn volgende trip naar Amerika niet vergezellen omdat ze een chirurgische ingreep moest ondergaan in een vrouwenkliniek.

Na zijn aankomst in Hollywood verzorgde Marlene van nu af aan het ontbijt niet meer voor Von Sternberg, maar voor Chevalier. Ze werden regelmatig samen gezien op party's en dansend in de Coconut Grove. Toen Franse kranten de foto's publiceerden, begon Yvonne Vallée na te denken over een scheiding die echter pas jaren later uitgesproken zou worden.

Toen Marlene in 1931 onder regie van Von Sternberg aan haar tweede Amerikaanse film, *Dishonored*, werkte, maakte Chevalier *The Smiling Lieutenant* met als tegenspeelster de in Frankrijk geboren maar in Amerika opgegroeide actrice Claudette Colbert. Tijdens de opnamen ontving hij het bericht dat zijn moeder was overleden. Hoewel hij daardoor in een zware depressie belandde, moest hij toch doorwerken. In draaipauzes zat hij in zak en as in een hoekje. Maar zo gauw de camera's weer snorden, volgde een metamorfose en was hij weer honderd procent vitaliteit en charme.

Uit publiciteitsoverwegingen verspreidde Paramount een serie foto's van Maurice en Marlene in een vriendschappelijke omhelsing. Dat leidde tot grote woede van Von Sternberg, die uit jaloezie de negatieven verwoestte en zijn ontdekking uitschold voor vuile hoer! Waarschijnlijk zag hij een paar negatieven over het hoofd die dan ook prompt verschenen in de internationale geïllustreerde pers.

Maar de relatie tussen Marlene en Maurice was niet meer dan een tijdelijke liaison. Na enige tijd hielden ze het allebei voor gezien, maar desondanks bleven ze hun hele leven bevriend. In haar memoires beschrijft ze hem als een weinig intelligente man, treurig geboren, onrustig en verward en helemaal niet de charmante, goedlachse Fransman die hij in films speelde.

Chevalier maakte in Hollywood de ene na de andere film totdat het publiek op een bepaald moment verzadig raakte van muzikale komedies en Chevaliers eeuwige lach. Met weemoed moest hij constateren dat het Amerikaanse publiek op hem was uitgekeken. In 1935 ging hij gedesillusioneerd terug naar Europa waar hij echter met succes zijn carrière voortzette. Hij kon toen niet vermoeden dat hij ruim twintig jaar later een grootse Amerikaanse comeback zou maken in films als *Love in the Afternoon* en filmmusicals als *Gigi* en *Cancan*.

Blonde Venus

De in Amerika werkende filmactrice Pola Negri hoopte in haar eerste geluidsfilm de rol te kunnen spelen van de gedurende de Eerste Wereldoorlog
in Frankrijk wegens spionage gefusilleerde danseres Mata Hari. Tijdens een
verblijf in New York vertelde Pola in een interview dat ze terug zou gaan naar
Hollywood voor proefopnamen in de RKO studio's. Nadat die goed uitgevallen
waren, kwam men echter tot de ontdekking dat MGM hen voor was geweest en
al aan het filmen was met in de titelrol diva Greta Garbo. RKO besloot toen van
de geplande productie af te zien en een ander verhaal voor Pola te zoeken.

Greta Garbo.

Filmposter van Shanghai Express.

Marlene met jongetje Dickie Moore en Herbert Marshall (echtgenoot in film) in Blonde Venus.

Het verhaal van Garbo's *Mata Hari*, geschreven door Benjamin Glazer en Leo Birinski, zou Garbo's slechtste film worden. In door Adrian ontworpen exotische kostuums vol glitters zag ze eruit als een overmatig versierde kerstboom. Haar tegenspeler was de homoseksuele Mexicaanse acteur Ramon Novarro die als Russisch luitenant met zijn Spaanse tongval weinig overtuigend overkwam. Ondanks dat de film een grote brok kitsch was, trok hij volle zalen en maakte een winst van 879 duizend dollar, het op een na grootste bedrag dat een Garbo-film ooit opbracht. Volgens het showbizzblad *Variety* was het verhaal afgezaagd, maar Garbo 'Sexy' en 'hot'.

Op het moment dat Garbo als Mata Hari voor het vuurpeloton verschijnt, draagt ze boven een lange zwarte cape het haar strak naar achteren gekamd. In de dramatische eindscène loopt ze, onder het oog van een groep biddende nonnen, haar dood tegemoet.

Het door Von Sternbergs geschreven verhaal over een Weense straatprostituee die ingezet wordt als spionne X27, was duidelijk ook geënt op het levensverhaal van Mata Hari. Hoewel ook Von Sternbergs heldin aan het einde van de film gefusilleerd wordt, is in tegenstelling tot Garbo met de sobere cape, Marlene uiterst modieus gekleed. Voordat het peloton de dodelijke schoten lost, vraagt ze aan een jonge luitenant (Barry Norton) zijn sabel op te houden zodat ze in de spiegeling van het blinkende metaal haar neus nog kan poederen.

Ondanks dat Von Sternberg 'X27' als titel in gedachte had, verkoos Paramount de film als *Dishonored* uit te brengen.

Variety schreef dat sommige van de dialogen onnozel waren maar dat Marlene dominant en interessant was.

In 1932 speelde Marlene onder regie van Von Sternberg in *Shanghai Express* de rol van Lily, een notoire avonturierster met een gouden hart

In de trein van Peking naar Shanghai bevindt zich een uiteenlopend gezelschap waaronder deze Lily en haar oude liefde, de Britse officier Donald Harvey (Clive Brook). Als halverwege de reis de trein wordt tegengehouden door rebellen, worden de passagiers gegijzeld. Allen, behalve Harvey, mogen hun reis voortzetten. In ruil voor Harvey's leven biedt Lily aan zijn plaats bij de rebellenleider in te nemen. Maar nadat de man is doodgestoken, bevrijden soldaten de reizigers, die hun reis naar Shanghai kunnen vervolgen. Doordat Harvey onder de indruk is van Lily's opoffering bloeit tijdens de reis hun liefde weer op.

De geniale Travis Banton ontwierp de kleding voor Marlene, die in bont en veren als een soort paradijsvogel prachtig werd gefotografeerd door Lee

Garmes op aanwijzingen van Von Sternberg. Ofschoon zowel de film, als de fotograaf en de regisseur een Oscarnominatie kregen, was Lee Garmes de enige winnaar.

Het was ongetwijfeld Von Sternbergs beste film en een ode aan de vrouw door wie hij volledig werd geobsedeerd.

Na het succes van *Shanghai Express* schreef Von Sternberg een verhaal over Helen Faraday, een Duitse zangeres in ruste (Dietrich) die getrouwd is met de Amerikaanse chemicus (Herbert Marshall). Om de dure operatie van haar zieke man te kunnen betalen, gaat Helen weer optreden. Een rijke playboy (Gary Grant) helpt haar financieel als hij hoort waarom ze dit doet. Eenmaal genezen, verdenkt de echtgenoot zijn vrouw van een buitenechtelijke relatie. Als de rechter hem de voogdij over het kind (Dickie Moore) toegewezen krijgt, slaat Helen met het kind op de vlucht. Maar later ervaart de man de ware toedracht en volgt de hereniging met vrouw en kind.

Deze film ging na complicaties met veel vertraging van start. De Paramount-directie die het onderwerp immoreel vond, bracht veranderingen in het scenario aan. Von Sternberg, die daarmee niet akkoord ging, vertrok toen woedend naar New York. Paramount diende daarop een schadeclaim in van honderdduizend dollar en gaf regisseur Wallace de opdracht. Maar Marlene maakte bekend niet met een andere regisseur te willen werken, waarna de studio haar salarisbetalingen stopte. Het voorval werd breed uitgemeten gepubliceerd in de wereldpers. Terwijl Ciné Miroir in september kopte: 'Marléne se révolte' (Marlene rebelleert), maakte Paramount bekend dat Tallulah Bankhead Marlenes rol zou overnemen.

Deze uit de society afkomstige actrice, dochter van een congreslid in Alabama, was berucht om haar turbulente levensstijl. Ze was een liefhebster van seks in al zijn variaties, iets wat ze niet onder stoelen of banken stak. Vooral bekend door haar toneelrollen, was ze tevens een idool van homoseksuelen vanwege haar diepe spreekstem en theatrale acteerstijl. Tallulah nam nooit een blad voor de mond en haar boute uitspraken veroorzaakten in het puriteinse Amerika nogal eens opschudding. Ze verdedigde zich steevast met de woorden: 'Darling, I can say shit because I'm a Lady.' Toen een filmblad vermeldde dat Von Sternberg lichteffecten verkreeg door het haar van Marlene met goudpoeder te bestuiven, merkte Tallulah op dat ze plan was dat met haar schaamhaar te doen. En toen men haar de rol in *Blonde Venus* aanbood, grapte ze: 'Ik heb altijd al graag in de broek van Marlene willen zitten.' Maar zover

Dietrich in een scène uit The Song of Songs *met Brian Aherne (links) en Lionel Atwill.*

kwam het niet, want nadat Von Sternberg had gedreigd met zijn ster terug te gaan naar Duitsland, ging Paramount na drie weken overstag en kon de film alsnog in productie gaan.

Paramount eiste echter wel dat Marlenes volgende film door een andere regisseur gemaakt zou worden.

Song of Songs was de voor het toneel bewerkte roman *Das Hohe Lied* van de Duitse Hermann Sudermann. Regisseur was de Rus van Armeense afkomst Rouben Mamoulian die gedurende de revolutie gevlucht was en na een tijd in Londen te hebben gewerkt, in 1923 naar Amerika was geëmigreerd. Mamoulian, die de voorkeur gaf aan toneel, nam sporadisch de regie van films aan. Kort voordat hij *Song of Songs* maakte, had hij voor Paramount met veel succes de horrorfilm *Dr. Jekyll and Mr. Hyde* geregisseerd.

Omdat Marlene alleen maar onder Von Sternberg wilde werken, kwam ze niet opdagen op een bespreking. Toen ze voor de tweede keer verstek liet gaan, was voor Paramount de maat vol. Men dreigde met een proces. Marlene nam een advocaat in de arm die haar aanraadde de film toch te maken; uiteindelijk leidde het tot een compromis. Marlenes salaris zou verhoogd worden van vier

Filmposter van The Song of Songs.

duizend naar 4500 dollar per week en Von Sternberg zou haar volgende film weer mogen regisseren.

In de *Song of Songs* speelt ze een plattelandsmeisje dat na de dood van haar vader bij haar tante in Berlijn gaat wonen. In de boekwinkel van haar tante ontmoet ze de jonge beeldhouwer Waldow (Brian Aherne) die haar vraagt voor hem naakt te poseren. De oudere schatrijke baron Von Merzbach (Lionel Atwill), een mecenas van de schone kunst, is onder de indruk van het beeld en wil het meisje trouwen. Hij overtuigt de kunstenaar ervan dat diens toekomst onstabiel is en hij haar beter kan loslaten. Als de jongeman van het toneel verdwijnt, trouwt ze de baron maar na intriges en een schandaal zet die haar op de straat. Ze begint dan op te treden in een Berlijnse nachtclub waar de jonge beeldhouwer haar ontdekt en de film toch nog een happy end krijgt. In de film zingt Marlene een Engelse versie van *Johnny* dat ze twee jaar daarvoor met veel succes in Duitsland op de grammofoonplaat had uitgebracht.

Marlene had vanaf het begin weinig interesse in het in haar ogen zwakke verhaal. Toen ze kennismaakte met haar tegenspeler de gedistingeerde Engelsman Brian Aherne, sprak ze er haar verwondering over uit dat zo'n goed acteur die in 1931 geschitterd had op Broadway in *The Barretts of Wimpole* zich had laten verleiden aan een onbenullige film mee te werken. Aherne vertelde haar niet dat zij de enige drijfveer was om de rol te accepteren. Het kwam al spoedig tot een intieme relatie en toen de acteur later voor werk naar Engeland reisde, schreef hij haar vurige liefdesbrieven maar Marlene had tijdens een vakantie in Wenen alweer haar oog op een ander laten vallen.

Songs of Songs werd door de Amerikaanse pers gekraakt maar had een redelijk succes bij het publiek.

De film werd in Duitsland door de nazi-filmcensuur verboden.

De heren van de *Oberprüfstelle* ergerden zich eraan dat een Duitse filmactrice in Amerika bij voorkeur prostituees speelde en daardoor haar vaderland in opspraak bracht.

Bij vertoning in Nederland schrijft Filmliga over Mamoulian: 'Hij laat Marlene een boerendochter spelen die naar de grote zondige stad komt in een voorwereldlijk kostuum met negen onderrokken en een bijbel. In het eerste deel van de film zit Marlene er volledig naast, omdat ze geen onschuldige meisjes kan spelen. Haar stemgeluid is niet dat van een *ingénu* maar van een "grande coquette". In het tweede deel laat Mamoulian Marlene los (of zij hem) en Marlene zingt haar oude succes *Johnny*. Helaas is ook dit een herhaling en in dit filmgenre is zo'n herhaling dodelijk.'

Europees avontuur

De relatie tussen de excentrieke Von Sternberg en de Paramount-directie had na een aantal twistgesprekken een absoluut dieptepunt bereikt. De arrogante regisseur, die zijn set regeerde als een potentaat wiens woord wet was, duldde geen enkele inmenging van de directie. In zijn films begon hij steeds meer de nadruk te leggen op het visuele, waarbij het verhaal ondergeschikt werd aan zijn artistieke opnametechniek en zijn oog voor detail. De bioscoopbezoeker liet het daarom steeds meer afweten waardoor de opbrengsten aanmerkelijk terugliepen. Bovendien bleven de kosten niet binnen de perken omdat hij scènes soms vijftig tot zestig keer liet herhalen, waardoor de geraamde tijdslimiet sterk werd overschreden afgezien van de meters kostbare celluloidfilm die hij verschoot. Dit alles leidde tot hevige onenigheid met de producenten.

Von Sternberg had duidelijk de buik vol van het Hollywoodsysteem en dacht er ernstig over zijn werkterrein te verleggen naar Duitsland. Aangemoedigd door het succes van *Der blaue Engel* plande hij, ondanks waarschuwingen van Rudolf Sieber – Marlenes in Parijs werkende echtgenoot – een reis naar Berlijn. Sieber had hem nadrukkelijk op de hoogte gesteld van de geladen politieke situatie in Duitsland, waar het nationaal-socialisme steeds meer aan terrein won en een verkiezingstriomf van de nazi's volgens hem onafwendbaar was. Hij benadrukte dat als Hitler aan de macht zou komen er in de filmbranche geen plaats meer zou zijn voor joden, maar Von Sternberg vond Sieber een paniekzaaier.

Op zijn doorreis maakte Von Sternberg een tussenstop in Amsterdam, waar hij aan een journalist van Filmliga een uitgebreid interview gaf waarin hij breedvoerig de werkwijze van Hollywood hekelde.

In de uitgave van 20 november 1932 stonden naast een karikatuur van Von Sternberg, fragmenten uit dat interview waarin de regisseur aankondigde plannen te hebben om Hollywood voorgoed de rug toe te keren. Hij had genoeg van de slechte scenario's en was massaproducties voor het grote publiek beu. Bovendien ergerde hij zich bijzonder aan de sterverheerlijking terwijl de regisseur nauwelijks aandacht kreeg.

Filmliga was voornemens het onverkorte interview later te publiceren.

Von Sternberg reisde vervolgens via Wenen door naar Berlijn waar hij de kerstdagen doorbracht. Bij zijn aankomst was het er nog betrekkelijk rustig. In de filmstudio's werkten joden en niet-joden nog nauw samen. Niettemin was bij de kleinere filmondernemingen de productie aanzienlijk ingekrompen daar met name joodse financiers vanwege de politieke onzekerheid huiverig waren om te investeren.

In Berlijn had Von Sternberg besprekingen met Erich Pommer, productieleider van de Ufa en met de machtige persmagnaat Alfred Hugenberg, eigenaar van de filmmaatschappij en inmiddels tevens minister van Economische Zaken. Hugenberg was een agressieve nationalist die indertijd argwanend tegenover de verfilming van *Der blaue Engel* had gestaan omdat de schrijver van het boek, Heinrich Mann, tot de door hem intens verfoeide communisten behoorde. Wat besproken is tussen Von Sternberg en de Ufa-leiding is niet duidelijk, maar zeker is dat de gesprekken op niets uitliepen.

Op 30 januari 1933 benoemde president Von Hindenburg Hitler tot rijkskanselier. De stormtroepen vierden de benoeming van hun leider met een fakkeltocht die van de Tiergarten via de Charlottenburger Chaussee onder de Brandenburger Tor door liep. Muziekkorpsen marcheerden langs het publiek terwijl ze Pruisische marsen speelden en provocerende liederen zongen als *Siegreich wollen wir Frankreich schlagen*.

In zijn memoires vertelt Von Sternberg dat hij ofschoon hij op dat moment in Berlijn verbleef, niets van de fakkeltocht van de stormtroepers had gezien, en zelfs geen enkel bruin SA-uniform. Hij hield zelfs vol het 'Heil Hitler!' niet gehoord te hebben. Von Sternberg bleef als een struisvogel zijn kop in het zand steken, pretenderend dat de gebeurtenissen overdreven en zelfs onwaar waren. Die scepsis behield hij zelfs toen de meeste prominenten uit de Duitse filmindustrie het land al waren ontvlucht. Tijdens zijn verblijf in het Londense Dorchester Hotel kreeg hij bezoek van Friedrich Holländer, de uit Duitsland uitgeweken componist van de muziek uit *Der blaue Engel*, die hem vertelde dat de situatie in Duitsland steeds grimmiger werd. Daarop merkte Von Sternberg sarcastisch op: 'Ach, jullie Duitsers overdrijven altijd. Hier bekijken wij jullie Hitlertje met nuchterheid.'

Ondanks zijn merkwaardige houding moet ook Von Sternberg tot de conclusie zijn gekomen dat er voor hem geen toekomst meer was weggelegd in de Duitse filmindustrie.

Op 27 februari stond het Berlijnse Rijksdaggebouw in lichterlaaie. In het gebouw werd de jonge Nederlandse communist Marinus van der Lubbe aangetroffen met een doos lucifers in zijn hand. Voor de nationaal-socialisten kwam dat gebeuren als geroepen: ze konden nu de schuld bij de communisten leggen en de totale macht grijpen. Er dreigde een golf van arrestaties onder politieke tegenstanders. Wie de gelegenheid kreeg, vluchtte alsnog naar een van de buurlanden voordat de nazi's de grenzen volledig zouden blokkeren.

Toen in april alle joodse medewerkers van de Ufa hun ontslag kregen, vertrok Pommer naar Parijs om als producent bij Fox te gaan werken.

Von Sternberg had dus Duitsland met lege handen verlaten en moest, omdat hij nog contractuele verplichtingen met Paramount had, weer terug naar Hollywood om de voorbereidingen te treffen voor de op stapel staande quasi-historische film *The Scarlet Empress*. Marlene Dietrich zou in die film de Russische keizerin Catharina II spelen.

Hij begreep maar al te goed dat hij, nu hij geen stok meer achter de deur had om de directie van Paramount te dreigen, zich maar beter koest kon houden.

In februari verbleef hij op doorreis naar Amerika wederom in Amsterdam. Vanuit het Carlton Hotel schreef hij een beleefd briefje aan Filmliga met het verzoek het eerdere interview niet te publiceren. Filmliga plaatst een kopie van de brief en voegde er aan toe de wens van Von Sternberg te respecteren om het interview niet te plaatsen omdat Von Sternberg de inhoud niet met zijn naam wilde dekken. Filmliga besloot het artikel als volgt: 'Hij denkt er natuurlijk niet aan om Hollywood te verlaten en bevindt zich inmiddels al op de terugreis.'

Koningin van Versailles

In 1932 bewoonden Marlene en Maria in Beverly Hills een prachtige villa in art decostijl aan Roxbury Drive 822. In het huis bevonden zich tot Marlenes tevredenheid diverse spiegelwanden en in de eetkamer zelfs een spiegelplafond.

Tijdens het filmen van *Blonde Venus* was bij Marlenes nieuwe woning een merkwaardige brief bezorgd die niet geschreven was maar waarin de zinnen waren gevormd door uitgeknipte, geplakte krantenletters. De afzender die een losgeld van tienduizend dollar eiste, dreigde Maria te ontvoeren als zijn wens niet werd ingewilligd.

In maart van datzelfde jaar was de baby van Charles A. Lindbergh ontvoerd vanuit zijn huis in het afgelegen Hopewell. Lindbergh was een Amerikaanse held die in 1927 met zijn vliegtuig Spirit of St. Louis in zijn eentje de eerste vlucht over de Atlantische Oceaan had gemaakt. De ontvoerders van de twintig maanden oude baby eisten een losgeld van vijftigduizend dollar, dat Lindbergh onmiddellijk betaalde. Het kind kwam echter niet terug en het lijkje werd later gevonden in het omliggende bos.

Met dit recente gebeuren in haar hoofd stond Marlene doodsangsten uit. Er werden lijfwachten en een detective ingehuurd en Marlene verloor Maria geen moment uit het oog en nam haar zelfs mee naar de set. Hoewel er enige tijd herhaaldelijk soortgelijke brieven kwamen, stopte de anonieme afzender plotseling zijn dreigementen toen de zaak in de pers kwam.

Marlene gaf dan ook een zucht van verlichting toen ze na het beëindigen van *Blonde Venus* Hollywood voor enige tijd kon verlaten voor een Europese vakantie. Onder bewaking reisde ze met Maria naar New York, waar ze aan boord gingen van de *ss Europa*, een schip van de Norddeutscher Lloyd dat sinds 1930 in de vaart was. De *Europa* legde aan in Southampton, Cherbourg en had als thuishaven Bremen.

Als we Marlene moeten geloven, was ze van plan geweest naar Bremen door te reizen maar Hitlers gebrul tijdens een radiotoespraak, had haar zo tegenge-

Marlene met dochter Maria (Heidede).

staan dat ze besloot in Cherbourg aan land te gaan.

De echte reden is dat haar man, die in Parijs contact had met Duitse vluchtelingen en daardoor op de hoogte was van de politieke situatie in Duitsland, haar had afgeraden voet op Duitse bodem te zetten. Bovendien had hij een lucratief contract voor haar afgesloten met de grammofoonplatenmaatschappij Polydor om in een Parijse studio opnamen te maken voor de Duitse markt. Om te verhullen dat ze niet meer naar Duitsland wilde gaan, werd aangevoerd dat de opnametechniek in Frankrijk verder gevorderd was. Voor de zes liedjes die ze op de plaat zou opnemen, zou de pianist-componist Peter Kreuder speciaal naar Parijs komen.

Over Marlenes kleding zou in Parijs veel te doen zijn. In Hollywood had ze al opzien gebaard met haar mannelijke outfit. Travis Banton had speciaal enkele herenkostuums voor haar gemaakt, waarin ze zich uitgebreid had laten fotograferen. Toen de foto's in de Franse pers verschenen, was het commentaar niet mis. Een blad schreef onder de foto dat ze haar beroemde benen verborgen had in een weinig elegante mannenbroek en vroeg zich af of ze soms afscheid wilde nemen van haar sexy image.

In de *Ciné Miroir* beschreef een andere journalist de kleding die ze bij aankomst in Cherbourg droeg, als volgt: 'Ze draagt een zwart-grijs geruit herencolbert, een wit zijden overhemd met rode stropdas en een Baskische baret en haar dochtertje is gekleed in een matrozenpakje.' De journalist vroeg haar:

'Madame, mag ik u een indiscrete vraag stellen?'

Marlene: 'Ja, ja ik weet het al, u gaat me beslist weer wat vragen over mijn kleding. Wel, het is simpel ik vind uw soort kostuum veel praktischer dan onze kleding. Het is geen modegril, noch een publiciteitstunt. Het kan me niet schelen wat men ervan vindt, ik denk alleen maar aan mijn persoonlijke comfort.'

Marlene vertrok direct na haar aankomst in Cherbourg naar Versailles, waar ze met echtgenoot Rudi en dochtertje Maria haar intrek nam in Hotel Trianon.

Daar bereikten haar veel invitaties waaruit ze een selectie maakte. Zo was ze de sensatie op het bal van baron De Rotschild waar ze met alle mannen danste, behalve met haar echtgenoot. Ze bezocht de afscheidsvoorstelling van actrice Cécile Sorel bij de Comédie Française. Voor Sorels echtgenoot de hertog van Ségur, die deze avond zijn debuut als acteur zou maken, werd het een teleurstelling omdat alle ogen van het aanwezige publiek niet op het toneel waren gericht maar op de loge van Marlene. Ook bij Richard Taubers *Auf Wiederseh'n concert* stal ze door haar aanwezigheid de show en als ze haar favoriete Hongaarse restaurant in de Rue de Surène bezocht, ging dat gepaard met een ware volksoploop.

Op het moment dat Marlene in Frankrijk aankwam, wemelde het daar van vluchtelingen uit nazi-Duitsland die probeerden een werkvergunning of een visum voor Amerika te bemachtigen. Een aantal van hen had een aanzienlijk kapitaal uit hun land weten te smokkelen, zoals de regisseur-producent Joe May en zijn echtgenote, actrice Mia May. Ook Erich Charell, de koning van de revue en regisseur van de film *Der Kongress Tanzt* had bijtijds zijn bezittingen verkocht en zijn geld op buitenlandse rekeningen gezet. Maar de meeste in Parijs verblijvende vluchtelingen hadden niet veel meer kunnen meenemen dan wat persoonlijke bezittingen en een miniem geldbedrag. Een deel van hen verbleef in Hotel Ansonia in de rue de Saigon, een zijstraat van de Champs Élysées waar de directie nogal de hand lichtte met de door de politie vereiste inschrijfkaarten. Veel gasten beschikten dan ook niet over een verblijfsvergunning. Het eens zo chique hotel had zijn beste tijd gehad en verkeerde duidelijk in een staat van verval: de lopers hadden sleetplekken en in de luchters ontbraken de kristallen. De slecht onderhouden kamers werden bevolkt door componisten, acteurs en schrijvers die allen op de loop waren voor het Hitlerregime, zoals acteur Peter Lorre, componisten Franz Wachsmann en Friedrich Holländer, journalist Jan Lustig en de scenario- en tekstschrijvers Max Colpet en Billie Wilder.

*Drie foto's van Marlene
in mannenpak.*

Colpet schrijft in zijn memoires: 'We lagen de hele dag op bed, jongleerden met onze karige spaarcenten en trachtten krampachtig ons gebrekkige Frans te verbeteren. Maar het meest speelde we "belotte" het nationale Franse kaartspel dat we sneller geleerd hadden dan de taal.'

Over het algemeen hadden de vluchtelingen in de pers al gelezen over Marlenes komst, want de kranten stonden vol met artikelen en foto's van Marlene en haar zestiencilinder Cadillac met zwarte chauffeur. 'Maar,' schrijft Colpet 'we besteedden er nauwelijks aandacht aan omdat we andere zorgen hadden. Ons interesseerde het weinig dat ze over de Champs-Élysées in mannenbroeken liep, wat in Frankrijk voor vrouwen verboden was, en dat Monsieur Chappe, de Franse commissaris van politie, daarom een uitzondering had gemaakt door een speciale vergunning aan de beroemde filmster te verlenen.'

Terwijl in het hotel emigranten de tijd doodden met een kaartspelletje, ging plotseling de telefoon. Toen Max Colpet opnam, verbond de portier hem door naar een man die zich voorstelde als Rudolf Sieber, Marlenes echtgenoot. Hij vroeg Colpet om met Franz Wachsmann naar Versailles te komen omdat Marlene een lied van hen op de plaat wilde zetten en de tekst en muziek nodig had. Colpet, die dacht dat het een andere Duitse emigrant was die een geintje wilde uithalen, antwoordde: 'Als miss Dietrich ons zo graag wil zien, laat ze dan ons maar laten afhalen door haar mooie auto met zwarte chauffeur. Wij zijn namelijk arme emigranten en beschikken niet over het nodige reisgeld!'

Ze waren stomverbaasd toen een halfuur later inderdaad de auto met chauffeur voor de deur parkeerde om hen naar Versailles te rijden. Marlene, die de emigranten ontving in een wapperende chiffon robe, onthaalde hen royaal op koosjere specialiteiten.

Omdat ze, naast nog vijf andere chansons *Allein in einer grossen Stadt* van Wachsmann en Colpet op de plaat wilde zetten, schreven die ter plaatse de tekst en muziek voor haar. Omdat zowel de componist als de tekstschrijver jood was, werden ze bij het uitkomen van de plaat in Duitsland vermeld onder de pseudoniemen José d'Alba en Kurt Gerhardt.

Op 15 september 1933 meldde *Ciné Miroir* dat Marlene in november terug moest zijn in Hollywood voor de opnamen van een film over het leven van Catharina de Grote. Ze liet de journalisten weten dat, hoewel Max Reinhardt haar een rol had aangeboden in de Franse toneelversie van *Die Fledermaus*, die in november als *La Chauve Souris* in première zou gaan in het Théâtre Pigalle, ze helaas die aanbieding niet kon aannemen omdat juist in die periode de opnamen voor *Scarlet Empress* zouden beginnen.

In een Oostenrijks provincieplaatsje had ze voordat ze naar Hollywood zou terugkeren, in het grootste geheim een ontmoeting met haar moeder en zuster Elisabeth. Zowel Marlene als Maria waren voor die gelegenheid gekleed in dirndljurkjes. Na de familiereünie vertrokken Marlene en Maria naar Wenen, waar Rudi op hen wachtte. Ze wilde beslist ook haar oude liefde Willi Forst ontmoeten.

Forst had dat jaar zijn regiedebuut gemaakt met *Leise flehen meine Lieder* een film over het leven van Franz Schubert met in de hoofdrol de knappe acteur Hans Jaray. Vergezeld door Maria bezocht Marlene prompt een theatervoorstelling van Jaray, die ze bijzonder aantrekkelijk vond. Ze complimenteerde hem in zijn kleedkamer met zijn rol. Toen Rudi een paar dagen later met Maria naar Aussig an der Elbe reisde om zijn ouders te bezoeken, verbleef Marlene regelmatig in Jaray's smaakvolle woning in de Weense Reisnerstrasse. Toen de pers er niettemin lucht van kreeg, stopten de bezoekjes abrupt. Kort daarop reisde ze met Maria terug naar Amerika.

Ze zou Jaray jaren later weer ontmoeten in Hollywood toen hij na de *Anschluss* zijn land had moeten ontvluchten omdat hij drie joodse grootouders had en daarom door de nazi's werd gezien als voljood. Met zijn vriendin, de beeldschone Hongaarse-joodse actrice Lily Darvas, echtgenote van schrijver Molnár, vluchtte hij naar Parijs en later naar Amerika.

In november begonnen de opnamen voor *Scarlet Empress*. Von Sternberg, die had besloten zich niet aan historische feiten te houden, had er danig op los gefantaseerd. Pompeuze, barokke decors moesten de sfeer van het achttiende-eeuwse Rusland doen herleven. Marlene was wisselend gekleed in prachtige zijden gewaden van Travis Banton of in militaire kostuums met witte berenmutsen. Maria mocht de keizerin als kind spelen.

Tijdens het filmen had Marlene een intieme relatie met de acht jaar oudere lesbische scenarioschrijfster Mercedes de Acosta. De intellectuele Mercedes kwam uit een welgestelde Cubaanse familie. Haar moeder was Spaans en verwant aan de adellijke Alva-familie. Na het schrijven van enkele middelmatige toneelstukken was ze naar Hollywood gekomen, waar ze bij MGM meewerkte aan scripts. De excentrieke Mercedes stond bekend om haar lesbische affaires met een reeks beroemde vrouwen, onder wie de Russische actrice Alla Nazimova en danseres Isadora Duncan. Haar laatste verovering was Greta

Garbo, aan welke relatie een tijdelijk einde was gekomen toen Garbo voor zes maanden met vakantie naar Zweden ging. Tijdens een theatervoorstelling in Hollywood ontdekte Mercedes op de voorste rij Marlene, met wie ze hevig flirtte. De volgende dag stond Marlene voor haar deur met een boeket rode rozen. Uit die ontmoeting ontstond een affaire die geruime tijd zou voortduren.

Mercedes schrijft in haar memoires dat tijdens de opnamen van Catharina II Marlene en Von Sternberg slaande ruzie hadden en Von Sterberg al dagen niet met haar sprak en zich beperkte tot regieaanwijzingen. Marlene bedacht daarom een list om de verstoorde relatie weer in het normale te brengen. Ze besloot tijdens het filmen van haar paard te vallen. Mercedes raadde het haar af omdat het te gevaarlijk was. Marlene zette echter door en liet zich tijdens de opnamen inderdaad vallen, zonder echter maar een schram of kneuzing op te lopen. Camera's stopten onmiddellijk en Von Sternberg en de crew schoten toe. Marlene lag op de grond met gesloten ogen alsof ze dood was. De radeloze Von Sternberg nam haar in zijn armen en schreeuwde om een dokter. Hij kuste haar handen en smeekte haar hem te vergeven, waarna Marlene haar ogen weer opende. In haar kleedkamer vertelde de dokter bestraffend in de richting van Von Sternberg kijkend: 'Ze is flauwgevallen waarschijnlijk ten gevolge van emotionele spanning.'

Door Von Sternbergs werkwijze hadden opnamen vertraging opgelopen. Het was dan ook een grote tegenslag voor Paramount en Von Sternberg dat Alexander Korda enkele maanden voor de première van *The Scarlet Empress* zijn *Catharina the Great* in omloop bracht met in de titelrol de uit Duitsland uitgeweken joodse actrice Elisabeth Bergner.

Om zijn zoon Douglas Fairbanks junior te lanceren in een prestigieuze film had Douglas Fairbanks senior, mede-eigenaar van United Artists, de film gedeeltelijk gefinancierd. De jonge knappe Fairbanks kwam zowaar overtuigend over in de rol van tsaar Peter en de door Bergners echtgenoot Paul Czinner geregisseerde Engelse film kreeg bovendien mooie kritieken. De *New York Mirror* schreef: 'De Engelsen maken steeds betere films, Catharina de Grote is een opwindende uitdaging aan Hollywood. Er wordt briljant geacteerd, hij is vakkundig gemaakt en een oprecht interessant historisch drama.' Ook andere critici waren vol lof.

Toen Von Sternbergs film enkele maanden later uitkwam, begonnen recensenten de films te vergelijken. Ze hadden geen goed woord over voor Von Sternbergs film. De meningen varieerden van 'een sadistisch spektakel', 'louter dwaasheid', 'idiote aanstellerij' en 'pompeus maniërisme'.

De aan de drank verslaafde en uitge-
rangeerde acteur John Gilbert werd
door Marlene bemoederd. Na zijn dood
aan een hartaanval ging ze in de rouw.

De in 1933 uit Duitsland uitgeweken
joodse actrice Elisabeth Bergner in de
Engelse film Catharina the Great
(1934). Marlene speelde een jaar later
dezelfde rol in The Scarlet Empress.

In de periode dat Marlene aan *Scarlet Empress* werkte, verschenen er trieste artikelen in de pers over de werkeloze acteur John Gilbert, wiens carrière duidelijk in verval was geraakt. Uit een gevoel van medelijden besloot Marlene zich
over de filmacteur te ontfermen.

De als John Pringle geboren acteur genoot in de tijd van de stommefilm een
ongekende populariteit. Hij was de geliefde geweest van Greta Garbo met wie
hij in enkele films had gespeeld en met wie hij zelfs wilde trouwen. Garbo was
echter niet komen opdagen voor de huwelijksceremonie.

Zijn spectaculaire carrière was met de komst van de geluidsfilm en een ruzie
met Louis. B. Mayer, hoofd van MGM, in het slop geraakt. Er kwamen daarna
geen filmaanbiedingen meer en na twee kortstondige, mislukte huwelijken
met achtereenvolgens de actrices Ina Claire en Virginia Bruce raakte Gilbert
hopeloos aan de drank.

Marlene drong er bij Gilbert op aan zich door een psychiater te laten behan-

Marlene als Catharine de Grote in The Scarlet Empress.

Marlenes dochter Maria in The Scarlet Empress.

delen, met drinken te stoppen en zijn kluizenaarsleven op te geven.

Deze bezorgdheid ging spoedig over in verliefdheid en algauw hadden ze een verhouding. Samen bezochten ze restaurants, galeries, concerten en het strand van Malibu. Het leek even beter te gaan met Gilbert, die zelfs weer filmplannen had. Marlene wist de directie van Paramount te bewegen Gilbert een bijrol te geven in haar op stapel staande film *Desire*, waarin Gary Cooper haar tegenspeler zou zijn. Ofschoon proefopnames goed waren uitgevallen, moest John Halliday kort voor de opnamen zijn plaats innemen omdat Gilbert tijdens het zwemmen met Marlene een lichte hartaanval had gekregen.

De relatie bekoelde enige tijd vanaf het moment dat Marlene vanuit Gilberts huis een auto zag parkeren. Het bleek Gilberts oude liefde Garbo te zijn, die van zijn hartaanval had gehoord en kwam informeren naar zijn gezondheid. Hoewel Gilbert haar liefdevol begroette, vroeg hij haar niet binnen te komen. Marlene kon de conversatie niet volgen maar de lichaamstaal sprak boekdelen: het werd voor haar duidelijk dat Gilberts gevoelens voor Garbo nog niet gedoofd waren. Zijn ogen glinsterden en er werd gekust.

Gekrenkt trok Marlene zich terug en werd daarna veel gezien in het gezelschap van Gary Cooper. Toen Gilbert echter in december weer een aanval kreeg, haastte ze zich naar zijn huis om hem te verzorgen en een verpleegster aan te nemen.

Omdat Gilbert slaapproblemen had, gaf de verpleegster hem gedurende de nacht een injectie. De volgende ochtend merkte ze tot haar schrik dat hij er slecht aan toe was en moeilijk ademde. In plaats van een ambulance belde ze de brandweer, die Gilbert zuurstof toediende. Ondanks dat Marlene meteen haar arts Leo Masden stuurde, die Gilbert adrenaline injecteerde, was het te laat. Even later in de ochtend blies Gilbert zijn laatste adem uit.

Toen Marlene tijdens de begrafenis flauwviel, werd ze opgevangen door Gary Cooper. Tijdens de gehele protestantse kerkdienst hoorde men haar onderdrukte gesnik.

Gilbert was bij zijn dood nog niet gescheiden van actrice Virginia Bruce, die dus zijn erfgename was. Ze liet Gilberts hele bezit veilen. Hoewel Marlene zich op dat moment in Engeland bevond, liet ze haar 'agent' op de veiling voorwerpen aankopen uit Gilberts nalatenschap, waaraan ze tedere herinneringen had.

Gabins doorbraak als filmacteur

Toen Marlene in 1933 Parijs bezocht, had Gabin al ruim een dozijn films op zijn naam staan maar hij behoorde nog niet tot de grote idolen van de Franse film. In filmbladen uit die tijd komt men zijn naam slechts sporadisch tegen.

Het waren vooral Albert Préjean, Henri Garat, George Rigaud, Charles Boyer en Jean Murat die opgang maakten als *jeune premiers* en hun foto's verschenen regelmatig op de covers van filmbladen.

Vreemd genoeg werkte Gabin toch al onder befaamde regisseurs als Augusto Genina, Jacques en Maurice Tourneur en Anatole Litvak. In 1933 maakte hij twee opmerkelijke films, beide geregisseerd door Duitse regisseurs. Onder regie van Kurt Bernhardt speelde hij de hoofdrol in *Le Tunnel* en onder G.W. Pabst maakte hij *Du haut en bas*.

De joodse Kurt Bernhardt zou furore maken in Hollywood als Curtis Bernhardt, de niet-joodse Pabst lukte het niet en hij ging dan ook kort voor het uitbreken van de Tweede Wereldoorlog terug naar nazi-Duitsland, waar Goebbels hem met open armen ontving.

Tijdens opnamen in Duitsland van de Franse versie van *Der Tunnel* kreeg Bernhardt een telefoontje van een hoge nazi, die hem meedeelde dat hij de volgende dag niet op de set diende te verschijnen omdat de *Gauleiter* de decors kwam bekijken en de joodse regisseur daar niet wenste te ontmoeten. Toen Gabin dat hoorde, nam hij contact op met de Franse ambassadeur om op diezelfde dag met zijn gevolg de studio te komen bezichtigen, waar hij rondgeleid zou worden door regisseur Kurt Bernhardt. In zijn memoires beschrijft Bernhardt het zure gezicht van de *Gauleiter* en de voldane grijns van Gabin toen de twee gezelschappen elkaar tijdens de rondleiding passeerden.

Bernhardt roemde in zijn memoires Gabins acteerprestaties en bewonderde vooral de kinderlijk bewogen kwetsbaarheid waarmee hij zich in een rol kon inleven maar toch Gabin wist te blijven.

Joséphine Baker en Jean Gabin in Zou-Zou (1934).

In 1934 was Jean Gabin te zien in *Zou-Zou* met als tegenspeelster de Amerikaanse revuester Joséphine Baker.

Deze bronzen Venus was in 1925 met de cast van de Revue Nègre naar Parijs gekomen voor optredens in het Théâtre des Champs-Élysées. Onder de groep zwarte jazzmusici bevond zich tevens de virtuoze klarinettist Sydney Bechet. Hoewel Maude de Forest de ster van de show was koos afficheontwerper Paul Colin, die haar te dik vond, voor de jonge Joséphine, die hij een rubberen danseres en een vrouwelijke Tarzan noemde. Joséphine had twee nummers in de show: ze danste niet alleen de charleston op de klanken van *Yes, Sir That's my Baby*, maar was samen met de bijna blote Joe Alex ook nog topless te zien in *The Dance of the Savages*.

Joséphine werd de sensatie van het Parijse theaterseizoen en daardoor de concurrente van Mistinguett, die met argusogen het succes volgde van de ruim dertig jaar jongere zwarte vedette. Haar eerste commentaar was dat het wel van korte duur zou zijn en ze wel weer terug zou gaan naar de jungle. Maar Joséphine was een blijvertje en werd door de jaren heen de ster van menige revue. De dames werden nooit vriendinnen. Miss noemde Joséphine 'La négresse' (de negerin) en fingeerde altijd haar naam niet te weten: 'Hoe heet dat negerinnetje ook al weer die altijd in een bananenrokje danst?'

Joséphine sprak als ze het over Miss had over 'la vieille' (het oudje). Joséphine was in 1930 de ster van het Casino de Paris in de revue *Paris qui remue* (Parijs in beweging). In haar memoires vertelt Miss dat direct na het beëindigen van de revue 150 bouwvakkers Joséphines plaats innamen en dag en nacht werkten om de zaal weer in zijn oude staat terug te brengen. Sarcastisch schrijft ze: 'Waarschijnlijk bewoog Joséphine zich een beetje te veel.'

Joséphine Baker was in die vijf jaar veranderd. De Amerikaanse journaliste Janet Flanner schreef: 'Haar caramelkleurige lichaam, dat plotseling legendarisch werd in Europa, is nog steeds prachtig, maar slanker, getraind en geciviliseerder en ze is ver verwijderd van het meisje met het bananenrokje dat een idool werd in Parijs, Berlijn, Barcelona en Boedapest.'

In *Zou-Zou* spelen Joséphine en Jean twee geadopteerde wezen die als broer en zus opgroeien. Bij toeval wordt Zou-Zou (Joséphine) ontdekt voor de revue. Hoewel ze verliefd is op Jean verliest ze hem toch aan haar beste vriendin, de blonde blanke Claire (Yvette Lebon). Zou-Zou troost zich met een grote carrière als revuester.

De film, onder regie van Yves Allégret was speciaal gemaakt om La Baker te laten schitteren in een aantal revuescènes. Gabin zingt in de film de walsmusette *Ah! Viens Fifine*.

In haar memoires schrijft Joséphine over haar samenwerking met Gabin: 'Ik mocht Jean Gabin. Hij spreekt zo natuurlijk dat je niet weet of hij wel of niet acteert. Toen hij gromde: "Met een lichaam als het jouwe heb je geen problemen," was ik er niet zeker van of het een tekst was uit de film of dat hij zijn medespeelster gerust wilde stellen.'

Toen in 1934 Gabin voor het eerst onder regie van Julien Duvivier speelde, leidde dat tot een vruchtbare samenwerking. Duvivier en later Jean Renoir waren regisseurs die de mythe Jean Gabin schiepen. Afgezien van *Variétés* in

*Filmposter van
Zou-Zou.*

1935, onder regie van Nicolas Farkas, speelde Jean Gabin daarna in nog enkele beroemde films onder regie van Duvivier, niettegenstaande enkele missers als *Maria Chapdelaine* en *Golgotha*. In laatstgenoemde bijbelse film speelt hij de rol van Pontius Pilatus. Criticus Henri Jeanson schreef: 'Als Gabin als Pontius Pilatus van Golgotha komt en zijn knuisten in onschuld wast, heeft men eerder het idee of hij net van de toilet afkomt.' Duvivier kon veel van de geschoten opnamen niet gebruiken doordat tijdens het filmen de spelers op de meest tragische momenten de slappe lach kregen.

Maar na deze film, waarin Gabin volkomen misplaatst was, volgde een reeks van successen waaronder *La Bandera* en een jaar later *Pépé-le-Moko* onder regie van Duvivier.

Een ander regisseur die ook grote invloed op Gabin zou hebben, was regisseur Jean Renoir, zoon van de beroemde impressionistische schilder Auguste

Renoir. Onder zijn regie maakte Gabin drie films waarvan zonder twijfel *La Grande Illusion* (1937) en *La Bête Humaine* (1938) tot de klassieken van de vooroorlogse Franse film behoren. Hoewel Gabin al zeer bekend was, schreef Renoir in zijn memoires: 'Ik ontdekte Jean Gabin; en dat was een belangrijke ontdekking. Hij kan het summum van zijn uitdrukkingsvermogen bereiken, zonder enige stemverheffing. Deze grandioze acteur weet grote effecten te bereiken met minimale middelen. Gabin kan met een lichte siddering van zijn bijna onbeweeglijke gezicht de heftigste gevoelens losmaken, waar anderen, om tot een dergelijk resultaat te komen, moeten schreeuwen. Jean wist met een oogopslag zijn publiek te veroveren.'

Na de echec van Golgotha en Maria Chapdelaine ging Gabin secuurder te werk in het kiezen van zijn rollen. Dat had tot gevolg dat hij in een tijdsbestek van vier jaar in negen uitstekende films speelde.

Alhoewel Gabins filmcarrière voor de wind ging, leed zijn liefdesleven schipbreuk. Hij had de jonge actrice Jacqueline Francell willen trouwen maar haar vader verzette zich met hand en tand tegen een huwelijk van zijn minderjarige dochter. Tijdens opnamen in 1933 in de Berlijnse Ufa-studio's onderhield Jean een intieme relatie met zijn tegenspeelster Brigitte Helm. Deze Duitse actrice die meestal vamps speelde, was gedurende de stomme filmperiode beroemd geworden door haar rol in Fritz Langs *Metropolis*. In G.W. Pabsts eerste geluidsfilm *L'Atlantide* was ze de mysterieuze koningin Antinéa. Toen ze in 1934 negatief in het nieuws kwam doordat ze twee keer betrokken raakte bij een dodelijk ongeluk waar een korte gevangenisstraf op stond, verlengde Ufa haar aflopende contract niet. Ze trok ze zich zonder aarzelen terug uit de filmwereld en trouwde een schatrijke industrieel met wie ze zich gedurende de nazi-periode in het buitenland vestigde.

Ter gelegenheid van de première van *L'étoile de Valencia* werd een feestje gehouden waar Gabin met het oog op de promotie aanwezig moest zijn. Hij voelde zich nooit op zijn gemak op recepties of parties en deed het dan ook tegen zijn zin. De champagne vloeide er rijkelijk en de aanwezige mannen hadden alleen nog oog voor de verrukkelijke 21-jarige Simone Simon, die slechts een bijrol in de film speelde. Maar Simone was niet Gabins type. Zijn blauwe ogen spiedden door de zaal en bleven uiteindelijk rusten op het soepele figuur van een roodharige mooie vrouw. Ze had een bleek mysterieus gezicht met felrode lippen en amandelvormige ogen. Met een glas in zijn hand liep hij op haar af zei vrijpostig: 'Zeg, kennen wij elkaar ergens van?' De vrouw barstte in lachen uit en vertelde hem dat ze indertijd deel had uitgemaakt van de dansgroep die indertijd met Gaby en Jean in Rio had opgetreden. Er was nogal wat veranderd sinds die tijd: Jean was inmiddels een bekende filmacteur terwijl zij de ster van het Casino de Paris was geworden waar ze haar perfecte vormen naakt aan het publiek toonde. Ofschoon haar werkelijke naam Jeanne Mauchain was, trad ze op onder het pseudoniem Doriane. Uit de ontmoeting zou een romance opbloeien die zou bekrachtigd zou worden met een huwelijksvoltrekking.

Naarmate Jeans carrière steeds meer van de grond kwam, werd zijn vader van lieverlede apetrots op zijn zoon, die hij aanvankelijk als een nietsnut had gezien. In de liefdevolle brieven die Jean gewoonlijk aan zijn vader zond, schreef hij veel geld te verdienen en te hopen met zijn veertigste 'dit schijtberoep' vaarwel te kunnen zeggen om zich op het platteland te kunnen vestigen, waar hij zou zorgen dat zijn vader een onbezorgde oude dag zou krijgen. Maar Ferdinand was niet van plan te stoppen: de amusementswereld was zijn leven. Hij had een woning betrokken in de Rue Coustine. Ondanks dat hij nog niet toe was aan een afscheid was hij er zich in zijn achterhoofd van bewust dat hij tegen de 65 liep en dat de dag onvermijdelijk zou komen dat hij de revue vaarwel moest zeggen. Die dag zou sneller komen dan hij gewenst had.

Omdat hij last had van een verkoudheid kon hij in de nacht van 19 november 1933 de slaap niet vatten. Het was een barre koude winternacht en de gaskachel in zijn kamer brandde nog. Hij stapte uit zijn bed en ging naast de nog brandende kachel zitten om wat te lezen. De volgende ochtend trof men hem dood aan in zijn stoel. In zijn handen had hij een nummer van *Pour Vous* met op de omslag Jean Gabins foto. Zijn overlijden blijft een raadsel maar er werd aangenomen dat de oorzaak een defect in de gasoven was, waardoor er gas kon ontsnappen, wat zijn dood tot gevolg had.

Drie weken later vond in alle stilte het huwelijk tussen Jean en Doriane plaats.

Doriane was niet alleen een mooie, maar ook een intelligente vrouw die zich met schwung in de betere kringen bewoog, waar ze nogal wat aanbidders had. Ze was het gewend overladen te worden met kostbare geschenken en had een exquise smaak.

Ze wist Jean over te halen een royale woning te betrekken in de chique wijk Passy. Voor Jean, die nooit buiten Montmartre had gewoond, was het een hele omschakeling. Hoewel bepaald niet het type van een huisvrouw wist Doriane de woning smaakvol en comfortabel in te richten. Ze wierp zich langzamerhand steeds meer op als zijn manager, verzorgde zijn publiciteit en besprak contracten met producenten.

Maar het overhaaste huwelijk was geen succes. Gabin begon zich steeds meer te ergeren aan haar bemoeizucht en haar autoritaire houding. Hij begon zich af te vragen waarom zijn keuze was gevallen op deze elegante, mondaine, wereldse vrouw die helemaal niet paste in zijn droombeeld; een teruggetrokken leven op het platteland.

Terwijl ruzies en verzoeningen elkaar aflosten, werd het steeds duidelijker dat het huwelijk gedoemd was te mislukken. Aanvankelijk begonnen ze beiden een eigen leven te leiden, maar uiteindelijk kwamen ze overeen de scheiding aan te vragen. Dat had heel veel voeten in de aarde doordat ze in gemeenschap van goederen getrouwd waren. De scheidingsprocedure zou zich jaren voortslepen als gevolg van Dorianes aanspraak op de helft zijn bezittingen.

Breuk met Von Sternberg

Na het matige succes van *The Scarlet Empress* begon het duo Dietrich-Von Sternberg aan de verfilming van hun laatste gezamenlijke film die Von Sternberg in zijn memoires, doelend op Marlene, *The final tribute to the Lady* noemt. Gebaseerd op een boek van Pierre Louys en John dos Passos was de oorspronkelijke titel *Capriccio Espagnol*. Maar Ernst Lubitsch, die deel uitmaakte van het productieteam van Paramount, veranderde tot Von Sternbergs ergernis de titel in *The Devil is a Woman*. Lubitsch voerde als argument aan dat het publiek nooit naar een film zou gaan waarvan men de titel niet eens kon uitspreken.

De film speelt zich af in Sevilla waar Marlene als de sluwe verleidster Concha Perez het hoofd van twee mannen op hol brengt. Dietrich is schitterend in beeld gebracht in hun beider favoriete film. Maar pers en publiek liepen er niet warm voor en één criticus bestempelde de film zelfs als absurd en artificieel. Daarna kwam de absolute doodslag toen het Amerikaanse State Department Paramount verzocht de film uit de roulatie te nemen vanwege klachten van de Spaanse regering. De Spanjaarden ergerden zich aan bepaalde scènes, maar het meest aan die van dronken leden van de Guardia Civil. Er bestaan van deze film nog enkele kopieën doordat de meeste zijn vernietigd.

Na *The Devil is a Woman* verbrak Von Sternberg de samenwerking met zowel Paramount als Dietrich. In het vliegtuig naar Havana schreef hij haar: 'Mijn beminde, ik ben moe, ik kan niet langer meer tegen de ruzies met jou en de disputen met Lubitsch die me ongeveer net zoveel veracht als ik hem. En ik kan toch niets meer aan je toevoegen. Het zou slechts een plagiaat worden van mezelf.'

Na deze ontboezeming bevreemdt het dat juist Lubitsch Marlenes volgende film zou produceren.

Het vreemde toeval wil dat het een *remake* zou worden van de Franstalige

Dietrich als Concha Perez in The Devil is a Woman.

Ufa-film *Adieu les beaux jours* waarin Brigitte Helm de rol van Olga, een juwelendievegge speelde en Jean Gabin de rol van Pierre Lavernay, een ingenieur. Hetzelfde verhaal diende namelijk voor de Amerikaanse film *Desire*, waarin dit keer Marlene Dietrich de dievegge speelde en Gary Cooper de ingenieur, onder regie van Frank Borzage. De pers was enthousiast. De *New York Times* schreef: 'Ernst Lubitsch bevrijdde Marlene van de artistieke keten met Von Sternberg en bracht haar volledig tot leven in *Desire* (...) Ze kon weer gewoon lopen, ademen, lachen en haar schouders ophalen in plaats van een schilderij uit het Louvre te moeten zijn.'

Het zou haar laatste succesvolle film worden want de drie films die ze daarna maakte, werden allemaal flops.

Vervolgens leende Paramount Marlene uit aan Selznick voor *The Garden of Allah*, een prestigieuze productie in Technicolor, waarin de Franse acteur Charles Boyer Marlenes tegenspeler was.

Deze in het Zuid-Franse Figeac geboren acteur met zijn grote melancholieke ogen had filosofie gestudeerd aan de Parijse Sorbonne in combinatie met acteerlessen. Hij maakte in 1920 zowel zijn toneel- als filmdebuut. Na een aantal succesvolle Franse films ging Boyer naar Hollywood waar hij hoofdrollen speelde naast sterren als Claudette Colbert en Katharine Hepburn.

The Garden of Allah gaat over Domini Enfilden (Marlene), die na de dood van haar vader vrede en rust zoekt in de Algerijnse woestijn. Op haar reis ontmoet ze Boris Androvsky (Boyer). Ze worden verliefd en trouwen. Maar dan komt ze erachter dat Boris een trappistenmonnik is die zijn belofte verbroken heeft door het klooster te ontvluchten. Domini brengt hem terug in de schoot van de orde waar hij volgens haar ook hoort.

Dit oubollige melodrama was al in 1927 verfilmd door Rex Ingram met zijn echtgenote, de beeldschone Alice Terry in de hoofdrol.

De versie van 1936 werd geregisseerd door Richard Boleslawsky. Er werd gefilmd in het woeste Arizona, waar de hitte ondraaglijk was. Doordat tijdens een romantische kusscène de lijm van Boyers toupet losliet, stroomde het zweet op Marlenes gezicht.

De Franse actrice Françoise Rosay, die met haar echtgenoot regisseur Jacques Feyder in Hollywood verbleef, zag een voorvertoning van de film, waarbij Marlene aanwezig was. Omdat Marlene benadrukte dat ze geen complimenten wilde, kreeg ze die dan ook niet van Rosay, die na de projectie zonder iets te zeggen de zaal verliet.

Marlene Dietrich met haar ontdekker, mentor en minnaar Joseph von Sternberg.
In 1929 koos hij haar voor de rol van Lola-Lola in Der blauw Engel en bezorgde
haar een Hollywoodcontract. Na nog zes films met haar te hebben gemaakt,
kwam het tot een breuk. Zijn carrière kwam daarna nog nauwelijks van de grond.

Zowel Charles Boyer als Marlene ging zich te buiten aan nadrukkelijk theatraal acteren. De filmbeelden zijn in pastelkleuren maar Marlene droeg daarentegen prachtig wapperende gewaden in grondkleuren, van de ontwerper Ernst Dryden. Een hatelijke criticus schreef dat Marlene in haar rol niet veel meer was dan een paspop.

Daarna maakte Marlene in Engeland een film voor Alexander Korda, *Knight Without Armour*, onder regie van de Belgische regisseur Jacques Feyder. Het verhaal dat zich afspeelde gedurende de Russische revolutie, gaat naast politieke intriges over de strijd tussen de Rood- en Wit-Russen. Marlenes tegenspeler was de Engelse acteur Robert Donat, die contractueel zijn tegenspeelster mocht kiezen en uiteindelijk voor Marlene koos nadat Madeleine Carroll en Myrna Loy niet beschikbaar bleken te zijn.

Marlene, die rouwde om de dood van haar vroegere minnaar John Gilbert en een paar slechte films in Amerika achter de rug had, was dolblij met het aanbod in Engeland te kunnen filmen. Ze arriveerde in het Londense Claridge Hotel met maar liefst 36 koffers. Donat moest op de persconferentie verstek laten gaan vanwege een zware astma-aanval. Na behandeling met een cocaïnespray kon hij met enige moeite toch deelnemen aan het officiële diner, maar aanvallen waren dermate zwaar dat hij ten slotte opgenomen moest worden in een ziekenhuis. Men begon alvast met de opnamen waarvoor de acteur niet nodig was, maar toen die gereed waren, dacht Korda er serieus over om Donat te vervangen door een andere acteur. In de pers werd de naam Laurence Olivier genoemd. Marlene weigerde echter met een andere acteur te werken en beriep zich op haar contract. Donat, door de berg ziekenhuisrekeningen in financiële problemen gekomen, zette alles op alles om zijn werk te kunnen hervatten. Toen hij het ziekenhuis verliet, was hij nog uiterst zwak. Tijdens buitenopnamen in een gure septembermaand bemoederde Marlene hem door tijdens draaipauzes haar bontjas over zijn schouders te hangen. Ook werd er een speciale kamer voor Donat ingericht, waar hij antiseptische sprays kon inademen.

Hollywoods roddeltante Louella Parsons insinueerde in haar kolom dat Donat niets mankeerde maar simuleerde omdat hij zijn aandeel in de film te gering vond. Dat commentaar berustte gedeeltelijk op waarheid, want Donat was zeker helemaal niet tevreden met de grote aandacht die Marlene kreeg en de manier waarop ze met trucjes scènes van hem stal. Toen Marlene een spiegel naast de camera liet zetten om te zien hoe ze eruit zou zien op het witte doek liet

Robert Donat speelt met Marlene in Knight without Armour.

Donat aan de andere kant een spiegel plaatsen. Maar Louella Parsons aantijging omtrent Donats gezondheid was volkomen uit de lucht gegrepen: de acteur leed wel degelijk aan een zware astma waaraan hij na jaren lijden in 1958 zou overlijden.

Indertijd had de onbekende Marlene in Berlijn voor een grijpstuiver kleine rollen gespeeld, had in Korda's films *Eine Du Barry von Heute* en *Madame wünscht keine Kinder* maar nu moest hij echter diep in de buidel tasten voor *Knight without Armour* omdat Marlene een topsalaris van 350 duizend dollar had bedongen waarvan ze al 250 duizend dollar had getoucheerd. Toen, vanwege de ziekte van Donat de kosten hoog opliepen, vroeg Korda Marlene water bij de wijn te doen en af te zien van de honderdduizend dollar die hij haar nog verschuldigd was. Ze ging daarmee akkoord op voorwaarde dat Korda regisseur Von Sternberg een opdracht zou geven waardoor ze niet alleen haar loyaliteit tegenover haar ontdekker bewees, maar tevens voorlopig ook van hem verlost zou zijn.

Korda kwam zijn belofte na door Von Sternberg nog hetzelfde jaar de opdracht te geven om *I Claudius* te regisseren. De productie zou echter na vijf weken gestaakt worden onder het voorwendsel dat hoofdrolspeelster Merle Oberon gezondheidsproblemen had tengevolge van een auto ongeluk. In werkelijkheid was de film al ver over zijn budget heen door Von Sternbergs werkwijze en problemen met titelrolspeler Charles Laughton, die zich niet kon inleven in zijn rol en regelmatig weigerde zijn kleedkamer te verlaten. De verzekering dekte de schade maar het gebeuren betekende het einde van de samenwerking van Korda met Laughton. Von Sternberg zou zich er later over beklagen dat zijn film was gesaboteerd door de acteurs.

De kritiek over *Knight Without Armour* was verdeeld, Graham Greene schreef in *The Spectator*: 'Een eersteklas thriller, mooi geregisseerd met weinig, maar niettemin overtuigende dialogen.' Ook de *Times* was positief.

Variety vond dat de film alleen te begrijpen was door degenen die op de hoogte waren van de Russische geschiedenis van vóór de revolutie en schreef verder: 'Marlene beperkt zich tot glamourous over te komen in elk decor of kostuum.'

Françoise Rosay, echtgenote van de regisseur, merkt in haar memoires op: 'Hoewel de decors van Lazare Meerson prachtig waren en de sfeer onder de acteurs uitstekend, zat het personage van Marlene er volledig naast. Ze was duidelijk niet op haar plaats, de film had meer succes kunnen hebben als men misschien een minder mooie actrice had gecontracteerd, maar wel een met meer ziel en oprechtheid.'

De Britse upper ten

Alexander Korda, producent van *Knight without Armour*, genoot veel aanzien in kringen van de Engelse society en was zelfs nauw bevriend met Churchill. Na haar aankomst in Londen zou Marlene niet alleen een nieuwe liefdesaffaire beleven, maar tevens door Korda geïntroduceerd worden in de Britse upper ten.

De joodse Korda was in 1893 geboren als Sándor Laszlo Kellner in een dorp vlak bij Turkeve, Hongarije. Hij werkte aanvankelijk als journalist en schreef artikelen voor het katholieke weekblad *Sursum Corda* waaraan hij zijn pseudoniem Alexander Korda ontleende. Onder die naam begon hij in 1915 in Boedapest met het regisseren van films. Tijdens het schrikbewind van Miklós Horthy week hij uit naar Wenen, waar hij films regisseerde voor de adellijke filmpionier en eigenaar van Sacha Film graaf Alexander Kolowrat-Krokowsky. Maar omdat het niet boterde tussen de graaf en Korda had hij het na drie films bekeken. Vervolgens verlegde hij zijn werkterrein naar Berlijn, waar hij met hulp van een groep welgestelde Hongaren Korda Films stichtte. Hij maakte een zestal films waarin meestal zijn echtgenote Maria Farkas onder het pseudoniem Maria Corda de hoofdrol speelde. In twee van deze stommefilms speelde Marlene Dietrich een bijrol.

Daarna ging het echtpaar naar Amerika waar Korda voor First National ging werken en Maria tot de opkomst van het geluid in enkele films speelde. Haar dikke Hongaarse tongval en beperkte kennis van de Engelse taal maakten een einde aan haar filmcarrière en ook het huwelijk met Korda liep op de klippen.

Korda vertrok daarna naar Engeland, waar hij London Films stichtte en de in malaise verkerende Engelse filmindustrie een krachtige impuls gaf. Hij maakt er twee films die internationaal veel waardering kregen: *Rembrandt* en *Private Life of Henry VIII*. In beide films speelde de imposante Engelse acteur Charles Laughton de titelrol, die voor zijn vertolking van Hendrik VIII in Amerika werd onderscheiden met de Oscar voor beste acteur.

Na de scheiding van Maria had Korda een relatie met de in Calcutta geboren beeldschone Engelse-Indiase danseres Merle O'Brien. Hij veranderde haar naam in Merle Oberon en verzon, vanwege de nog sterk levende rassendiscriminatie, dat ze uit Tasmanië kwam. Korda trouwde Merle in 1939. Hij vormde haar om tot een ster die later in Hollywood opgang zou maken.

Op de dag van haar aankomst gaf Korda ter ere van Marlene een diner waarbij de crème de la crème aanzat.

Onder hen bevond zich ook de Amerikaanse acteur Douglas Fairbanks junior, zoon van de gelijknamige stommefilm acteur. Marlene had hem gezien in de Engelse Catharina-de-Grote-film en had hem in Hollywood een keer op een party ontmoet. De jonge Douglas was gescheiden van actrice Joan Crawford met wie hij vijf jaar getrouwd was geweest. Eenmaal vrijgezel vestigde hij zich in Engeland, waar zijn vader in samenwerking met Korda films produceerde.

Na zijn rol als groothertog Peter in *Catharina the Great* maakte hij in Engeland een paar weinig opzienbarende films.

Douglas was bijzonder knap, had humor en stijl, twinkelende ogen en een aanstekelijke lach. Hij was sportief, een liefhebber van mooie vrouwen en een graag geziene gast in het Londense nachtleven. Hun status en goede manieren verschaften vader en zoon Douglas toegang tot de aristocratie die deel uitmaakte van de kring rond het Britse koningshuis. Voordat ze met Korda trouwde, had Merle Oberon een platonische relatie onderhouden met Douglas.

Marlene ontmoette de acht jaar jongere Douglas meerdere keren op door Korda gegeven diners. Op een avond kwam ze met hem in gesprek. Hij nodigde haar bij die gelegenheid uit voor een etentje bij vrienden. Er ontstond een intense verliefdheid en algauw waren ze onafscheidelijk. Als ze elkaar even niet zagen, voerden ze ellenlange telefoongesprekken.

Douglas had in het begin nogal moeite met het vreemde *ménage à trois* van Marlene, haar man en diens maîtresse. Maar gelukkig kwam daar een einde aan toen Rudi en Tami teruggingen naar Parijs vanwaaruit Rudi met Maria naar Zwitserland zou reizen om haar in te laten schrijven op een Zwitserse kostschool. Zo had Marlene haar handen vrij om zich geheel te wijden aan haar nieuwe minnaar. Fairbanks bracht dan ook regelmatig de nacht door in haar suite in het Claridge Hotel. De dag daarna verliet hij, gebruik makende van de goederenlift, voor dag en dauw heimelijk het hotel via de achteruitgang.

Aan het begin van hun relatie stond er in de hotelsuite van Marlene nog een foto van haar ongelukkige liefde, de overleden John Gilbert waarvoor, als bij de

Sir Alexander Korda.   *Merle Oberon.*

eeuwige vlam van het graf van de onbekende soldaat, constant kaarsjes brand-
den. Toen de relatie tussen Marlene en haar nieuwe liefde inniger werd, verdwenen zowel de foto als de kaarsjes. Om dichter bij haar nieuwe liefde te
kunnen zijn en het 'tabloid journaille' een loef te kunnen afsteken, huurde
Marlene een vrijgekomen flat in Grovenor Square vlak onder het penthouse
van Douglas.

Ze gaven er etentjes en feesten, waarop Marlene haar kookkunst ten beste
gaf. Merle Oberon werd daarbij nooit uitgenodigd want de sterren konden elkaar luchten of zien. Een van de redenen was dat Merle een proefopname had
gemaakt voor *De Garden of Allah* maar Marlene de rol had gekregen en zich
daarna denigrerend had uitgelaten over Merle.

In Londen gaf Marlene de beroemde schilder Gerald Brockhurst opdracht
haar portret te schilderen. Toeval wilde dat ook Merle bij de meester voor een
portret poseerde. De schilder had de tijden zorgvuldig ingedeeld zodat de twee
vrouwen elkaar niet zouden treffen maar helaas liep dat fout en vond er toch
een onverwachte confrontatie plaats. Marlene was woedend en trok haar opdracht in.

Douglas stelde Marlene voor aan zijn invloedrijke en adellijke vrienden zoals prins George, hertog van Kent en zijn echtgenote. De hertog was de vierde zoon van koning George V, zijn vrouw prinses Marina van Griekenland.

In de tijd dat Marlene in Londen verbleef, stond het land op zijn kop vanwege een constitutionele crisis: koning Edward VIII was van plan de tweemaal gescheiden Amerikaanse Wallis Warfield Simpson te trouwen, op wie hij duidelijk smoorverliefd was.

Edward had in 1929 het in het Windsor Park gelegen oude gotische Fort Belvedère gekocht dat hij had laten restaureren om er in de weekends zijn vrienden uit te nodigen. Hij was toen nog prins van Wales en nam al een aantal officiële taken op zich. Een van die verplichtingen leidde dat jaar naar de jaarmarkt in Leicestershire, waar hij de prijs uitreikte voor de best gefokte koe. Tijdens dat gebeuren ontmoette hij de knappe Lady Thelma Furness, echtgenote van de puissant rijke lord Furness. Het huwelijk van deze schoonheid van Spaans-Amerikaanse origine, was niet al te best doordat haar echtgenoot haar verwaarloosde en zich voornamelijk bezighield met gokken en de jacht. Ook de echtelijke trouw nam Lord Furness niet al te nauw.

De prins nodigde de eenzame lady uit voor een diner in St. James Palace. Van het een kwam het ander en al spoedig organiseerde Lady Thelma in het fort de weekendparties van de prins. Daarbij nodigde ze ook enkele van haar societyvrienden uit. Onder hen bevond zich het Amerikaanse echtpaar Wallis en Ernst Simpson, vrienden van haar zuster Consuelo. De prins nam aanvankelijk nauwelijks nota van Wallis, maar toen hij vier maanden later van een reis terugkwam en de Simpsons weer aanwezig waren, sloeg de vonk tussen hem en Wallis over. Kort daarop werd ze al voorgesteld aan het hof. Toen de naïeve Thelma haar zuster in Amerika zou gaan bezoeken, vroeg ze aan Wallis of zij de eenzame Edward een beetje gezelschap wilde houden. Die boodschap was niet aan dovemansoren gericht, want toen Thelma terugkwam van haar reis bemerkte ze dat de relatie tussen prins Edward en Wallis wel heel erg intiem was geworden. Er zat voor de arme Thelma niet veel anders op dan haar biezen te pakken en voorgoed Belvedère te verlaten.

Toen koning George V in 1936 overleed, volgde Edward hem als Edward VIII op. Daar Wallis inmiddels van haar echtgenoot gescheiden was, wilde Edward met haar trouwen en haar mede daardoor zijn koningin maken. Daarbij ontmoette hij een geweldige tegenstand van zowel de koninklijke familie, als het parlement en de aartsbischop van Canterbury. Omdat ook de bevolking tegen een dergelijke verbintenis was, werd mrs. Simpson het zwarte schaap op

Douglas Fairbanks jr.   *Douglas Fairbanks jr. en Elisabeth Bergner.*

wie zich alle haat richtte. Een morganatisch huwelijk zoals Edward minister Baldwin voorstelde, kwam er eveneens niet door. Om Wallis toch te kunnen trouwen besloot de koning uiteindelijk af te treden.

Op het hoogtepunt van de crisis werd Douglas Fairbanks door prins George en prinses Marina van Kent op de hoogte gebracht van de situatie. Vanaf het moment dat de dag van abdicatie dichterbij kwam, hoorde Marlene van Douglas de laatste berichten uit de eerste hand. Ze werd vreselijk emotioneel over de wijze waarop de minister de koning tartte en de populaire monarch had aangeraden afstand te doen van zijn troon. Marlene, die opgegroeid was in het keizerlijke Berlijn en uit de Pruisische aristocratie sproot, vond dat de koning zijn troon niet mocht opgeven. Volgens haar opvattingen was het zijn plicht in het koningschap te volharden, ook als het nodig was daarvoor offers te brengen.

Ze besloot de koning te bezoeken om hem van zijn huwelijksplannen en abdicatie af te brengen en gaf Bridges, haar zwarte chauffeur, opdracht de zestiencilinder Cadillac in gereedheid te brengen voor een rit naar Fort Belvedère. Na zich met zorg gekleed en opgemaakt te hebben, ging ze, ondanks Douglas Fairbanks' protest, recht op haar doel af.

Helaas kwam Marlene niet verder dan de poort, waar de auto door de politie werd tegengehouden. Noch haar argumenten en smeekbeden, noch Bridges meer autoritaire houding konden echter de agenten vermurwen haar door te laten. Voor de aanwezige pers een opsteker: tijdens haar poging de bewaking te overreden, flitsten hun camera's voortdurend. De volgende dag stonden de foto's van haar dappere actie uitgebreid in de kranten.

Op 10 december deed Edward VIII, na elf maanden koning van Engeland te zijn geweest afstand van de troon om Wallis Warfield Simpson te kunnen trouwen. Hij werd door zijn broer Albert 'Bertie' opgevolgd, die zou gaan regeren als George VI.

Edward ging in ballingschap in Frankrijk. Ofschoon ze wel de titel hertog en hertogin van Windsor kregen, werd Wallis echter de aanspraaktitel koninklijke hoogheid geweigerd. Ze trouwden op 2 juni 1937 in Frankrijk, waar ze een jaar later in Parijs een groot herenhuis betrokken op de Boulevard Suchet vlak bij het Bois de Boulogne.

Saillant detail is dat Marlene later in Frankrijk regelmatig te gast was bij de hertog en hertogin van Windsor.

In Londen kreeg Marlene bezoek van de Duitse ambassadeur Joachim von Ribbentrop, die haar probeerde over te halen naar Duitsland terug te komen. Hij beloofde haar een feestelijke intocht onder de Brandenburger Tor door en een ontvangst door de *Führer*, maar Marlene dacht er niet aan op Ribbentrops voorstel in te gaan.

Na haar verblijf in Londen moest Marlene terug naar Hollywood, waar ze onder regie van Lubitsch de rol zou gaan spelen van een society-vrouw in de komedie *Angel*. Marlene wist te bewerkstelligen dat Maria voortijdig van school mocht met het oog op de geplande reis naar Amerika.

Vóór haar vertrek overlaadde Marlene haar kortstondige minnaar Douglas met geschenken, waaronder een kostbare klok en een gouden polshorloge. Ze had hem op het laatste moment nog voorgesteld aan de Hollywoodimpressario Eddington. Fairbanks kreeg daardoor een aanbieding van David Selznick om in Hollywood de rol te spelen van graaf Rupert von Hentzau in *The Prisoner of Zenda*. Douglas twijfelde omdat het een bijrol betrof want voor de hoofdrol was de Engelse acteur Ronald Colman gecontracteerd. De volgende dag stuurde Marlene hem een telegram waarin ze aandrong deze interessante rol toch te accepteren. Fairbanks ging akkoord en vertrok naar Hollywood waar hij in het huis van zijn grootvader logeerde dat diende als camouflage omdat hij de meeste tijd doorbracht in Marlenes huis in Beverly Hills. Maar doordat de romance niet onopgemerkte bleef, verschenen er al snel foto's in de pers.

The Prisoner of Zenda werd een groot succes en de schurkenrol van Douglas was de doorbraak die in Hollywood tot veel aanbiedingen leidde.

In Hollywood begon de verhouding tussen de intellectuele Marlene en de oppervlakkige Douglas steeds meer af te brokkelen. Aan de relatie kwam abrupt een eind toen Douglas in een kastje naar schrijfpapier zocht en een aan Marlene gerichte stapel liefdesbrieven vond van een hem onbekende man. Omdat de brieven niet gedateerd waren, konden ze dus ook van een vroegere liefde zijn geweest, niettemin maakte Douglas een jaloeziescène. Marlene was woedend en zag het als een inbreuk op haar privacy. Een twistgesprek betekende het einde van de verhouding.

In 1939 trouwde Douglas Mary Lee Hartford, behorend tot de Amerikaanse society en gescheiden vrouw van de schatrijke A&P erfgenaam. Het huwelijk waaruit drie dochters werden geboren, duurde tot Mary Lee's dood in 1988.

Fairbanks was gedurende de Tweede Wereldoorlog commandant bij de Amerikaanse marine en nam deel aan Engels-Amerikaanse acties waarvoor hij door de Britten in 1949 werd geridderd. Hij overleed in 2000.

Vaarwel Hollywood

Toen de breuk met Von Sternberg een voldongen feit was, jubelde de Duitse nationaal-socialistische pers: 'Applaus voor Marlene Dietrich die eindelijk de joodse regisseur ontslagen heeft die haar altijd prostituees of onteerde vrouwen liet spelen en nooit een rol die deze onderdaan en vertegenwoordigster van het Derde Rijk tot eer zou strekken.' Diezelfde pers moet dan wel vreemd hebben opgekeken toen Marlene ging filmen onder regie van de eveneens joodse Ernst Lubitsch.

Lubitsch was in Berlijn geboren uit Russisch-joodse ouders. Tegen de zin van zijn vader, die kleermaker was, nam hij acteerlessen die hem uiteindelijk een engagement bezorgden bij het beroemde Reinhardttoneel. Hij was echter moeilijk in te zetten vanwege zijn fysieke handicap: hij was aartslelijk en kwam daardoor niet veel verder dan het spelen van mallotige komische mannetjes. Maar doordat Lubitsch zijn ogen de kost gaf, leerde hij desalniettemin veel van Reinhardts geniale regie. Na met veel succes in enkele filmkluchten 'mesjokke' joodse typetjes gespeeld te hebben, kreeg hij de kans te gaan regisseren. Binnen de kortst mogelijke tijd stond Lubitsch aan de top met de verfilming van historische massaspektakels als *Anna Boleyn* en *Madame Dubarry*. Algauw kwamen er zoveel uitnodigingen uit Amerika dat hij in 1921 de overtocht maakte.

Na bij United Artists een film met Mary Pickford te hebben gemaakt, kwam hij onder contract bij Warner. Later verfilmde hij bij Paramount een hele reeks toneelstukken waaronder ook een aantal muzikale komedies. Met name de films die hij met Maurice Chevalier maakte, werden internationale kassuccessen. Zijn originele werkwijze en zijn oog voor detail werden wel de 'Lubitsch touch' genoemd.

In die tijd kwamen in 1933 in Duitsland de nazi's aan de macht. Twee jaar later zou joden van Poolse of Russische afkomst de Duitse nationaliteit wor-

Ernst Lubitsch.

den ontnomen, zo ook van Lubitsch. Gelukkig had hij al een aanvraag tot Amerikaans staatsburger ingediend. Zeven jaar later zou Fritz Hippler film-beelden van Lubitsch gebruiken in zijn kwalijke antisemitisch documentaire *Der ewige Jude.*

De productie van *Angel* begon eind maart 1937. In Lubitsch' film *Angel* speelt Marlene een societyvrouw die door haar echtgenoot (Herbert Marshall) danig wordt verwaarloosd. Tijdens een bezoek aan Parijs ontmoet ze Anthony Dalton (Melvyn Douglas), een jonge Amerikaan die haar het hof maakt. Ze begint een romantische relatie met hem zonder haar identiteit te verklappen. Daarom noemt hij haar Angel. Op een dag verdwijnt ze uit zijn leven als in het sprookje van Cinderella. Angel schrikt zich dood als de man plotseling opduikt en een oude kameraad van haar man blijkt te zijn. Hoewel beide mannen naar haar gunst dingen, kiest ze uiteindelijk voor haar echtgenoot.

Tijdens het filmen ontstonden er irritaties tussen Marlene en Lubitsch, die zich tegenover haar beklaagde dat ze de rol te frivool neerzette en hij riep uit: 'In Godsnaam Marlene het is een lady die je speelt en geen demimondaine!' Gewend aan het eeuwige herhalen van een scène door Von Sternberg, vond ze dat Lubitsch te vlug werkte. Op een gegeven moment drong ze bij hem aan op herhaling van een scène waarover ze niet tevreden was. Ze kreeg als antwoord: 'Je bent niet tevreden? Nou, ga dan maar je gang en doe het over tot je wel tevreden bent, maar ik ga naar huis.' Ofschoon ze een tijd niet meer met elkaar spraken, werd de breuk later hersteld en bleven ze bevriend tot zijn dood in 1947.

De film die 1,4 miljoen dollar had gekost en die Marlenes Amerikaanse carrière had moeten redden, werd een enorme flop.

De *New York Herald Tribune* schreef: 'Miss Dietrich is hooghartig mooi als altijd, maar er is nauwelijks een scène waarin ze zich niet bewust is van de camerastanden in plaats van met bezieling een interessant karakter neer te zetten.'

Het was Dietrichs laatste samenwerking met costumier Travis Banton. *Time* schreef dat ze kleren droeg die niemand anders zou durven te dragen en ook vakblad *Variety* prees haar glamour, garderobe en haar valse wimpers 'die zo lang zijn dat je er je hoed aan kan ophangen'.

De film betekende het definitieve einde van Marlenes Paramount-tijd doordat haar contract bijna afliep. Ze was niet meer 'hot', haar films trokken niet genoeg publiek. De Vereniging van Onafhankelijke Theaterbezitters zette de volgende advertentie in het filmvakblad: 'De volgende sterren zijn *box-office-poison*, Joan Crawford, Bette Davis, Marlene Dietrich, Greta Garbo en Katherine Hepburn.'

Voor Paramount deed die advertentie de deur dicht. Ze zagen af van een nog op stapel staande film met Marlene en kochten haar uit. Ook Columbia, waar ze de rol van George Sand zou gaan spelen, liet het afweten. Tegelijkertijd kreeg Rudi zijn ontslag bij de Parijse afdeling van Paramount.

Marlene zegde de huur van haar huis op, ontsloeg het personeel, pakte haar koffers en nam met Maria de trein naar New York, waar ze zich voor de reis naar Europa inscheepten op de ss *Normandië*. Rudi haalde hen in Le Havre af van de boot, waarna ze naar Parijs vertrokken, waar ze enige tijd logeerden in het Lancaster Hotel. Daarna ging de reis naar Salzburg om haar oudere zuster Elisabeth en haar moeder te ontmoeten. Hoewel Marlene probeerde haar moeder over te halen Duitsland te verlaten, gaf die er de voorkeur aan in Berlijn te blijven wonen. Maria ging na de zomer weer terug naar haar Zwitserse pensionaat.

Erich Maria Remarque

In 1937 bezocht Marlene het filmfestival van Venetië. Ze ontdekte dat er zich twee films van de Zweedse Zarah Leander te zien waren, de Oostenrijkse *Première* en haar eerste Duitse film Ufa-film *Zu neuen Ufern*. Zarah zou de best betaalde ster van nazi-Duitsland worden en met haar sex-appeal en donkere zangstem een waardige opvolgster van Marlene.

Onder de festivalgangers ontwaarde ze onder andere Josef von Sternberg, van wie ook films vertoond werden.

Tijdens een lunch met Von Sternberg in Hotel des Bains aan het Venetiaanse Lido benaderde de Duitse schrijver Erich Maria Remarque hun tafel om zich voor te stellen. Nadat Von Sternberg de kelner had gevraagd een stoel bij te schuiven, had Marlene algauw alleen nog maar oog voor Remarque. Toen Von Sternberg zich na enige tijd verontschuldigde, bleven Marlene en Remarque achter in een geanimeerde conversatie: het begin van een relatie die enkele jaren zou voortduren.

Erich Maria Remarque is het pseudoniem voor de Duitse schrijver Erich Paul Remark. In 1898 geboren in Osnabrück, had hij zich in 1916 vrijwillig aangemeld voor militaire dienst. Na zijn opleiding werd hij ingezet aan het westfront waar hij gewond raakte. Het einde van de oorlog beleefde hij in het hospitaal. Na de oorlog had hij een aantal baantjes waaronder vertegenwoordiger van grafstenen. In 1925 werd hij journalist bij de Berlijnse *Sport im Bild*.

Na alle verschrikkingen van het front te hebben overleefd, groeide hij uit tot de overtuigde pacifist die in 1929 het anti-oorlogsepos *Im Westen nichts Neues* schreef, dat eerst als feuilleton verscheen in de *Vossische Zeitung* en later in boekvorm. In Duitsland ontstond er, met name in reactionaire militaire kringen, grote beroering die echter niet kon verhinderen dat het boek in vele talen werd uitgegeven en een internationale bestseller werd die de schrijver de status van miljonair verschafte. Goebbels, die het boek opruiend en gevaar-

Erich Maria Remarque.

lijk noemde, was ervan overtuigd dat binnen twee jaar niemand er meer over zou praten en het volledig in de vergetelheid zou raken. Maar hij had het mis. Carl Laemmle, hoofd van het Amerikaanse Universal Film kocht de rechten en zijn zoon Laemmle junior produceerde *All Quiet on the Western Front*. De van oorsprong Russisch-joodse Lewis Milestone regisseerde de film die tegen Goebbels' verwachting in een wereldsucces werd.

Tijdens de vertoning in de Berlijnse Mozartzaal organiseerde Goebbels rellen. In zijn dagboek schreef hij op 6 december 1930: 'Al na tien minuten was de bioscoop een gekkenhuis. De politie is machteloos. De verbitterde menigte richt zich tegen de joden. De eerste instorting van het *Western Front*. We scanderen: "Juden heraus" en "Hitler steht vor den Toren". De politie sympathiseert met ons. De aanwezige joden zijn klein en lelijk. Dan een aanval op de kassa, ruiten sneuvelen, en duizenden mensen genieten met welbehagen van het schouwspel. De voorstelling wordt afgelast en ook de volgende. We hebben gewonnen.'

Nadat de rellen dagenlang werden herhaald, werd de film van het programma genomen. Hans Brodnitz, directeur van de Mozartzaal, probeerde na de machtsovername tevergeefs naar Amerika te emigreren. In 1944 werd hij in Auschwitz vergast.

Hoewel Remarque in 1932 een kapitale villa kocht in het Zwitserse Porto Ronco aan het Lago Maggiore, verbleef hij nog met regelmaat in Duitsland. Na de machtsovername zag hij nog op het nippertje kans de Zwitserse grens te passeren door zijn Lancia vol gas te geven. Op 10 mei vond op de Berlijnse Operaplatz de boekverbranding plaats, waarbij ook zijn boeken in vlammen op gingen. De Gestapo schreef vervolgens een rapport over Remarque: 'Erich Remark [sic] heeft met ondersteuning van de joodse Ullstein Pers, jarenlang de nagedachtenis aan de dappere, aan het front gesneuvelde soldaten, bezoedeld met als resultaat dat hij zichzelf uitsloot van de Duitse samenleving.'

Toen Remarque in 1938 uit het in Parijs door emigranten uitgegeven krantje *Pariser Tageblatt*, moest vernemen dat hem de Duitse nationaliteit ontnomen was, riep hij verbaasd uit: 'Ik ben toch geen jood!'

Omdat hij nu statenloos was, maakten Zwitserse ambtenaren die met het Hitler-regime sympathiseerden, problemen. Maar roem en geld kunnen soms uitkomst brengen, want Remarque wist hierdoor een Panamees paspoort te bemachtigen. Hij reisde veel en was regelmatig in Parijs waar hij veel contact met de vele Duitse vluchtelingen had. Met die ontmoetingen in zijn gedachte schreef hij later het boek *Arc de Triomphe*, dat kort na de oorlog uit zou komen.

Nog voordat ze ooit seks hadden, bekende Remarque aan Marlene dat hij leed aan impotentie. Zijn relatie met Marlene was dan ook van andere aard, poëtisch, romantisch, teder. Marlene noemde hem Boni, hij haar Puma. Remarque was een *bon vivant* die van lekker eten hield en was een connaisseur van wijnen. Marlene bereidde dan ook graag copieuze maaltijden voor deze fijnproever. Remarque was tevens een kunstkenner en verzamelaar. De wanden van zijn kapitale villa hingen vol Franse impressionisten.

Marlene en Erich troffen elkaar in zijn villa in Porto Ronco, in Parijs of in St. Moritz en als ze allebei op andere plaatsen waren, schreven ze elkaar vurige brieven. Hij ondertekende dan met Ravic, de vluchteling uit zijn boek *Arc de Triomphe*.

De relatie was het meest intens aan het begin van de zomer van 1938 toen ze beiden lange tijd in Parijs verbleven. Marlene, die wel problemen had met Remarques alcoholverslaving, raakte dikwijls in paniek als hij hele nachten wegbleef en pas tegen het ochtengloren terugkwam van een kroegentocht. Maar als hij helemaal niet thuiskwam, rekruteerde ze haar vrienden om hem te gaan zoeken. Er ontstonden in de loop van tijd veel ruzies gevolgd door verzoeningen.

Daarentegen waren er ook van die dagen dat Marlene weer eens volkomen in beslag genomen werd door een af andere liason en Remarque achterliet in het gezelschap van haar echtgenoot Rudi en Tami. Remarque had weinig respect voor Rudi, die hij zag als een parasiet die teerde op het verdiende geld van zijn echtgenote. Hij ergerde zich aan de air waarop de man zich in restaurants tegenover het personeel gedroeg als er iets niet naar zijn smaak was. Hoewel hij er bij Rudi op aandrong werk te zoeken, wilde deze het comfortabele leven niet vaarwel zeggen waardoor alles bij het oude bleef. Nadat de vreemde familie een tijdlang in Parijs had gewoond, vertrok ze na een avond tot laat in de nacht feest gevierd te hebben naar Antibes, waar ze haar intrek namen in Hotel du Cap.

Daar begon de misère toen Marlene voor de Canadese multimiljonaire Jo Carstairs viel, die met haar gespierde lichaam, getatoeëerde armen en stoere kuif meer weg had van een jongen dan een meisje. Niet alleen Remarque maar ook Marlenes echtgenoot ergerde zich aan de verhouding doordat hij indertijd zijn vrouw had verloren aan de lesbische Claire Waldorff.

Tijdens gezamenlijke etentjes ontstonden er meningsverschillen en ruzies tussen Marlene, Rudi, Tami, Remarque en Jo Carstairs met haar homoseksuele entourage, waardoor de spanning te snijden was. Marlene bracht regelmatig de nacht door bij Jo. Remarque, die zichtbaar leed onder haar vreemdgaan, leugens en bedrog greep steeds meer naar de fles. Marlene maakte onder andere in gezelschap van Jo een boottocht waardoor ze enkele dagen wegbleef. Toen ze eindelijk kwam opdagen, bracht ze met Jo veel tijd door in de homobar Le Bastide. Als Remarque soms op haar verzoek meeging voelde hij zich een buitenstaander omdat hij als niet-ingewijde in het rose leven de homograppen niet kon volgen.

Na enige tijd ging het gezelschap bruingebrand terug naar Parijs, waar Jo Carstairs in het chique Prince de Galles Hotel met haar overduidelijke entourage nogal uit de toon viel.

Daar kwam plotseling Marlenes oude liefde Mercedes de Acosta opdagen.

Marlene met Erich Remarque.

Toen ze die avond gezamenlijk in Tout Paris gingen eten, liepen Marlene en Mercedes arm in arm voorop met een beteuterde Jo Carstairs erachteraan. Met een zeker leedvermaak schreef Remarque in zijn dagboek dat Marlene tevens de nacht had doorgebracht bij Mercedes.

Als gevolg van alle berichten en foto's in de Duitse pers van Marlene in gezelschap met de als 'landverrader' bekend staande Remarque ontving Remarque post van Marlenes moeder. Omdat ze was bang voor represailles jegens haar dochter smeekte ze Remarque de relatie te verbreken.

Marlenes situatie was er in Duitsland inderdaad niet beter op geworden. De censuur had een aantal van haar films verboden: het feit dat ze geen stap meer op Duitse bodem zette en haar relatie met Remarque werden haar hoogst kwalijk genomen. Tot overmaat van ramp zou ook spoedig het Duitse paspoort verlopen dat ze nodig had om de Amerikaanse nationaliteit aan te vragen.

In haar memoires vertelt ze een onmogelijk verhaal over haar bezoek aan de Duitse ambassade in Parijs. Ze zou zich in het hol van de leeuw hebben begeven, waar ze door de ambassadeur en prins Reuss werd ontvangen. Beide heren zouden er bij haar op aangedrongen hebben geen Amerikaans paspoort aan te vragen en naar Duitsland terug te keren. Als we Marlene moeten geloven, had ze als antwoord gegeven dat ze graag wilde terugkomen om in Berlijn te filmen op voorwaarde dat Von Sternberg haar zou regisseren. Ze vroeg zich vervolgens af of Von Sternberg eigenlijk wel toegelaten zou worden omdat hij jood was. De heren hadden volgens haar beledigd opgemerkt dat ze vergiftigd was door de Amerikaanse propaganda. De volgende dag lag echter wel haar verlengde paspoort klaar.

Uit later gevonden documenten en passages uit Goebbels' dagboeken blijkt echter dat Marlene het verhaal uit haar duim had gezogen. Ze had zich veel minder heldhaftig opgesteld dan ze de lezers van haar memoires wilde laten geloven.

De werkelijkheid was anders, want op 7 november noteert Goebbels in zijn dagboek: 'Marlene Dietrich heeft bij onze Parijse ambassade een formele verklaring afgegeven over de laster die over haar de ronde doet. Daarin beklemtoont ze dat ze Duitse is en Duitse blijft. Ze zal ook bij Hilpert in het Deutsches Theater optreden. Ik zal haar in bescherming nemen.'

Het is overduidelijk dat Dietrich een toneelstukje heeft opgevoerd om zo de verlenging van haar paspoort te verkrijgen en daarbij niet heeft gerept over haar voornemen de Amerikaanse nationaliteit aan te vragen. Ze was natuurlijk niet van plan in Duitsland op te treden maar hield Hilpert, de intendant van het Deutsches Theater, die toevallig in Parijs verbleef, aan het lijntje. Ze vertelde hem dat ze zo gauw haar contractuele verplichtingen ten einde waren, beschikbaar zou zijn. In werkelijkheid was ze werkeloos.

Frankrijk in de jaren dertig

De Amerikaanse beurskrach van 1929 liet niet alleen zijn sporen achter in Amerika, maar waaide ook over naar Europa. In Frankrijk sloeg de inflatie toe en devalueerde de franc. De werkeloosheid liep op tot 350 duizend en het aantal faillissementen nam schrikbarend toe. Omdat Frankrijk de oorlogvoering had gefinancierd door leningen af te sluiten, bedroeg de staatsschuld 150 miljoen franc. Ofschoon de wederopbouw van het land enorme bedragen opeiste, kwamen de herstelbetalingen uit Duitsland slechts mondjesmaat binnen. Bovendien kwamen ze niet ten goede aan de wederopbouw, maar aan de aflossing van de door de oorlog opgelopen staatsschuld.

Daarnaast werd het land opgeschrikt door een aantal financiële schandalen, waaronder in 1934 de affaire Stavisky. De uit Oekraïne afkomstige Alexander Stavisky was een meesteroplichter. Hij begon zijn 'carrière' aan het begin van de Eerste Wereldoorlog als 'gigolo' van een gefortuneerde oude dame die hij een aardig fortuin afhandig wist te maken. Nadat hij een cheque van vijfhonderd franc had veranderd in 48 duizend franc, werd hij gearresteerd en veroordeeld tot drie jaar gevangenisstraf. Eenmaal ontslagen uit de gevangenis zette hij zijn oplichtingspraktijken voort.

Hij stichtte de Société des Etablissements Alex, die zich bezighield met de verkoop van juwelen waarvan een groot deel van diefstal afkomstig was en bezat een magazijn in Parijs, winkels in Biarritz en Cannes. Hij wist een enorme lening los te krijgen van een bank in Orléans met als onderpand zijn enorme juwelencollectie, waaronder de emeralds uit de kroon van de voormalige Duitse keizerin, die een waarde zouden hebben van 15 miljoen franc. Maar bij latere taxatie bleken de juwelen uit spinaziekleurig geslepen glas te bestaan. Zijn gehele collectie bestond grotendeels uit nepjuwelen of juwelen van inferieure kwaliteit. Daarna begon Stavisky met het vervalsen van kredietbrieven van banken in Orléans en Bayonne waarmee hij een gigantisch vermogen vergaarde.

Altijd perfect gekleed en geparfumeerd wist hij door te dringen in de betere kringen. Hij trouwde Arlette Simon, een mooie mannequin van het modehuis Coco Chanel. Na jarenlang in weelde geleefd te hebben, kwam de fraude bij de belastingcontroles aan het licht. Denkend uit handen van de justitie te kunnen blijven, sloeg hij op de vlucht en probeerde onder te duiken in het besneeuwde wintersportgebied Haute-Savoie van waaruit hij hoopte ongemerkt de grens te kunnen passeren. Op de dag dat de politie achter zijn verblijfplaats kwam, was de vogel echter al gevlogen. Na enkele dagen vond men na een tip toch zijn schuilplaats. Toen de politie de woning binnendrong, ging er in een van de kamers een schot af. Even later trof men Stavisky dood aan op de vloer van de woonkamer. Uit een schotwond in zijn borst sijpelde het bloed en de revolver lag naast hem.

Het bericht dat de beruchte oplichter zelfmoord gepleegd zou hebben, bijna onder het oog van de politie, sloeg in heel Frankrijk in als een bom. De algemene opinie luidde dat de politie Stavisky geëlimineerd had omdat er in dit schandaal tal van hoge regeringsfunctionarissen verwikkeld zouden zijn die doodsbang waren dat bij een proces hun identiteit aan het licht zou komen. Het satirische weekblad *Le Canard Enchainé* schreef sarcastisch: 'Men heeft hem "gezelfmoord"'. Hoewel er een aantal politici in de zaak verwikkeld was, weigerde premier Camille Chautemps af te treden. Maar na rellen moest hij het veld ruimen. Edouard Daladier nam zijn functie over. In de kranten verschenen dagelijks nieuwe namen van personen die betrokken zouden zijn in de oplichtingsaffaire. Plotseling was eenieder verdacht. Mistinguett moest haar publiek uitleggen hoe het kwam dat ze tijdens een souper gefotografeerd was met de Stavisky's lijfwacht bijgenaamd 'Jo-Jo le terreur', die ze abusievelijk had aangezien voor een provinciale notaris.

Op 6 februari, de dag dat Edouard Daladier zijn nieuwe kabinet voorstelde, kwam het tot demonstraties en ongeregeldheden op de Place de la Concorde. De massa scandeerde: 'A bas les voleurs.' De politie schoot en er vielen onder de demonstranten zestien doden en duizenden gewonden. De ongeregeldheden leidden tot het regelrecht aftreden van Daladier.

Een schrijnender geval was twee jaar later het faillissement van filmmaatschappij Natan-Pathé. De firma was eigendom van de in 1886 in Jassy, Roemenië geboren joodse Bernard Natan. In 1906 naar Frankrijk geëmigreerd, had hij zich na het uitbreken van de Eerste Wereldoorlog spontaan gemeld voor militaire dienst en was gewond geraakt gedurende frontdienst. In 1918 werd hij bevorderd tot sergeant en onderscheiden met het *Croix de Guerre*. Kort daarop kende men hem de Franse nationaliteit toe. Na de oorlog begon Natan een succesvol filmpubliciteitskantoor en kocht toen hij een aanzienlijk kapitaal had vergaard, van Georges Pathé de Pathé filmmaatschappij. Die bestond uit niet veel meer dan een atelier in Joinville. Natan nam de productie ter hand en bracht tussen 1929 en 1935 zeventig hoofdfilms uit. Ook het in 1927 door Pathé gestopte weekjournaal wist hij weer nieuw leven in te blazen. Jean Gabin dankt eveneens zijn carrière aan Natan, die onder andere zijn eerste film *Chacun sa chance* en later *La Bandera* produceerde.

Maar Natan nam te veel hooi op zijn vork en zijn bedrijf had te lijden onder de depressie waardoor de 100 miljoen uitgegeven obligaties van de bank Bauer en Marchal nog maar voor 50 procent gedekt waren. Het liep uit op een faillissement en een verlies van 60 miljoen franc. Natan werd in 1938 gearresteerd en veroordeeld tot een lange gevangenisstraf.

Zowel Stavisky als Natan was jood, wat tot gevolg had dat het sluimerende antisemitisme weer de kans kreeg om in alle hevigheid op te laaien, aangewakkerd door de vervolging van de joodse bevolking in het buurland.

De rellen rond Stavisky en Natan zorgden in Frankrijk voor veel deining en waren koren op de molen van journalist en schrijver Charles Maurras, een fanatieke patriot en antisemiet. Maurras, die herstel wilde van de Bourbon-monarchie en afschaffing van het democratische systeem, was een van de oprichters van het ultrarechtse blad *L'action Française* en de jeugdbeweging Camelots du Roi. In zijn krant fulmineerde Maurras tegen joden, vrijmetselaars en buitenlanders. Hij organiseerde bijeenkomsten en demonstraties die in het Parijs van de jaren dertig tot botsingen leidden tussen voor- en tegenstanders.

Andere felle antisemieten waren schrijvers Céline, Drieu la Rochelle en Brasillach. In *Je suis partout* en *Gringoire* wakkerden ze jodenhaat aan. De hetze nam dermate grote proporties aan dat de regering in 1939 een decreet uitgevaardigde waarin aanvallen op religieuze en sociale minderheden bij de wet werden verboden. Dat weerhield Brasillach er niet van zijn hatelijkheden te spuien. Hij verving het woord 'juifs' (joden) voor 'singes' (apen).

De linkse pers waarschuwde in artikelen met klem tegen de verrechtsing. Uit angst dat het fascisme in Frankrijk de overhand zou krijgen, hadden in 1936 centrum- en linkse partijen zich verenigd in het zogenaamde Volksfront, dat toen de verkiezingen won. De joodse Léon Blum, die regeringsleider werd, nam een aantal maatregelen om de economie te versterken. Hij voerde de veertigurige werkweek in en verhoogde de lonen. Zijn poging liep echter vanwege de inflatie op niets uit. Het ongenoegen onder de bevolking nam alleen maar toe.

Het escalerende antisemitisme werd nog eens versterkt door de vele vluchtelingen uit Duitsland, van wie het grootste deel joods was. Hoewel enkelen vermogend waren, was het grootste deel zo armlastig dat het veel moeite kostte een verblijfs- en werkvergunning te bemachtigen. Bij de Surété stonden dagelijks lange rijen. Als men aan het loket een aanvraag indiende vergezeld van een bankbiljet, was de kans groter de benodigde papieren van de ambtenaar te verkrijgen. Armoede werkte corruptie in de hand.

Doordat met name veel Duitse prominente kunstenaars Parijs bevolkten, werd Frankrijks hoofdstad steeds meer het culturele centrum van het 'andere Duitsland'. Cafés als Le Dôme en Rotonde werden pleisterplaatsen voor uitgeweken joodse artiesten en intellectuelen. Daar werden ze regelmatig op de toiletten geconfronteerd met opschriften als 'Dood aan de joden' en 'Liever Hitler dan Blum'.

Schrijver en Nobelprijswinnaar Roger Martin du Gard, een fervente pacifist, schreef in 1936, toen de burgeroorlog in Spanje in volle hevigheid was losgebarsten: 'Alles liever dan oorlog! Alles... zelfs het fascisme in Spanje... zelfs fascisme in Frankrijk: het is niet te vergelijken met oorlog: liever Hitler dan oorlog!' Ook Louis-Ferdinand Céline vond dat vrede tot elke prijs bewaard diende te blijven. Het was duidelijk dat de publieke opinie in het algemeen wantrouwender stond tegenover Duitse vluchtelingen dan tegen de Duitse heersers en zich meer keerde tegen haar eigen parlementaire democratie dan tegen het nazisme.

Naarmate het aantal vluchtelingen steeg, nam de aversie onder de bevolking toe. Men zag buitenlanders als oorlogshitsers en 'broodrovers' die bereid waren tegen lagere lonen banen van Franse arbeiders in te nemen. Ook in de filmbranche gingen er stemmen op zich tegen de tewerkstelling van buitenlanders te keren. Erika en Klaus Mann, kinderen van schrijver Thomas Mann, beschreven de drie hoofdzaken waaraan men in Frankrijk moest voldoen als emigrant: 'Niet werken, niet afhankelijk worden van liefdadigheidsinstellingen, en vooral niet blijven.' Ook moest men vermijden kritiek op nazi-Duitsland te leveren omdat men niet in alle Franse kringen afwijzend tegen Hitlers politiek stond.

Maar het waren niet alleen vluchtelingen die de Franse hoofdstad bevolkten. Het chique hotel George V deed goede zaken omdat er zowel een ruime vertegenwoordiging van de Ufa als van de Duitse geheime dienst verbleef. De

Ufa produceerde in de studio's van Neu-Babelsberg behalve nieuwe Franse films hoofdzakelijk Franse versies van Duitse films.

Regisseur Jacques Feyder woonde in 1936 met zijn vrouw, actrice Françoise Rosay, in de Berlijnse Capitol bioscoop de première bij van zijn film *Kermesse heroïque*. Na de voorstelling onderhielden ze zich met de Franse ambassadeur François Poncet en propagandaminister Goebbels. Van deze ontmoeting verschenen foto's in de Franse pers.

Twee jaar later hekelde Feyder in een interview de toename van het aantal buitenlandse regisseurs. Hij bediende zich praktisch van de woorden die Goebbels sprak kort nadat hij propagandaminister was geworden: 'Deze buitenlanders [bedoeld joden] koloniseren een groot deel van de Franse filmproducties, hebben een verwrongen geest, missen onze cultuur en artistieke smaak en willen ons ideeën opdringen die wij niet delen.' Feyder beklaagde zich erover dat er te veel producenten in Frankrijk werkten wier namen eindigen op 'itch' of 'er'.

Hitlers charme-offensief

Toen Duitsland na de nederlaag van 1918, Elzas-Lotharingen aan Frankrijk moest afstaan, vond er een ware uittocht plaats omdat de Franse autoriteiten alle Duitsers uitwezen die zich er na 1870 hadden gevestigd. Het Rijngebied werd tot gedemilitariseerd gebied verklaard en toen Duitsland niet aan de opgelegde herstelbetalingen kon voldoen, werd het in 1923 gedurende achttien maanden bezet door Franse troepen. De kolenmijnen in het Saargebied gingen over in Franse handen. Duitsland leed onder de inflatie en met name in de bezette Rijnstreek ontstond onder de bevolking een enorme haat tegenover de bezetter.

Toch waren er zowel in Frankrijk als in Duitsland idealisten die zich inzetten voor toenadering tussen beide volkeren. Een van het was de Duitse tekenleraar en jeugdleider Otto Abetz. Zijn interesse in het buurland was ontstaan tijdens zijn studie aan de academie waar hij in aanraking kwam met de Franse cultuur. Bij het bestuderen van kunstboeken herkende hij een zekere verwantschap tussen Franse en Duitse kunstenaars, waardoor zijn beeld van het gewelddadige Frankrijk begon te veranderen in het geestrijke Frankrijk. Bij jeugdverenigingen begon hij aan te dringen op toenadering en eenheid tussen twee volkeren die in het verleden verenigd waren in het rijk van Karel de Grote. Hij wees erop dat hun gezamenlijke culturele verleden en stamverwantschap sterker waren dan hun politieke tweedracht. Abetz werd daarbij gesteund door de joodse bankierszoon Walter Strauss, een groot bewonderaar van de Franse kunst en levensstijl. Tegen de stroom in begon Abetz contacten te leggen met Franse jeugdorganisaties. Hij reisde daarvoor naar Parijs waar in het Quartier Latin een ontmoeting plaatsvond met Robert Lange, een van de stichters van een internationale studentenvereniging die de Volkerenbond ondersteunde. Lange bracht Abetz vervolgens in contact met Cecil Mardrus van de Groupement universitaire franco-allemand. Deze vereniging, waarvan

Corinne Luchaire.

Mardrus leider was, had de sympathie van Jean Luchaire, hoofdredacteur van het tijdschrift *Notre Temps*.

Luchaire werd geboren in Siena, waar zijn vader professor was in de Italiaanse taal en literatuur. De familie verbleef tot 1908 in Italië waar Jean enige tijd rechten en filosofie studeerde. Hij maakte zijn studie echter niet af en begon een carrière als journalist. Op zijn twintigste trouwde hij een kleindochter van schilder Albert Besnard en kort daarop werd hun dochter Corinne geboren die in de jaren dertig grote opgang zou maken als filmactrice. Luchaire specialiseerde zich in buitenlandse politiek en gold onder collega's als zeer begaafd en intelligent.

Toen hij op een dag in gesprek was met een medewerker meldde zijn secretaresse dat een jonge Duitser hem wilde spreken. Even later kwam een robuuste jongeman Luchaires kantoor binnen. Hij droeg witte kousen, een korte broek en leek met zijn lange blonde haar sprekend op Siegfried uit de Germaanse sage *Siegfried und die Nibelungen*. Hij stelde zich voor als 'Otto Abetz, professeur de dessin à Karlruhe'.

Het ijs was snel gebroken en Luchaire bleek algauw gewonnen voor Abetz' idee om een treffen tussen Franse en Duitse studenten te organiseren. Nog dezelfde avond organiseerde Luchaire een ontmoeting met collega's in een bistro aan de oever van de Seine. In zijn nog houterige Frans vertelde Abetz dat hij van zijn bescheiden salaris regelmatig Franse kranten en tijdschriften kocht en zo zijn liefde voor de Franse cultuur verklaarde. Men hief het glas en proostte op de vriendschappelijke betrekkingen.

Ze spraken af om in de zomer van 1930 een bijeenkomst te organiseren tussen Franse en Duitse studenten en intellectuelen. Dat eerste treffen vond plaats in Sohlberg. De deelnemers bestonden uit leden van partijpolitieke organisaties, studenten van de Sorbonne, schrijvers en journalisten. De Franse deelnemers aan het kamp kwamen daar voor de eerste keer in aanraking met leeftijdgenoten uit het buurland. De meesten maakten deel uit van elitaire literaire Parijse salons en waren dan ook zeer onder de indruk van de natuurgebonden Duitse jeugdgroeperingen. De dagen begonnen met wandelingen, balspelen en gymnastiek, waarna er voordrachten en samenkomsten plaatsvonden in kleine kring. 's Avonds werd er gezongen rond een kampvuur.

Toen er een jaar later een nieuw treffen plaats vond in de Ardennen, was de stemming al van geheel andere aard. Zowel socialistische als nationalistische Duitse jongeren beklaagden zich over de herstelbetalingen die ze meer als afpersing dan als *Wiedergutmachung* zagen. De rechtse studentenleider Walther Reusch, die geen blad voor de mond nam, eiste expansie van de Duitse economie en een verklaring waarbij de schuld van het uitbreken van de Eerste Wereldoorlog niet alleen Duitsland verweten kon worden. Hij verlangde tevens dat Duitse minderheden langs de nieuwe landsgrenzen van 1919 deel uit zouden maken van het Duitse grondgebied. Volgens Reusch was ook een aansluiting met Oostenrijk, vanuit economische gronden, dwingend geboden.

Bij een volgend treffen in Mainz was de harmonie nog ver te zoeken, want naast pacifisten en socialisten waren er nu veel vertegenwoordigers van de NSDAP en *Hitlerjugend*, terwijl er onder de Fransen leden waren van het ultrarechtse Action Française.

Privé was de conferentie voor Abetz wel een succes, want hij trouwde Suzanne Sidonie de Bruyker, secretaresse van Jean Luchaire. Ze kwam uit een Vlaamse familie die na de Eerste Wereldoorlog in Frankrijk genaturaliseerd werd. In 1933 beviel Suzanne van een zoon die door schrijver Jules Romains het levende bewijs werd genoemd van het verzoeningsproces.

Eerder in dat jaar had in Duitsland de machtswisseling plaatsgevonden en Hitler had Baldur von Schirach opgedragen de vele onafhankelijke jeugdverenigingen onder te brengen in de *Hitlerjugend* – aansluiting was verplicht.

Bij deze hervormingen werd Abetz, die gezien werd als een pacifist en *Französling*, als jeugdleider aan de kant gezet omdat hij in Gestapo-dossiers was gebrandmerkt als spion en verspreider van Franse tijdschriften. Hoewel er zelfs een plan bestond hem in een concentratiekamp te interneren, vrijwaarden zijn vriendschappelijke relaties met de leiders van de *Hitlerjugend* hem daarvan.

Bij nadere beschouwing zagen de nazi's echter in dat Abetz voor hen van groot belang zou kunnen zijn om hun invloedsfeer in Frankrijk te vergroten. Hij kreeg toestemming met een kleine afvaardiging naar Parijs te reizen, waar bij de redactie van Jean Luchaires *Notre Temps* besprekingen werden gehouden. De groep ging in discussie met Franse journalisten en ondervond al snel dat deze niet bepaald een positieve instelling hadden jegens het Hitler-regime. Een van de aangesneden thema's was ook het jodenvraagstuk. De Duitsers eisten maatregelen ten aanzien van het internationale jodendom waarvan de invloed op politiek, economie en cultuur volgens hen buiten alle proporties was. Ofschoon Luchaires openstond voor het betoog van de Duitsers wat de restricties voor joden betrof, ondervond hij grote tegenstand van een deel van zijn redactie. Er ontstond een ruzie die zo hoog opliep dat een deel van de journalisten ontslag nam. Een van hen was Bernard Lecache, van de *Lique internationale contre l'antisémitisme*. Begrip tonen voor Hitlers ideeën betekende volgens hem in Frankrijk het bed spreiden voor het fascisme. Het feit dat Abetz medestanders probeerde te winnen voor de nationaal-socialistische ideologie in Frankrijk was voor hem onverteerbaar.

Omdat Luchaire in *Notre Temps* uitgebreid verslag deed van de bijeenkomsten en daarbij begrip toonde voor de Duitse standpunten, deed dat heel wat stof opwaaien in de linkse pers. Algauw ging in perskringen het gerucht dat Luchaires noodlijdende krant vanuit Duitsland, met Abetz als tussenpersoon gefinancierd werd. Luchaire bleef de Duitsers verdedigen: volgens hem was 'het geweld van nu geboren tijdens het lijden van gisteren'.

Hoewel Hitler de Fransen haatte, was hij zich ervan bewust dat hij ze te vriend moest houden om zijn macht te consolideren en intussen een krachtig leger op te bouwen. De wapenproductie werkte dan ook op volle kracht. Zijn doel was een overwinning op Frankrijk; 'de eeuwige doodsvijand van het

Duitse volk'. Zolang Frankrijk echter nog over meer wapens beschikte, was het zaak het land te vriend te houden. Van de Duitse ambassadeur in Parijs vernam Hitler de toenemende kritiek op zijn beleid. Hij verklaarde daarom aan Franse journalisten dat zijn enige doel was zijn volk in vrede en voorspoed te laten leven en te beschermen tegen het bolsjewisme. Daarnaast verzekerde hij dat het niet zijn bedoeling was het nationaal-socialisme te exporteren.

Otto Abetz, de eens verguisde 'Fransenvriend', werd nu steeds meer een pion in Hitlers sinistere spel, hij kon als geen ander de toenadering tot Frankrijk bewerkstelligen. In 1934 verhuisde Abetz dan ook met zijn familie naar Berlijn, waar hij een kleine flat betrok. Hoewel officieel leider van de *Hitlerjugend*, werd hij steeds meer raadsman van Von Ribbentrop, die gebruikmaakte van zijn kennis van de Franse taal en zijn relaties met vooraanstaande Duitsgezinde Franse kopstukken.

Von Ribbentrop, die in 1920 was getrouwd met Annelies Henkell, dochter van een schatrijke sektfabrikant, veroverde zich daarmee een plaats in de society. In 1925 erfde hij door adoptie van een tante het adellijke 'von'. Nadat hij in 1932 lid was geworden van de NSDAP ontmoette hij Hitler, die onder de indruk was van de cosmopoliet Von Ribbentrop en hem benoemde als adviseur buitenlandse politiek. De arrogante en ijdele Von Ribbentrop was bij de nazi-top niet gezien. Göring noemde hem schamper 'de sekthandelsreiziger' en Goebbels vond dat Ribbentrop zijn naam had gekocht, zijn kapitaal door een huwelijk en zijn baan door zwendel. Ondanks dat ook Mussolini zich ongunstig over hem zou hebben uitgelaten, bleef Hitler vol bewondering. Hij vergeleek Von Ribbentrop zelfs met de ijzeren kanselier Bismarck. In Von Ribbentrops kapitale villa in Dahlem spraken ze uitgebreid over hun plannen.

In opdracht van Hitler probeerde Von Ribbentrop vriendschappelijke relaties tussen Frankrijk en Duitsland te bewerkstelligen. Met hetzelfde doel benoemde Hitler hem in 1936 tot ambassadeur in Engeland waar hij tevergeefs trachtte een verbond tussen Duitsland en Engeland tot stand te brengen. Omdat Hitler zich allang had voorgenomen door veroveringen in het oosten *Lebensraum* te creëren, was een vriendschappelijke verhouding met Frankrijk en Engeland daarbij van groot belang.

Otto Abetz wist met verve Ribbentrops opdracht ten uitvoer te brengen. Tijdens zijn reizen naar Parijs benadrukte hij Hitlers vredespolitiek ten aanzien van Frankrijk en vond zodoende een luisterend oor bij het moe en doodgestreden Franse volk.

Na studenten kwam Abetz op het idee oorlogsveteranen, die immers de verschrikkingen van de oorlog hadden meegemaakt, te benaderen. Hij drong aan op ontmoetingen tussen Franse en Duitse veteranen om een bloedbad als in de jaren 1914-1918 te voorkomen en de vrede tot elke prijs te bewaren. Hitler speelde het spel mee en ontving zelfs Fernand de Brinon, een Franse reporter van de *Journal de débats*, tegen wie hij verklaarde:

'Het is een belediging dat men altijd maar beweert dat ik oorlog wil, ik zou wel gek zijn.' De *Führer* vertelde De Brinon dat zijn doel was op vreedzame wijze de nood in Duitsland te lenigen en het volk weer levensvreugde te schenken en dat hij zeker niet van plan was het land bloot te stellen aan gevaarlijke oorlogshandelingen. Toen de journalist hem aansprak op vijandige passages in *Mein Kampf* ten aanzien van Frankrijk, wuifde Hitler dat weg met: 'Ik heb dat boek met de woede van een vervolgde apostel geschreven, de beschuldigingen zijn achterhaald. Een politicus corrigeert zichzelf niet met woorden maar met daden. Daarbij wil ik benadrukken dat ik voor een Frans-Duitse overeenkomst ben.'

Deze verklaring werd in de Franse media gunstig ontvangen en zorgde voor een zekere politieke ontspanning. Toch bleven velen argwanend.

Niet alleen Duitsland, ook de Sovjet-Unie trachtte meer aanhang onder de Franse bevolking te verkrijgen. Na de machtsovername was ook communist Willy Münzenberger via de Saar naar Frankrijk gevlucht. Deze voormalige leider van een communistische jeugdvereniging en stichter van Prometheus Film, dat zich inzette sovjetpropagandafilms over Europa te verspreiden, was een felle tegenstander van Abetz. Münzenberger kreeg als taak met financiele steun van het Komintern de invloedsfeer van de sovjets in Frankrijk te vergroten en een antifascistische weerstand op poten te zetten. Met dat doel voor ogen kocht hij een Franse uitgeverij. Hij publiceerde werk van communistische schrijvers als Bertolt Brecht, Anna Seghers en Egon Erwin Kisch. Ook verscheen zijn boek *Das braune Netz* dat in Frankrijk werd uitgegeven als *Le filet brun*. Een jaar later publiceerde Éditions du Carrefour zijn *Dimitroff tegen Göring*, een onthulling over de ware daders van de brandstichting. Het boek, dat de Rijksdagbrand en de Hitler-terreur behandelde, waarschuwde voor de avances en propagandamethoden van Hitler. Toen Stalin zich met de burgeroorlog in Frankrijk ging bemoeien, gaf Münzenberger een boek uit over de begane gruweldaden in Spanje door Franco's falangisten.

Terwijl Münzenberger zich inzette om de invloedssfeer van de sovjets in Frankrijk te vergroten, infiltreerde Abetz steeds meer in Parijs, waar hij voor elkaar wist te krijgen dat Hitler in 1934 een afvaardiging van een veteranen-bond ontving.

Bij de ontvangst was behalve Von Ribbentrop ook Abetz aanwezig, die als tolk fungeerde. Tijdens zijn eerste ontmoeting met de *Führer* werd Abetz gefascineerd door Hitlers uiterst suggestieve blauwe ogen en de expressieve bewegingen van zijn mooie handen. De bijeenkomst was met zorg gekozen, namelijk op Allerzielen, wanneer men met name in Frankrijk de doden herdenkt.

Pacifistische linkse oud-strijdersorganisaties die woedend waren over de ontvangst van hun vroegere strijdmakkers, vroegen zich af hoe ze de hand konden schudden van de beul van het Duitse volk. Het communistische blad *L'Humanité* noemde de genodigde oudstrijders onverbloemd 'Hitler-agenten'. Hitlers doel was tweedracht te zaaien onder het Franse volk. Hitler verklaarde dat 'de grote culturele en militaire naties zich eindelijk zouden moeten verenigen'.

In 1935 zouden de inwoners van het Saargebied mogen stemmen over aansluiting of bij Frankrijk of bij Duitsland. De *Führer* verzekerde de afvaardiging oud-strijders dat hij daar geen enkele pressie op zou uitoefenen. Na het tellen van de stemmen bleek dat op 13 januari ruim 90 procent van de bevolking voor aansluiting bij Duitsland had gekozen.

De Franse diplomatie, die de actieve toenaderingspogingen van de oud-strijders zag als middel om ongewenste spanningen te matigen, werkte zo mee aan Hitlers tactiek. Hoe belangrijk de oud-strijders waren, blijkt uit het feit dat ze 42 procent van de Franse bevolking uitmaakten, waarvan 3 miljoen zich had georganiseerd. Deze massa te beïnvloeden was dus van groot belang.

Dat was niet moeilijk, want het Franse volk was oorlogsmoe. De verschrikkingen van de *Grande Guerre* stonden nog vers in hun geheugen gegrift. Niet voor niets waren er in Frankrijk 72 duizend exemplaren van Remarques pacifistische bestseller *à l'Ouest rien de nouveau* verkocht. Wat de meeste Fransen blijkbaar niet wisten, was dat juist dit boek over de verschrikkingen van de Eerste Wereldoorlog in Duitsland bij de boekverbranding aan de vlammen was geofferd en Remarque was uitgeweken naar Zwitserland.

Wat Hitler door middel van Abetz bereikte, was dat onder de Franse bevolking nauwelijks nog enkele strijdlust overbleef.

Met bezorgdheid constateerden de Fransen dat in nazi-Duitsland de dienstplicht weer werd ingevoerd. Een delegatie oudgedienden verschoof daarom een bezoek aan Berlijn. De Duitsers reageerden door te verklaren dat ze van hun vaderland hielden en daarom over hun veiligheid moesten waken. Daarna werden de bezoeken over en weer hervat. Zelfs verenigingen van oud-militairen, blind door het mosterdgas of lijdende aan een longaandoening, namen de invitaties van de Duitsers aan.

In 1936 vond een herdenking plaats op het slagveld van Verdun waaraan vijfhonderd gewezen Duitse militairen deelnamen. Nog jaren lang zette de uitwisseling zich voort, waarbij met name de Duitsers zich te buiten gingen aan het betuigen van hun solidariteit met de Franse oudstrijders die door de nazi-top onder wie Hitler, Goebbels, Göring en Hess volledig in de watten werden gelegd en op sluwe wijze werden ingepalmd.

Abetz stichtte tevens het maandblad *Deutsch-Französischen Monathefte* waarvan ook een Franse versie werd uitgegeven. In het blad probeerde hij in 1938 Hitlers annexatiedrang te rechtvaardigen. Na de *Anschlusss* met Oostenrijk wees hij op 'de historische bloedbanden, de taal en het nationaal gevoel'. Abetz infiltreerde steeds meer in de Franse politiek en wist een netwerk op te bouwen van pro-Duitse politici, oudstrijders, intellectuelen en journalisten. De Fransen waren onder de indruk van zijn intelligentie, goede manieren en aangename stem. De Franse schrijver Jules Romain prees zijn goede kennis van de Franse taal en voegde daaraan toe dat men hoogstens zou kunnen denken dat Abetz uit de Elzas of uit Wallonië kwam.

Otto Abetz had, als regisseur van het charme-offensief, zijn missie volbracht. De vraag is of zijn inspanningen oprecht waren. Realiseerde hij zich dan niet dat hij werd misbruikt, of sloot hij daar de ogen voor? Hoe is het mogelijk dat een pacifist zich liet meeslepen door een regime dat slechts één doel: het gedienstig maken van Europa aan het machtige Derde Rijk.

Aan het begin van 1938 werd de oorlogsdreiging steeds groter. Er heerste een nerveuze stemming veroorzaakt door de radiotoespraken van Hitler en Mussolini. Toen in 1939 ook de Duitse propagandamethoden te gevaarlijk werden, verklaarde de regering Daladier Abetz tot *persona non grata* en deelde hem mee dat hij het land zo spoedig mogelijk diende te verlaten. Ook communistische kranten als *Le Soir* en *L'Humanité* werden verboden.

Iedereen in Frankrijk vroeg zich af wanneer de bom eindelijk zou barsten. In Spanje viel de ene na de andere stad in handen van Franco's nationalisten, met als gevolg bloedige slachtingen onder de communistische tegenstanders. Op 1 april 1939 hadden Franco's troepen het hele land veroverd. De *Caudillo* ontving zelfs een felicitatietelegram van de paus waarin die hem meedeelde dat hij verheugd was over Spanjes katholieke overwinning. Veel politieke tegenstanders weken uit naar Frankrijk, waar ze werden geïnterneerd in kampen.

Stilte voor de storm

Na vele vergeefse pogingen had Marlene uiteindelijk de hoop opgegeven ooit nog eens in Hollywood te kunnen werken. Ofschoon ze een aardig kapitaaltje had vergaard, was dat nu danig aan het slinken. Naar Duitsland wilde ze in geen geval terug, maar waarom geen Franse film? Uit hoofde van zijn voormalige baan bij de Franse vertegenwoordiging van Paramount had Rudi contacten met de Franse filmindustrie. Marlene was duidelijk uitgekeken op de rollen van fatale vrouwen. Ze wilde, zoals ze later in een interview benadrukte, een mens van vlees en bloed spelen in plaats van de mysterieuze verleidsters waarin Hollywood haar steevast vastpinde.

Op een dag zat de Franse karakteracteur Raimu met schrijver-cineast Carlo Rim te lunchen bij Fouquet op de Champs-Élysées, het gerenommeerde restaurant dat door veel beroemdheden werd gefrequenteerd. Toen de tafel naast hen bezet werd door Marlene en Remarque. Omdat Raimu, hoewel zelf een ster, een kinderlijke bewondering aan de dag legde voor beroemdheden, kon hij tijdens het eten zijn ogen niet van Marlene afhouden. 'Zie je,' fluisterde hij zijn vriend toe, 'hoe ze haar garnalen pelt? Hoe ze haar vork vasthoudt? En hoe ze haar mond afveegt?'

Remarque verliet op een gegeven moment alleen het restaurant en na enige tijd stapte ook Marlene op. Na afgerekend te hebben, liepen Raimu en zijn vriend Marlene achterna over de Champs-Élysées: 'Wat een aanblik, ze loopt als een standbeeld!' riep hij in extase uit. 'Als ze zich omdraait ga ik tegen haar zeggen: "Mevrouw Dietrich, u heeft misschien veel talent maar uw benen bezitten genialiteit."'

Toen Marlene haar pas inhield om een etalage te bekijken, ging Raimu vlak naast haar staan. In zijn richting kijkend zei ze: 'Bonjour monsieur Raimu,' en liep verder, de grote acteur perplex achterlatend.

Niet lang daarna kwam Rudi met plannen om een film te maken met Raimu, maar er werd tevens gedacht aan een film met Jean Gabin.

Hoewel Marlene haar geboorteland meed als de pest filmden Franse sterren, onder wie Gabin, nog steeds in Neu-Babelsberg filmden.

Na *Gueule d'amour* keerde Gabin terug naar Parijs met de zekerheid dat hij nog een keer terug moest naar Berlijn voor de synchronisatie. Toen hij bij zijn terugkomst weer de zoveelste ruzie met Doriane had, nam hij zijn intrek in een hotel Claridge. Na het diner kwam hij al wandelend langs de Colisée bioscoop waar *Drôle de Drame* speelde. De film liep al twee weken voor bijna lege zalen en van de weinige bezoekers die wel kwamen, verliet steevast een deel de zaal tijdens de vertoning. In de vitrine van het theater viel Gabin de naam van regisseur Marcel Carné op van wie hij nog nooit had gehoord. Daarentegen waren de spelers, onder wie Louis Jouvet, Michel Simon en Françoise Rosay gerenommeerde acteurs die door Gabin werden bewonderd. Hoewel de film al was begonnen, kocht hij toch een entreekaartje en nam plaats in de bijna lege zaal. Waar de film over ging was niet direct duidelijk. Hij had moeite de dialogen te volgen doordat enkele van de bezoekers nogal luidruchtig waren. Maar een ding stond voor hem vast, het was een film die geen platgetreden paden bewandelde, maar een verrassend verhaal dat uitblonk door originaliteit. Toen de film ten einde was, stond voor hem vast: 'De man die deze film heeft gemaakt, is een meester in zijn vak.'

Voor de synchronisatie terug in Berlijn kreeg hij uit Parijs een telefoontje van Doriane. Hoewel hun relatie er een was van op en af, behartigde ze nog steeds zijn zaken. Dodo, zoals Gabin haar noemde, had een afspraak gemaakt met Marcel Carné om eventuele filmplannen te bespreken.

Carné, die een tijdlang assistent was geweest van René Clair en Jacques Feyder, had in 1936 zijn eerste speelfilm *Jenny* gemaakt waarover de kritiek overigens verdeeld was. Het melodrama werd in de linkse pers geroemd maar daarentegen in de rechtse pers verguisd. *L'Action Française* schreef: 'Ik meen te weten dat meneer Carné links is, althans op dit moment. *Jenny* bevestigt mijn vermoedens vanwege de aantoonbare deprimerende invloed van de socialistische ideologie op de acteurs. Zelfs als hij een neutraal onderwerp behandelt, is het dagelijkse leven doordrenkt van treurigheid en de marxistische wanorde waaraan dit land ten onder dreigt gaan.'

Toen Carné daarna besloot een vrolijker onderwerp te kiezen, maakte hij toevallig de film waar Gabin zo van onder de indruk was. *Drôle de drame* ademde de sfeer uit van de toen in de mode zijnde Engelse komedies. De kritiek was wederom verdeeld: *Beaux Arts* zag het als een gelukkige poging het middelmatige stramien van de Franse komedies te doorbreken. *Candide* oordeelde dat het 'te ingewikkeld, te breedsprakig en te geforceerd grappig' was. Maar het meest vernietigend was weer de rechtse *L'Action Française* die de humor beschreef als 'malle bokkensprongen in een rouwkamer'.

Terug in Parijs vond er bij Chez Allard een ontmoeting plaats tussen Carné, scenarioschrijver Jacques Prévert, Gabin en producent Raoul Ploquin, die voor Ufa in Neubabelsberg Franse versies produceerde. Ploquin nam het woord door op de man af te vragen: 'Hebben jullie voor Jean een goede materie in gedachte om te verfilmen?'

Carné: 'We hebben er een paar maar degene die ons het meest bevalt is een film naar het boek *Quai de Brumes* van Pierre Mac Orlan waarvan we een draaiboek hebben gemaakt.' Gabin en Ploquin beloofden het draaiboek te zullen lezen en spraken af binnen een week schriftelijk te laten weten of ze er iets in zagen. De volgende dag kreeg Carné prompt van allebei een telefoontje waarin ze kenbaar maakten 's nachts het scenario te hebben gelezen en overtuigd waren dat hieruit een goede film gemaakt zou kunnen worden.

Als enige belemmering gold, dat het verhaal zich afspeelt in het havendistrict van Le Havre terwijl Ploquin in Duitsland voor Ufa produceerde. Ze besloten daarom het script aan te passen door het zich te laten afspelen in de Hamburgse haven. Carné, die de gemoedelijke, rommelige sfeer van de Franse studio's gewend was, voelde zich niet op zijn gemak in deze stijve omgeving waarin zijn aanwijzingen aan de cameraman hautain van de hand werden gewezen.

Het eindresultaat werd aan het bureau van Ufa doorgezonden. Na enkele weken kwam het bericht dat Ufa niet van plan was de film te financieren omdat ze hem decadent en negatief vonden. Goebbels zelf had de productie verboden.

Uiteindelijk vond men een nieuwe geldschieter in de uit nazi-Duitsland uitgeweken Russisch-joodse producent Gregor Rabinovitsch.

De *film noir* gaat over een deserteur (Gabin) die in Le Havre onderduikt in een afgelegen barak. Daar leert hij een meisje kennen (Michèle Morgan), die haar hitsige oom (Michel Simon) is ontvlucht. In de loop van hun romance bekent ze dat ze een relatie heeft met een schurk die kort daarop wordt vermoord. Als de deserteur probeert te vluchten, wordt hij doodgeschoten. De film benadrukt het noodlot dat de mens onmogelijk kan ontlopen. Het scenario werd door de Franse censuur goedgekeurd op voorwaarde dat het woord deserteur niet in de tekst voor zou komen.

Jean Gabin en Michèle Morgan.

Gabins tegenspeelster was de zeventien jaar jongere uit Neuilly-sur-Seine af-komstige Simone Roussel die onder het pseudoniem Michèle Morgan in 1935 haar filmdebuut had gemaakt. In 1937 gaf Marc Allégret haar naast de befaam-de Raimu een hoofdrol in *Gribouille*. Het werd haar doorbraak en er kwam zelfs een aanbieding van RKO om in Hollywood te filmen. Kort na haar succes werd Michèle gebeld door de echtgenote van producent Roland Tual: 'We zoeken een apart meisje, geen blauwkous maar ook geen femme fatale, voor een rol naast Jean Gabin in *Quai de Brumes* en jij leek ons de aangewezen persoon voor die rol.' Gabin had haar al in *Gribouille* gezien en Carné al verteld dat hij haar geweldig vond. Michèle kreeg de rol en maakte kennis met Gabin, die ze kende uit een aantal films waarin hij meestal volkse types speelde. Ze was dan ook aangenaam verrast toen ze tegenover een man stond die geheel anders was dan in zijn films. In haar memoires beschrijft ze hem als volgt: 'Zijn haar is goudblond en hij heeft blauwe ogen en door de zon gebleekte wenkbrauwen, draagt een elegant donkerblauw kostuum en beweegt zich met gratie. Het is het soort man dat ruikt naar aftershave en lavendel.'

Op Michèles vraag of hij vond dat ze de screentest goed had doorstaan, ant-woordde Gabin: 'Wat dacht u, met zo'n paar ogen, zal je het nog heel ver bren-gen.'

Voor de film had men Coco Chanel gevraagd wat Michèle in haar rol zou moeten dragen. Het werd een glimmende regenjas van een soort zeildoek en schuin op het hoofd een alpinopet. Daarmee ontketende ze een ware modera-ge.

Tijdens de opname begon er tussen Gabin en Michèle een romance te ont-luiken. Maar Michèle twijfelde omdat ze een vriend had en Jean getrouwd was. Ook Pierre Brasseur, die in de film de schurk Lucien speelt, was duidelijk ver-liefd op Michèle. De geniale Brasseur stond bekend als een vrouwenversierder en was verslaafd van drank en drugs. Hij barstte van jaloezie toen hij zag dat haar gevoelens niet naar hem maar naar Gabin uitgingen. Op een avond, nadat hij tijdens het diner zwaar gedronken had, begon hij haar te sarren en te bele-digen. Jean Gabin was woedend maar reageerde niet. Zijn reactie kwam de vol-gende dag pas toen hij overeenkomstig het scenario Brasseur een klap moest geven. Toen het sein 'we gaan beginnen, actie' klonk, verkocht Gabin de arme Brasseur zo'n harde slag dat de man wit wegtrok en op zijn benen wankelde. Het naslagwerk *L'histoire du cinéma parlant* schrijft: 'Nog nooit had men een acteur zo'n klap zien krijgen als Pierre Brasseur in *Quai de Brumes*.'

Dat Brasseur spijt had gekregen van zijn sarcastische opmerkingen bleek

Michèle Morgan.

toen Michèle na die werkdag in haar kamer een boeket rozen aantrof met een kaartje waarop Brasseur zich verontschuldigde. In haar memoires schrijft ze: 'De bloemen kwamen te laat en de klap kwam te vroeg.'

Omdat Michèle tijdens de filmopnamen achtien jaar werd, bood Jean haar een verjaardagstaart aan. In haar memoires beschrijft ze wél haar verliefdheid, maar toen hij haar na een avondje stappen naar haar kamer bracht, bleef de deur voor hem gesloten.

Doordat *Quai de Brumes* tijdens een turbulente periode ontstond, liepen gedurende de etentjes van de crew de politieke debatten hoog op. Niet alleen over het steeds agressiever wordende rechtse Front Populaire, maar ook over de Spaanse burgeroorlog waren de meningen verdeeld. 'Daar vecht men voor de vrijheid tegen het fascisme!' was het standpunt van enkelen. 'Tegen het communisme,' meenden anderen. Hoewel Michèle Morgan zich ergerde aan het geruzie, voelde ook zij dat een oorlog onvermijdelijk was.

Quai de Brumes werd een groot succes maar veroorzaakte bovendien veel

Filmposter van La Bête Humaine.

schandaal. Sommigen zagen de film als een *chef-d'oeuvre* anderen als demoraliserend en immoreel. Henri Jeanson schreef in *La Flèche*: '*Quai de Brumes* is een toonbeeld van hoogverraad waarin Carné en Prévert zich bedienen van kwalijke stalinistische methoden.' Hoewel ook andere rechtse media zich eraan ergerden kreeg de film diverse onderscheidingen waaronder de Prix cinémathèque Française.

Kort daarop speelde Gabin onder regie van Jean Renoir in *La Bête Humaine* met als tegenspeelster Simone Simon. Zodoende ging een jeugdwens van Gabin in vervulling: het spelen van een treinmachinist, waar hij als kind van gedroomd had. Hij deed het zo vakkundig dat de directeur van de spoorwegen besloot hem het diploma treinmachinist uit te reiken. De film was een eigentijdse versie van een roman van Zola en werd zowel bij pers en publiek goed ontvangen.

Jean Gabin en Michèle Morgan zagen elkaar later weer terug in een door

Ufa en ACE geproduceerde film *La récif de corail*. Hoewel het verhaal zich af-speelt op een koraaleiland in de Stille Oceaan werden de buitenopnamen aan de Middellandse Zee gemaakt. De studio-opnamen vonden plaats in Berlijn.

Morgan schrijft in haar memoires: 'Het is november en er waait een ijskoude wind, maar de sfeer in Berlijn is verstikkend. Men ziet mannen, met swastika-banden om hun arm, door de straten marcheren waarbij het geluid van hun laarzen weerkaatst.'

Hoewel de filmploeg zich in het pension ongerust maakte over de Duitse arrogantie wilde Michèle niet denken aan een oorlog, hopende dat het wel met een sisser zou aflopen. Maar haar optimisme was niet van lange duur, want 's nachts werd ze wakker door het geluid van brandweer- en politiesirenes. Toen ze het raam opende, zag ze een deinende, juichende en zingende men-senmassa. Ze hoorde onverstaanbare kreten en de rood verlichte hemel duidde erop dat er ergens iets in brand stond.

Toch ging ze weer haar bed in zonder echter een oog dicht te doen. De vol-gende ochtend trof ze, lopend door de straten van Berlijn een door haat ver-minkte stad aan: bij joodse winkels waren de ruiten ingegooid, er hadden plunderingen en brandstichtingen plaatsgevonden en gevels waren beklad met het woord 'Jude'.

De Franse filmploeg was niet op de hoogte van het feit dat de jonge Poolse jood Herschel Grynszpan in de Duitse ambassade in Parijs een aanslag had ge-pleegd op een staflid en Goebbels als represaille een actie tegen de joden had aangekondigd.

In Duitsland gingen die avond 267 synagoges in vlammen op, werden 7500 winkels en bedrijven verwoest en joden mishandeld.

Desondanks bleven de Fransen in Berlijn filmen. In juli 1939 poseerden de in Frankrijk wonende Roemeense actrice Elvire Popesco en komiek Fernandel in de studio's van Babelsberg nog breed lachend met propagandaminister Goebbels voor de camera tijdens opnamen van *L'Heritier des Mondésir*. Hoewel de propagandaminister geen hoge dunk had van het in zijn ogen decadente Franse volk, hield hij de schijn op omdat hij de deviezen van de in Duitsland vervaardigde Franse films goed kon gebruiken.

Toch werd ook in Frankrijk de sfeer grimmiger doordat het patriottisme hoog oplaaide. Die gevoelens drongen zelfs door in de filmwereld, waar nu met regelmaat spionage- en oorlogfilms werden geproduceerd die zich voor-namelijk gedurende de Eerste Wereldoorlog afspeelden en bepaald geen sym-

Paul Brasseur.

Onder: Jean Gabin en Jacqueline
Laurent in Le Jour se lève.

pathiek beeld van de oosterburen schiepen. In revues werden grappen over Hitler en de nazi-bonzen gemaakt en in juli 1939 draaide in twee Parijse bioscopen de Amerikaanse Warner Bros anti-nazi-film *Les aveux d'un espion nazi* (*Confessions of a Nazi Spy*). In datzelfde jaar acteerde Jean Gabin, opnieuw onder regie van Carné in *Le jour se lève*, waarin de vroegere revuester Arletty zijn tegenspeelster was. Een jaar daarvoor hadden ze beiden onder Carné gespeeld in *Hôtel du Nord*, twee films die tot de klassieken onder de Franse film behoren.

Daarna zou het gouden koppel Gabin-Morgan weer samen spelen in *Remorques*. De opnamen begonnen in de zomer van 1939.

Hollywood comeback

Ondanks de oorlogsdreiging leidde Marlene in 1939 nog een onbezorgd leven zowel in Parijs als aan de Franse Rivièra. Tijdens haar verblijf in het luxueuze Hôtel du Cap in Antibes kreeg ze onverwacht een telefoontje uit Hollywood. Toen ze de hoorn opnam, hoorde ze de stem van producent Joe Pasternak die ze in 1930 had leren kennen tijdens opnamen van *Der blaue Engel*.

Hoewel Pasternak, die toen nog in Berlijn voor de Deutsche Universal werkte, indertijd had gepoogd Marlene te contracteren, had ze vanwege Josef von Sternberg gekozen voor Paramount. Toen de nazi's aan de macht kwamen, bleek het niet alleen voor de joodse Pasternak, maar ook voor de Deutsche Universal onmogelijk het werk voort te zetten. Het bedrijf was immers een zustermaatschappij van de Amerikaanse Universal Films die drie jaar voor de machtsovername de pacifistische film *All Quiet on the Western Front* had uitgebracht en waarvan de oprichter en directeur de Duits-joodse Carl Laemmle was. Ofschoon Pasternak de productie een tijdlang verlegde naar Oostenrijk en Hongarije werden de daar geproduceerde films door de Duitsers geboycot omdat er veel uitgeweken joodse acteurs in meespeelden. Na het wegvallen van de Duitse markt werd de onderneming opgeheven omdat hij niet meer winstgevend was.

Pasternak ging terug naar Amerika waar hij er bij Universal op aandrong zijn vroegere medewerker regisseur Hermann Kosterlitz te contracteren met wie hij in Europa een paar succesvolle films had gemaakt. Kosterlitz had, na zijn vlucht uit Duitsland, enige tijd in Frankrijk gewerkt. En passant verbleef hij in 1935 ook enige tijd in Nederland waar hij de film *De kribbebijter* regisseerde, waarna hij naar Amerika vertrok. Onder het pseudoniem Henry Koster maakte hij in Hollywood een aantal muzikale komedies met in de hoofdrol de jonge actrice-zangeres Deanne Durbin. Deze films hadden zoveel succes dat ze de in de rode cijfers belande Universal van de ondergang redden.

Marlene met James Stewart in Destry Rides Again.

Omdat deze films door Pasternak geproduceerd waren, kreeg hij van de Universal directie carte blanche.

Hij had zich wild geërgerd aan de reeks films die Marlene in Amerika onder Von Sternberg had gemaakt, met name aan *The Scarlet Empress*, waar ze met linten en rozetten omgeven zo onwerkelijk en levenloos overkwam. Zijns inziens had Von Sternberg net zo goed een etalagepop kunnen nemen.

Pasternak kreeg het idee een *remake* te maken van een stommefilm van cowboyster Tom Mix waarin hij een goede rol zag weggelegd voor Marlene. Daarbij wist de slimme Pasternak dat Marlene na een aantal slechte films tot *box-office-poison* was verklaard en daardoor aanmerkelijk was gezakt op de lijst van best betaalde Hollywoodsterren. Na wat navraag lokaliseerde hij haar in Antibes en vroeg een transatlantisch telefoongesprek aan met het hotel waar ze logeerde.

Toen hij haar eenmaal aan de lijn had, sprak hij enthousiast: 'Marlene, Ik heb een film voor je!' Hoewel de reactie nogal lauw was, vroeg ze uiteindelijk wat voor genre film hij voor haar in gedachte had. Toen hij na wat zenuwachtig gekuch met enige schroom aarzelend antwoordde: 'Het is een western, Marlene,' hoorde hij haar in lachen uitbarsten: 'Je lijkt wel gek!' sprak ze proestend: 'Wat moet ik nou met een western en bovendien weet je toch dat ik tot *box-office-poison* ben verklaard.' Maar Pasternak wist niet van wijken en bleef aandringen, hij was ervan overtuigd dat ze na het lezen van het draaiboek beslist van gedachte zou veranderen. Hij sprak af het haar te sturen en vroeg haar hem terug te bellen als ze het gelezen had.

Na ontvangst bladerde Marlene het even door en gaf het toen aan Remarque. Na het hebben gelezen, raadde hij Marlene aan het aanbod te accepteren omdat de rol van de salooneigenaresse Frenchy haar op het lijf was geschreven. Doordat Marlene volledig op Remarques oordeel vertrouwde, besloot ze uiteindelijk het aanbod te accepteren.

Haar koffers werden gepakt voor de overtocht naar Amerika. Op doorreis maakte ze een stop in Parijs voor een ontmoeting met de Franse karakteracteur Raimu, haar tegenspeler in een voor november geplande Franse film. Raimu deed haar op 19 augustus uitgeleide.

Omdat het verblijf in Hollywood slechts enkele maanden zou duren, liet Marlene Maria achter bij Rudi en Tami. Ook Remarque genoot nog van zijn verblijf aan de zonovergoten Côte d'Azur.

Oorlog

De Europese naties berustten steeds meer in Hitlers veroveringsdrang. Na de *Anschluss* met Oostenrijk richtte Hitler zijn pijlen op Tsjechoslowakije waar volgens hem de Duitssprekende Sudetenminderheid door de Tsjechen gediscrimineerd en vervolgd werd. Weer gingen Engeland en Frankrijk door de knieën door erin toe te stemmen dat Hitler het Sudetenland bezette. Tsjechoslowakije zou daarna uiteenvallen en volkomen onder de voet worden gelopen.

Daarna waren Hitlers ogen gericht op Polen. Na de verloren oorlog had Duitsland onder druk een gedeelte van Oost-Pruisen, waarin ook Danzig was gelegen, afgestaan aan Polen dat daarmee toegang tot de Oostzee had gekregen. De uit 96 procent uit Duitsers bestaande bevolking van Danzig werd daardoor praktisch afgesloten van de rest van Duitsland. Hitler eiste de teruggave van Danzig en de aanleg van een snelweg en spoorlijn door het Poolse gebied. Op 23 augustus tekenden Von Ribbentrop en Molotov in Moskou een niet-aanvalsverdrag.

De Franse communisten waren geshockeerd over het Hitler-Stalinpact. Willy Münzenberger noemde het openlijk 'de Russische dolkstaat' en zag het als verraad aan de internationale arbeidersbeweging.

Onder bewering dat de Duitsers door de Polen werden onderdrukt, vielen Duitse troepen op 1 september 1939 Polen binnen. Frankrijk en Engeland kondigden de mobilisatie af en eisten dat Duitsland zijn troepen terug zou trekken uit Polen.

Kort na haar aankomst in Hollywood hoorde Marlene van de inval van de Duitse troepen in Polen waardoor een oorlog onvermijdelijk was en elk moment kon uitbreken. Vanwege de afgekondigde mobilisatie reden overvolle treinen met opgeroepen soldaten naar hun legeronderdelen.

Velen die de dreiging hadden zien aankomen, hadden het land inmiddels verlaten. Hoewel het dus niet makkelijk was een overtocht te boeken, maakte Marlene gebruik van haar connecties en wist ze voor haar familie en voor Remarque passages te bemachtigen op de *Queen Mary*. Het schip zou op 2 september vertrekken vanuit Cherbourg en na een kort onophoud in Engeland naar New York koersen.

Het gezelschap dat uit Antibes vertrok bestond uit Rudolf Sieber, zijn vriendin Tami, de hond Teddy in een Packard en Maria en Remarque in zijn Lancia. Hoewel ze dezelfde route namen, verloren ze elkaar uit het oog omdat de motor van de Lancia op de bergachtige weg bij Cannes begon te sputteren. Vanwege de mobilisatie was het moeilijk onderweg een hotel te boeken maar Remarque vond twee kamers waar ze de nacht doorbrachten. De volgende dag bereikten ze midden in de nacht Parijs. De lichtstad was met het oog op eventuele vijandelijke bombardementen volledig in het duister gehuld. Bioscopen en theaters waren verplicht om 20.30 hun deuren te sluiten. De volgende dag reden ze naar Cherbourg waar ze Sieber en Tami en Maria's hond Teddy troffen. Remarque stalde zijn Lancia in een garage, waarna ze zich inscheepten. Doordat er veel meer passagiers geboekt waren dan bij een normale overtocht, stonden er zelfs op het dek veldbedden.

Op 3 september, de dag dat het schip aanmeerde in het dok van Southampton verklaarden Frankrijk en Groot-Brittannië de oorlog aan Duitsland.

Tijdens de overtocht was Remarque depressief. Hij beseft maar al te goed dat hij nu een vluchteling was en een onzekere toekomst tegemoet ging in een vreemd land. Zijn prachtige villa vol kunstschatten aan het Lago Maggiore had hij moeten achtergelaten aan de zorg van een huishoudster en een tuinman, zijn Lancia aan een Franse garagehouder. Zou hij zijn bezittingen nog ooit terugzien? Hij was bang dat in het geval dat Mussolini Zwitserland zou binnenvallen, zijn eigendommen geconfisqueerd zouden worden. In zijn dagboek beschreef hij zijn tweestrijd. Had hij wel moeten gaan? Zijn enige drijfveer was Marlene niet te willen verliezen.

Voor zijn vertrek was hij uit loyaliteit, zeer tegen de wil van Marlene, hertrouwd met zijn ex-vrouw Jutta, die hierdoor eveneens de Panamese nationaliteit kreeg en in het geval van een Duitse inval naar Amerika zou kunnen uitwijken. Hoewel ze hem in het verleden had bedrogen, voelde hij zich toch schuldig haar te hebben achtergelaten. Bij zijn vertrek had hij haar aangeraden in Biarritz, vlak bij de Spaanse grens, te wachten tot hij de overtocht naar Amerika voor haar geregeld zou hebben. Toen ze later alsnog de reis kon ondernemen, werd ze echter geïnterneerd op Ellis Island. Remarque voelde zich daardoor verplicht een advocaat in de arm nemen, die ervoor moest zorgen dat ze naar Mexico kon reizen om daar alsnog de aanvraag van een visum in werking te zetten.

Vanwege de oorlogsverklaring aan Duitsland, voer de *Queen Mary* een zigzagroute uit angst voor eventuele vijandelijke onderzeeboten en werd begeleid door oorlogsschepen. Aan boord van het schip bevonden zich zowaar ook komiek Bob Hope en zijn echtgenote, die familie in Engeland hadden bezocht.

De overtocht verliep voorspoedig. In zijn hotel in New York kreeg Remarque een telefoontje van Marlene, die tot zijn ergernis alleen maar over zichzelf en haar kleine problemen sprak en nauwelijks enige interesse toonde in zijn gemoedstoestand. Toen ze later weer belde, liep de conversatie uit op een twistgesprek. De volgende dag belde Von Sternberg opgetogen over het uitbreken van de oorlog omdat dat had geleid tot hun aller hereniging. In zijn dagboek schreef pacifist Remarque: 'Ik kon er wel van kotsen.'

Na een treinreis die dagen duurde kwam Remarque in Hollywood aan, waar Marlene een ruime bungalow voor hem had gehuurd op het terrein van het Beverly Hills Hotel. Zelf bewoonde ze een kleinere pal achter de zijne.

Niet lang daarna kwam hij tot de ontdekking dat Marlene weer eens verliefd was, dit keer op haar tegenspeler James Stewart, die ze aanvankelijk een bonenstaak noemde, maar al vanaf de eerste draaidag haar bed bleek te delen. De lange, slungelachtige Stewart had dat jaar grote opgang gemaakt met *It's a wonderfull World* en *Mr. Smith goes to Washington*, beide onder regie van Frank Capra.

De zeven jaar jongere Stewart was een totaal andere man dan de intellectuele Remarque. Zijn enige 'literaire interesse' ging uit naar de stripverhalen van Flash Gordon. Hij was geboren in Indiana, een provinciestad in Pennsylvenia, waar zijn ouders een gereedschapswinkel dreven. Vrijgezel Stewart had al een paar affaires achter de rug met de eveneens acht jaar oudere Norma Shearer en met danseres-actrice Ginger Rogers.

Hij was een acteur met een aparte spraak- en acteerstijl. Voor Marlenes komst werd hij veel gezien met de lieftallige Olivia de Havilland, die een jaar daarvoor de rol van Melanie in het succesvolle massa-epos *Gone with the Wind* had gespeeld. In haar memoires schrijft Marlene over Stewart: 'Zelfs als hij een liefdesscène moest spelen, deed hij dat alsof hij een schoen aan had maar de andere niet kon vinden. Ik zei hem eens dat hij er precies zo uitzag, waarop hij niets dan "Huh??" kon zeggen. Hij had weinig gevoel voor humor.'

Ofschoon Marlene aanvankelijk niet open was over haar relatie met Stewart, was Remarque intelligent genoeg om lont te ruiken. Hij begon regelmatig op de set te verschijnen, tot groot verdriet van regisseur George Marshall, die vond dat hij Marlene uit haar concentratie haalde. Toen hij haar daarover aansprak, antwoordde ze dat het niet haar zaak was. Remarque begon zich tevens ongevraagd met de opnamen te bemoeien en suggesties aan te dragen om scènes te herschrijven. Nadat Marshall daarover zijn beklag had gedaan bij producent Pasternak werd Remarque uiteindelijk de toegang tot de set ontzegd.

De boot was helemaal aan toen Remarque in Marlenes bungalow een boeket bloemen zag staan bij een foto van Stewart.

Marlenes dochter Maria schrijft in haar boek dat haar moeder nooit voorbehoedsmiddelen gebruikte, maar na een seksueel contact altijd naar de badkamer verdween voor een soort van preventieve wassing met water en azijn met het doel om een eventuele zwangerschap te vermijden. Desondanks was het in het geval van Stewart de eerste keer al raak. Toen Stewart daarvan op de hoogte werd gebracht, drong hij aan op een abortus. De verhouding kwam daarna algauw tot stilstand en Stewart knoopte weer nauwe banden aan met de zedige Olivia de Havilland, die een tegenpool was van de wereldse, mondaine Marlene.

Misschien was juist die vurige romance tussen Marlene en James Stewart mede oorzaak van het enorm succes van *Destry rides again*. De rol van de saloonzangeres Frenchy was inderdaad Marlene op het lijf geschreven. Pasternak had de uit Duitsland gevluchte componist Friedrich Holländer, bekend van de liedjes voor *Der blaue Engel*, gevraagd ook de songs voor *Destry rides again* te componeren en laten voorzien van teksten door Frank Loesser. Marlene zingt in de film drie liedjes waarvan *The Boys in the Backroom* later bij haar theateroptreden deel ging uitmaken van haar repertoire. Een van de sensationeelste scènes uit de film is een realistische vechtpartij tussen Frenchy (Marlene) en huisvrouw Lilybelle Callahan (Una Merkel) waarbij het er hard aan toe gaat.

Destry Rides Again werd voor Marlene behalve een ware triomf, ook een enorme comeback. *Variety* zag de rol van de keiharde saloonmeid met een hart van goud als een keerpunt in haar carrière: 'De rol geeft haar de kans om flair en komische talent te tonen. Haar Frenchy is onstuimig, wild, levendig, ondeugend en in een woord geweldig.'

Eén scène werd door de censuur verboden. Als Frenchy tijdens het pokeren heeft gewonnen, laat ze de geldstukken in haar decolleté zakken met de woorden: 'Er zit een boel goud tussen deze heuvels.'

Toen Stewart zich in 1940, na het uitbreken van de oorlog, aanmeldde bij de Amerikaanse luchtmacht, werd hij afgekeurd omdat hij te licht van gewicht was. Na een flinke proteïne kuur lukte het hem een jaar later wel. Hij werd naderhand gestationeerd in Engeland, waar hij als piloot deelnam aan de bombardementen op de Duitse steden Bremen en Berlijn.

Twaalf jaar na *Destry Rides Again* zou Marlene Stewart terugzien doordat ze beiden waren gecontracteerd voor de Engelse film *No Highway in the Sky*.

De eeuwige vrijgezel Stewart was in 1949 op zijn 41ste getrouwd met Gloria, een gescheiden vrouw met twee kleine kinderen.

De rol van glamouractrice was Marlene op het lijf geschreven en ze zag er gekleed door Dior weliswaar fantastisch uit. Helaas was de chemie tussen de beide spelers volledig verdwenen en de langdradige film werd dan ook een enorme flop.

De Franse nederlaag

Na de algehele mobilisatie verscheen Jean Gabin op de filmset van *Remorques* in zijn kostuum van bootsman van de marine met zijn oproep op zak om zich in de haven van Cherbourg te melden. Het afscheid was moeilijk omdat tijdens de opnamen van de film de liefde tussen Michèle Morgan en Jean weer hoog was opgelaaid. Terwijl anderhalfjaar daarvoor, tijdens opnames van *Quai des Brumes* het bij een prille verliefdheid was gebleven, was er nu een hechte verhouding ontstaan. Michèle was niet meer gebonden door een verloving en Jean had inmiddels de scheiding van Doriane aangevraagd.

Hoewel hij was opgeroepen onder zijn eigen naam Jean Moncorgé, was het onmogelijk zijn anonimiteit te bewaren en algauw werd hij herkend als Jean Gabin. Evenals op de filmset vertoonde hij ook aan boord geen sterallures en was onder de andere mariniers zeer gezien. De legerleiding probeerde hem te strikken voor het troepenamusement en hoewel een aantal collega's zich wel beschikbaar had gesteld, ging Jean niet op het voorstel in. Hij was duidelijk niet in stemming om op te treden, zijn gedachten waren in Parijs bij Michèle.

In een bioscoop zag hij in het Pathé journaal beelden van Maurice Chevalier en Joséphine Baker die optraden voor de aan de Marginotlinie gelegen strijdkrachten.

Ofschoon op 3 september de oorlog was verklaard, gebeurde er verder niets. Jean verveelde zich dan ook stierlijk op het schip dat de meeste tijd dicht bij de haven voor anker lag. Zoals zovelen Fransen begreep ook hij niet waarom men wel Duitsland de oorlog had verklaard maar er geen enkele militaire actie werd ondernomen. Algauw sprak men over de *Drôle de guerre* (merkwaardige oorlog). Niemand begreep de reden van de oorlogsverklaring, de Duitsers waren immers niet Frankrijk maar Polen binnengevallen. Steeds meer hoorde men de kreet: 'Waarom sterven voor Danzig?'

Doordat regisseur Jean Grémillon in mei 1940 toestemming kreeg om *Remorques* af te maken, wist hij in overleg met het ministerie van Oorlog gedaan te krijgen dat Gabin in Parijs zijn werk mocht hervatten. Jean was dolblij Michèle terug te zien maar helaas werd het weerzien enigszins overschaduwd door de gedachte dat het oorlogsgeweld elke dag zou kunnen losbarsten. Ze probeerden er niet aan te denken en genoten met volle teugen van elkaars aanwezigheid. Na de opnames bezochten ze restaurants en dancings en brachten samen de nacht door.

Maar plotseling barstte de bom. Op tien mei 1940 om half vier in de ochtend viel het Duitse leger zonder oorlogsverklaring Nederland binnen. De koningin, haar familie en het kabinet weken, gezien de hopeloze situatie drie dagen later uit naar Engeland. Het leger moest capituleren nadat Görings *Luftwaffe* op 14 mei een deel van Rotterdam in een puinhoop had veranderd, waarbij vele doden vielen en duizenden mensen dakloos werden. Ook België en Luxemburg werden binnengevallen.

In Frankrijk bleven de oorlogsvoorbereidingen voornamelijk beperkt tot de oostgrens, waar de Fransen zich hadden verschanst achter de Marginotlinie en de Duitsers achter de Westwall. De Fransen konden daarbij gebruikmaken van de forten die de Duitsers hadden gebouwd nadat ze in 1870 de Elzas hadden geannexeerd maar die, na de Duitse nederlaag van 1918, zich weer op Frans grondgebied bevonden. Er heerste chaos omdat de kazernes veel te klein waren om alle opgeroepen manschappen te huisvesten.

Acteur Jean Louis Barrault vertelt in zijn memoires dat hij op de weg naar Strasbourg werd geconfronteerd met rijen burgers die zich in westelijke richting verplaatsten. Ze zeulden karren met zich mee vol matrassen, huisraad en keukengerei, fietsen met daarachter het vee. In de stad wemelde het van kadavers van honden die door hun bezitters waren gedood. Aan de andere zijde van de Rijn hadden de Duitsers een spandoek geplaatst met de tekst: 'Elzassers schiet niet op uw broeders!' Na de oorlogsverklaring van Frankrijk bleef het rustig. De Duitsers waren duidelijk niet van plan om via de Elzas Frankrijk binnen te vallen, ze waren immers al ver in België doorgedrongen. Maar later viel ook de Elzas in handen van de Duitsers.

Het Belgische parlement wilde dat koning Leopold zich in zijn functie als bevelhebber van het leger met zijn troepen zou terugtrekken in Noord-Frankrijk om zich aan te sluiten bij de in Duinkerken gelegerde Engelse troepen. De bedoeling was gezamenlijk de Duitse opmars te stoppen zodat het Franse leger tijd zou hebben zich te hergroeperen en naar het noorden op te rukken. Maar koning Leopold wilde geen bloed meer vergieten en gaf op 27 mei het leger de

Jean Marais.

opdracht te capituleren. De in Duinkerken in het nauw gedreven Britse troepen konden op het laatste moment nog net de overtocht naar Engeland maken
mede met hulp van Franse en Engelse vissersboten en plezierjachten. Door de
capitulatie van de Belgen konden de Duitse troepen nu vanuit het noordwes-
ten binnenvallen en ondervonden nauwelijks weerstand.

Het zou een ongelijke strijd worden. Terwijl de Duitse krijgsmacht grotendeels uit jonge, gemotiveerde strategen bestond, werd het chaotische Franse
leger geleid door oude generaals die wel hun sporen hadden verdiend gedurende de Eerste Wereldoorlog, maar wier oorlogvoering volledig uit de tijd was.

Ook acteur Jean Marais was opgeroepen voor militaire dienst. Hij kreeg het
bevel zich met een telefooninstallatie boven in de kerktoren van Roye te vestigen. Als vliegtuigspotter moest hij vijandelijke toestellen telefonisch melden.
Maar helaas kon de arme jongen nauwelijks Franse, Engelse of Duitse vliegtuigen van elkaar onderscheiden. Bovendien was hij bijziend. Hij installeerde er

zich op de bovenste etage van de zestig meter hoge toren waarvan de klok elk kwartier sloeg. Marais bracht zijn tijd door met zonnebaden en het luisteren naar een van de eerste peperdure transistorradio's. Om zich af en toe toch verdienstelijk te maken, meldde hij soms midden in de nacht een Duits toestel te hebben waargenomen. Toen hij op een dag naar beneden ging om te douchen in het plaatselijke badhuis zag dat een groot aantal bepakte en bezakte inwoners die op de vlucht sloegen omdat de Duitsers het dichtbij gelegen Ham al hadden ingenomen. Op een moment dat hij spiernaakt lag te zonnen, kwamen er plotseling wel Duitse vliegtuigen over, die rond de toren bombardementen uitvoerden. Een aantal huizen werd platgebombardeerd maar de toren werd niet geraakt. Omdat de telefoonverbinding niet meer werkte, spoedde hij zich op de fiets naar zijn legeronderdeel waar hij van een officier bevel kreeg terug te gaan naar de toren. Hij werd daarna duidelijk vergeten en zou pas later met terugtrekkende Franse troepen het gebied kunnen verlaten.

Op 14 juni hadden de Duitsers het Franse front bij Sedan doorbroken. Ondanks dat pers en radio optimistisch bleven, gonsde het spoedig van geruchten dat het helemaal niet zo goed zou gaan. De voedselvoorziening werd moeilijk, winkels sloten en enkele voorzichtige mensen verlieten al de hoofdstad.

Naarmate de Duitsers oprukten, ontstond er een grote trek van vluchtende burgers naar het zuiden waarvan het Franse troepenvervoer enorm veel hinder ondervond doordat wegen verstopt raakten. Parijs was een open stad geworden waaruit velen een goed heenkomen zochten. De straten waren verlaten en de rolluiken waren gesloten en zelfs de regering had de stad verlaten.

Niet lang daarna trok onder het geluid van motoren en stampende laarzen het Duitse leger over de verlaten Champs Élysées. De Parijzenaars die waren gebleven, bespiedden hen vanachter hun gordijnen.

Voor automobilisten die niet op tijd waren vertrokken, begon het gevecht om brandstof. De meeste benzinestatons waren niet meer in gebruik en degene die nog wel geopend waren, sloegen hun slag door de literprijs drastisch te verhogen. Vanuit de stations reden overvolle treinen naar het zuiden.

Degenen die nog een treinkaartje hadden kunnen bemachtigen, stonden gedurende de urenlange tocht opgepakt als haringen in een ton, wat leidde tot irritaties en ruzies.

Doordat Jean Gabin zijn onderdeel in de haven van Cherbourg niet meer kon bereiken omdat Duitse tanks al over de Seine waren getrokken en zodoende de weg naar Cotentin hadden afgesloten, nam hij het besluit naar het zuiden te reizen.

Hij raadde Michèle aan naar haar ouders in La Baule te gaan. Het afscheid was treurig omdat ze beiden moeten hebben aangevoeld dat de oorlog het einde van hun liefdesrelatie zou betekenen.

Op dezelfde dag dat Michèle vertrok, reed Gabin in zijn Buick naar zijn huis aan de rue Maspéro. Omdat de scheiding van Doriane nog in behandeling was, waren ze op papier nog steeds getrouwd. Na een aantal waardevolle zaken afgegeven te hebben in de garage van een vriend reed hij terug naar huis om wat papieren en andere zaken op te halen, waaronder zijn accordeon. Daar trof hij een huilende Doriane aan, die hem smeekte haar mee te nemen naar het zuiden. Hoewel met tegenzin gaf hij uiteindelijk gehoor aan haar gefleem. Het zou een gevaarlijke en moeizame reis worden over overvolle wegen waar enorme files ontstonden. Uit tegenovergestelde richting reden militaire colonnes naar het noorden. Ze hadden opdracht de ss-troepen aan de Loire te verhinderen op te rukken naar het zuiden. Daarbij werden bruggen opgeblazen waardoor ook de vluchtelingen die te laat waren vertrokken, niet meer verder konden. Voor hen zat er niets anders op dan terug te keren naar Parijs. Op hun terugweg werden ze geconfronteerd met marcherende en zingende colonnes Duitse soldaten met hun grote kanonnen en pantserwagens.

Degenen die wel op tijd de reis ondernamen, moesten soms dekking zoeken in de greppels naast de weg omdat zowel militairen als burgers beschoten werden vanuit laag overvliegende Italiaanse gevechtsvliegtuigen.

Evenals de meeste vluchtelingen werden ook Jean en Doriane geplaagd door de zon, die meedogenloos op het dak van de auto scheen, waardoor de temperatuur in de auto het kookpunt bereikte. Daarbij kwam de angst voor de vijandelijke luchtartillerie. Algauw ontstonden er irritaties waarbij er veel oud zeer en verwijten naar boven kwamen. Jean moest zijn ogen geconcentreerd op de weg houden want door afgevuurde projectielen waren soms stukken wegdek dusdanig beschadigde dat er gevaarlijke kuilen en gaten waren ontstaan. Langs de weg stonden veel overbeladen auto's waarvan de motor het had begeven. Bij al die misère moest Jean constant het gezeur en geweeklaag van Doriane aanhoren: 'Als we eerder waren vertrokken, hadden we al veel verder geweest.' Toen ze na uren rijden met een slakkengangetje Limoges waren gepasseerd, ging het wat sneller, totdat er op de weg naar Toulouse weer opstoppingen ontstonden. Naarmate de reis steeds meer vertraging opliep, daalde de stemming in de auto tot ver onder het nulpunt. Hysterisch overlaadde Doriane Jean met verwijten waarbij hij op een gegeven moment haar gezanik meer dan beu werd. Hij parkeerde abrupt de auto in de berm en stapte uit, smeet het portier dicht en schreeuwde: 'Ik ben het meer dan zat. Ik wil je nooit meer zien. Neem de auto en alles wat je wilt maar verdwijn voor altijd uit mijn leven.' Hij pakte zijn accordeon en een koffer uit de laadbak en begon het laatste traject naar Toulouse te voet af te leggen, de verblufte Doriane alleen achterlatend in de auto. Hij hoorde haar gekrijs maar naarmate de afstand groter werd verstomde langzaam haar stem. Ondanks de vermoeiende voettocht in de brandende zon voelde Jean zich toch opgelucht, hij had het gevoel verlost te zijn van een enorme last. Het lopen in de hitte met zijn bagage viel niet mee maar doordat hij altijd veel had gesport, was zijn conditie uitstekend. Bij aankomst in Toulouse begaf hij zich na zijn dorst te hebben gelest, naar het station waar hij de trein naar Nice nam om vandaar per bus verder te reizen naar Saint-Jean-Cap-Ferrat. Daar vond hij onderdak bij vrienden.

Hoewel generaal De Gaulle, staatssecretaris van Oorlog, naar Londen was gereisd om te praten over een gezamenlijke staatsverband met Engeland, zag het Franse parlement dat niet meer zitten.

De oude generaal Pétain vroeg een wapenstilstand aan. Op 17 juni 1940 sprak hij over de radio het Franse volk toe: (...) 'Met de steun van mijn oudstrijders, waarvan ik de eer had commandant te zijn, met het vertrouwen van het gehele volk, zet ik mij persoonlijk in om hun leed te verzachten. In deze pijnlijke tijd denk ik aan ongelukkige vluchtelingen die onder uiterst moeilijke omstandigheden onze wegen doorkruisen. Ik druk hierbij mijn compassie en medeleven uit.'

Op 21 juni werd in het vroegere treinstel van maarschalk Foch, dat zich bevond in het bos van Compiègne, de wapenstilstand bekrachtigd. De Duitsers kozen voor die trein omdat daar na de nederlaag van de Duitse troepen in 1918 de overgave was ondertekend.

Twee dagen later bezocht Hitler voor dag en dauw Parijs om de monumenten van de Franse hoofdstad te kunnen bezichtigen. In de Parijse Opera liet hij zich rondleiden door de directeur, de van oorsprong Russische danser Serge Lifar. Bij dat bezoek verwonderde Hitler zich erover dat de presidentiële loge zich niet tegenover het toneel, maar aan de zijkant bevond.

De Duitsers annexeerden de Elzas en verdeelden Frankrijk in twee zones. Het noorden met Parijs werd bezet en het zuiden, behalve het Atlantische kust-

Maarschalk Pétain.

gedeelte, werd uitgeroepen tot vrije zone waarbij de regering, gevestigd in het Hôtel du Parc Vichy, onder leiding van maarschalk Pétain volmachten kreeg.

Vanuit Londen poogde generaal De Gaulle en zijn groep Vrije Fransen zowel de Duitse bezetters als de Vichyregering te bestrijden. Er schaarden zich aanvankelijk weinig Franse politici aan zijn zijde. Linkse politici wantrouwden zijn politieke ideeën en de gouverneurs van de koloniën bleven trouw aan de Vichyregering.

Enkele dagen voor de wapenstilstand had generaal De Gaulle het Franse volk nog vanuit Londen via de BBC-radio toegesproken: 'We hebben wel een strijd verloren, maar niet de oorlog.' Zijn woorden maakten op de Fransen weinig indruk, hun hoop was gevestigd op de oude maarschalk Pétain, held uit de Eerste Wereldoorlog die in 1916 bij Verdun het Duitse leger, onder aanvoering van de Duitse kroonprins, had verslagen en de moraal onder de Franse strijdkrachten had hersteld.

Zonder dat de Duitsers erom hadden gevraagd, vaardigde de Vichyregering op 25 augustus 1940 het Statut des Juifs uit; een kopie van de Neurenbergse rassenwetten. Joden werden buiten de wet gesteld en hun werd verboden overheidsfuncties te vervullen of werkzaam te zijn bij pers, radio en film.

De uitgeweken Franse vloot, in Toulon voor anker, week uit naar Mers-el-Kébir, een haven vlak bij Oran. De Engelsen vreesden dat de schepen in handen van de Duitsers zouden vallen.

Toen een Engels eskader om die reden de Fransen verzocht dit smaldeel naar Engeland te volgen, ging de Franse admiraal niet in op dat verzoek, maar volgde de orders uit Vichy. Toen de Fransen na een Engels ultimatum bleven weigeren aan deze eis te voldoen, gaf Churchill bevel de Franse vloot te bombarderen. Dertienhonderd Franse matrozen vonden hierbij de dood.

Het gebeuren was een onverwachte meevaller voor Goebbels. Onmiddellijk verschenen overal in Frankrijk op de muren affiches met de afbeelding van een wanhopige zeeman die in de haven van Oran aan het verdrinken is terwijl hij de driekleur nog krampachtig omhoog houdt.

Jean Gabin had het geluk gespaard te blijven voor zo'n afschuwelijke dood. Maar deze actie van bondgenoot Engeland zette veel kwaad bloed bij de Franse bevolking en versterkte ontegenzeggelijk Pétains positie.

Het zou niet de enige omstreden actie van de Engelsen zijn. In het kader van moderne oorlogsvoering bombardeerde de RAF op 3 maart 1942 de Renaultfabrieken te Boulogne-Billancourt, die werkten voor de Duitse wapenindustrie. Bij deze bombardementen vielen 623 doden en raakten vijftienhonderd werknemers gewond.

De weg naar de vrijheid

Op de vlucht voor de Duitse troepen hadden veel Franse acteurs Parijs verlaten. Ze waren neergestreken aan de Côte d'Azur. Om in het onderhoud te voorzien vormden ze toneelgroepen waarmee ze in de provincie optraden. Zo kon het gebeuren dat de stadsomroeper van Cannes aankondigde dat er 's avonds een komedie zou worden opgevoerd door Claude Dauphin, Gaby Morlay en Louis Jouvet, grote sterren die de inwoners uitsluitend kenden van het witte doek. Het was dan ook een sensatie hen in levenden lijve te zien en de voorstellingen trokken dan ook veel bezoekers. Er was geen werk voor iedereen en het kwam voor dat gerenommeerde acteurs zich uit financiële noodzaak verplicht zagen mee te werken aan hoorspelen bij lokale radiozenders.

Ook Edith Piaf bevond zich in Toulouse. Ze was haar minnaar zanger (later acteur) Paul Meurisse gevolgd toen deze tijdens de mobilisatie werd opgeroepen zich te melden bij zijn cavalerieregiment in Agen. Ze maakten daar zowel de wapenstilstand als de demobilisatie mee, dus niet de intocht van de Duitsers in Parijs zoals Piafs zogenaamde halfzuster Simone Berteaut in haar boek beweert. Een uit Parijs gevluchte impresario boekte hen om veertien dagen gedurende de pauze in een bioscoop te zingen. Het werd zo'n succes dat ze een tournee gingen maken om ook in de andere steden van de regio op te kunnen optreden.

In Marseille speelde in het Variétés-Casino de populaire komiek Fernandel in de operette *Hugues*, in de stedelijke opera schitterde Joséphine Baker in *La Créole* en in het Capitole speelde de populaire Raimu in het stuk l'*Huissier du Maréchal*, een patriottische ode aan generaal Pétain, held van de slag bij Verdun. Toen aan het einde van het stuk het doek viel, lieten vrouwen en oud-strijders onder gesnik hun tranen de vrije loop. Na een moment van stilte barstte daarna een oorverdovend applaus los. Uit die overweldigende bijval bleek overduidelijk dat Pétain door de meerderheid van de Franse bevolking nog steeds op handen werd gedragen. Zijn collaboratie met de Duitsers en het ongevraagd aannemen van de tegen de joden gerichte wetten hadden blijkbaar geen enkele invloed gehad op zijn populariteit, de oude maarschalk werd duidelijk nog steeds gezien als de redder van het vaderland. Saillant detail: Gérard Oury, een van de meespelende acteurs aan deze ode aan Pétain heette eigenlijk Tannenbaum en was een volbloed jood.

Onder de uitgeweken acteurs die zich hadden verzameld in de vrije zone, bevond zich ook de jonge Jean-Pierre Aumont. Hij speelde naast Robert Lynen en een aantal andere befaamde acteurs een rol in het stuk *Trois et une*, waarmee de groep een tournee maakte langs de zuidelijke steden.

De knappe Aumont, zoon van een joodse warenhuiseigenaar, heette eigenlijk Jean-Pierre Salomons. Na een paar weinig opzienbarende films was hij in 1934 onder regie van Marc Allégret doorgebroken met *Lac de dames*. Aanvankelijk had men voor de rol van een atletische gebouwde zwemleraar Hollywoods *Tarzan* Johnny Weissmuller in gedachte maar die kreeg van de filmmaatschappij waar hij onder contract stond geen toestemming. Op zoek naar een andere gespierde acteur werd een auditie gehouden waarbij de kandidaten voor de rol zich moesten ontkleden. Aumont werd uiteindelijk uitgekozen omdat zijn fysieke kwaliteit niet onderdeed voor die van Tarzan. *Lac de dames* werd zijn doorbraak als filmacteur.

Ook Aumont had het geluk dat het Statut des Juifs vanwege de chaotische toestand in het zuiden, nog niet volledig werd nageleefd. Bijkomend voordeel was dat men zijn ware naam niet kende. Gedurende zijn verblijf wist hij een visum voor Honduras te bemachtigen met een transitvergunning voor New York. Evenals de meeste vluchtelingen moest hij voor de overtocht eerst naar Lissabon reizen om zich daar in te schepen.

Een andere vluchteling die wist te ontkomen aan de handen van de nazi's was de talentvolle acteur Marcel Dalio. Hij was geboren als Israël Mosche Blauschildt en van joods-Roemeense origine. Hij was evenals zijn boezemvriend Jean Gabin, zijn carrière begonnen bij revues en cabarets. Naast Gabin had hij karakterrollen gespeeld in *Pépé le Moko* en *La Grande Illusion*. Dalio was een meester in het vertolken van onsympathieke, louche figuren. De rechtse antisemitische pers had hem al voor de komst van de nazi's beschimpt vanwege zijn joodse uiterlijk. Na zijn vlucht uit het bezette Parijs zou hij zijn ouders nooit meer terug zien: zijn oude moeder, die conciërge was van een flatgebouw, werd verraden en gearresteerd en zijn vader werd op straat door de Gestapo aangehouden. Beiden kwamen om in een concentratiekamp. Dalio,

Edith Piaf.

Jean-Pierre Aumont.

Paul Meurisse.

René Clair.

die via Biarritz Portugal wist te bereiken zou in Amerika een aardige carrière opbouwen met het spelen van bijrollen in Hollywoodfilms.

Ook regisseurs Max Ophuls, Julien Duvivier, Jean Renoir en Réné Clair wisten te ontkomen aan vervolging en een verblijfs- en werkvergunning in Amerika te bemachtigen.

Afgezien van Max Ophuls was geen van hen joods, behalve René Clairs echtgenote Bronia Perlmutter. De familie Perlmutter, afkomstig uit Brest-Litovsk, was gedurende de Eerste Wereldoorlog gevlucht naar Nederland en in 1921 naar Frankrijk verhuisd, waar de zusters Tylia en Bronia poseerden als schildersmodel en Bronia enkele figurantenrolletjes in films speelde. Het echtpaar Clair en hun zoon reisden door naar Portugal, waar ze zich inscheepten voor de reis naar Amerika. In september 1940 kwamen ze aan in Los Angeles.

Volgens Bronia zou Goebbels Réné Clair een telegram hebben gestuurd waarin hij getracht zou hebben hem te bewegen naar Frankrijk terug te keren. Hij bood hem de supervisie over de Franse film aan en garandeerde de veiligheid van zijn vrouw en zoon. In oktober werd door de Vichyregering aan dertig personen de Franse nationaliteit ontnomen onder wie Réné Clair. Zowel zijn appartement in Neuilly als zijn villa in Saint-Tropez werd geconfisqueerd. Hoewel Amerikaanse vrienden hem aanraadden de Amerikaanse nationaliteit aan te vragen, weigerde Clair omdat hij dat, vanwege de bezetting van zijn vaderland door een vreemde macht, als verraad zag. Renoir en acteur Charles Boyer hadden minder moeite met het aanvragen van het Amerikaanse staatsburgerschap.

Renoir had in 1937 voor de communistische partij de lange avondvullende documentaire *La vie est à nous* gemaakt. In deze propagandafilm beschuldigde hij de vermogende, machtige rechtse Franse families ervan de natuurlijke rijkdom van het land te misbruiken. Ook gaf hij hun de schuld van de armoede onder arbeiderbevolking en attaqueerde het reactionaire fascistische *Croix de Feu*. Renoir had in zijn film, tijdens een toespraak van Hitler, de dictators stem vervangen door het geblaf van een hond. Ook andere van zijn films als *La crime de Monsieur Lange* en *La Marseillaise*, waren de nazi's zeker niet welgevallig. Bovendien had hij zich in een aantal artikelen negatief uitgelaten over het Derde Rijk.

Om de wraak van de nazi's te ontlopen, dook hij onder in een gehucht in Midden-Frankrijk. Daar vond hij met de zoon van de beroemde schilder Paul Cézanne en zijn familie, onderdak in een boerenschuur, waar ze in het hooi sliepen. Een vriend, die zijn adres wist, stuurde hem een brief van de Amerikaanse cineast Robert Flaherty, die zich bezorgd had gemaakt over Renoirs vijandelijke houding tegenover Hitler en hem meedeelde dat in het Amerikaanse consulaat in Nice een visum voor hem gereed lag.

Jean Renoir en zijn vrouw wachtten op een uitreisvergunning in Les Colettes, het voormalige landgoed van zijn vader de beroemde Franse impressionist Auguste Renoir, dat na diens dood was geërfd door Renoirs oudste broer Claude. Ambtenaren talmden echter met het overhandigen van het document dat nodig was om het land te mogen verlaten. Ondanks zijn vijandige houding ten opzichte van de nazi's kreeg hij van de Vichyregering het verzoek om in het 'nieuwe Frankrijk' zijn werk te hervatten. Maar Renoir realiseerde zich maar al te goed dat hij dan niet vrij zou kunnen werken. Gelukkig kwamen kort daarop de uitreisvisa los, waarna hij met zijn vrouw Dido per boot naar Algerije vertrok. Vandaaruit reisde ze via Marokko naar Lissabon, waar ze konden boeken op het schip *Siboney* met bestemming Jersey City.

Ook de joodse Max Ophuls wist te ontsnappen. Hij had, omdat hij in het na de Eerste Wereldoorlog in het door de Fransen bezette Saarland woonde, een Franse pas weten te bemachtigen. Omdat hij in op Duitsland gerichte radioprogramma's fel had uitgehaald naar de nazi's, stond hij bovenaan de zwarte lijst van de Gestapo. Hij had in geval van arrestatie zeker de dood in een vernietigingskamp tegemoetgegaan.

Via van de Franse actrice Madeleine Ozeray, met wie hij een intieme relatie onderhield, wist hij een vergunning te verkrijgen om voor een engagement naar Zürich te reizen. Vandaar zond hij een golf van brieven naar allerlei instanties om een verblijfsvergunning te bemachtigen voor Amerika. De vanuit Duitsland geëmigreerde agent Paul Kohner benaderde zelf president Roosevelt. Uiteindelijk kreeg hij een bezoekersvisum. Van een menslievende beambte in een klein plaatsje wist hij uiteindelijk ook een uitreisvergunning te verkrijgen. Vanuit Marseille reisde hij met zijn vrouw en zoon over Madrid naar Lissabon, vanwaar hij met de *Excambion* de overtocht naar New York kon maken.

De Duitsers begonnen steeds meer druk uit te oefenen op de Vichyregering om het verstrekken van uitreisvergunningen te bemoeilijken. Ze hoopten daardoor alsnog een aantal politieke tegenstanders in handen te krijgen. Men kwam uitsluitend in aanmerking als men kon aantonen dat men voor werk naar het buitenland ging en niet voorkwam op de lijsten van de Gestapo.

Acteur Louis Jouvet wist voor zijn toneelgezelschap een vergunning te verkrijgen voor een tournee door Zwitserland. Hij was daarna zo slim niet terug te keren naar Frankrijk, maar met zijn hele groep uit te wijken naar Zuid-Amerika. Pas vier jaar later kwam hij terug naar het bevrijde Frankrijk.

Degenen die niet over deze zogenaamde *sauf conduit* beschikten, waagden soms de tocht over smalle gevaarlijke kronkelpaadjes door de Pyreneeën. De aan de Amerikaanse ambassade verbonden Varian Fry, leider van het Emergency Rescue Committee, had contact met gidsen die de weg door het onherbergzame Pyreneeën-district op hun duimpje kenden en vluchtelingen over de grens naar Spanje wisten te loodsen. Dikwijls betrof het hier schaapherders die alle sluiproutes kenden. Ook Heinrich Mann en zijn echtgenote, Franz Werfel en Alma Mahler-Werfel en Golo Mann bereikten dodelijk vermoeid, verpauperd en gehavend door stekelige distels de vrijheid.

De communistische agitator Willy Münzenberger, die zich na het Hitler-Stalinpact gekeerd had tegen de Sovjet-Unie, was Parijs ontvlucht. Hij had waarschijnlijk willen uitwijken naar Zwitserland. Op 20 november 1940 werd zijn lijk met een touw om zijn nek, gevonden in een bos bij St. Marcelin, op dertig kilometer van Grenoble. Zijn mysterieuze dood zou nooit opgehelderd worden: was het de Gestapo of waren het Stalin-agenten die hem vermoord hebben?

Jean Gabin bevond zich rond die periode in Saint-Jean-Cap-Ferrat, waar hij gastvrijheid genoot van zijn vriend chocoladefabrikant Claude Menier en diens echtgenote. Zijn enige bezit was zijn accordeon omdat hij zijn racefiets in Parijs had achtergelaten. Hij kocht een nieuwe, waarmee hij lange ritten maakte om fysiek in vorm te blijven. Ook speelde hij bij een seniorenelftal van de voetbalvereniging Olympique Nice.

Zijn vrouw Doriane had inmiddels een dorp in de Pyreneeën bereikt vanwaaruit ze een advertentie in *La Dépêche de Toulouse* liet plaatsen. Ze riep familieleden op contact met haar op te nemen. Jean las weliswaar de annonce maar voelde geen enkele behoefte om te reageren: de verhouding was wat hem betrof morsdood. Daarom schreef hij het gerechtshof in Parijs en verzocht de akte van scheidingsaanvrage naar Aix-en-Provence te sturen, zodat hij de zaak in werking zou kunnen zetten. Het zou echter een slepende kwestie blijven en nog jaren duren voordat de scheiding officieel werd.

Jeans gedachten gingen uit naar Michèle Morgan. Hij vroeg zich af waar ze zou zijn. Wat hij niet wist, was dat ze inmiddels naar het zuiden was gereisd en zich vlakbij in Cannes bevond.

Voor Michèle had haar plotselinge vertrek uit Parijs weinig weg van een vlucht, meer van een vakantie. Op het zonnige terras van het Grand Hotel ontmoette ze collega's van haar leeftijd. Samen genoten ze van het mooie weer, tennisten, zwommen en dansten zonder zich rekenschap te geven van de vele wanhopige vluchtelingen die in het hotel verbleven wachtend op visa en uitreisvergunningen. Maar ook Michèle voelde er niets voor terug te keren en besloot daarom het haar aangeboden contract met RKO te ondertekenen, wat haar de mogelijkheid gaf naar Amerika te vertrekken. Haar agent wist haar reispapieren te regelen. Ze zou de grens bij Port-Vendres over gaan en via Barcelona naar Lissabon reizen, waar ze met een boot de overtocht zou kunnen maken. Kort voor haar vertrek kreeg ze telefoon van Jean Gabin, die er door een krantenbericht achter was gekomen dat ze in Cannes verbleef en naar Amerika zou vertrekken. Doelend op Hollywoodster Greta Garbo grapte hij: 'Je zult wel blij zijn, want nu ga je Greta ontmoeten.' De volgende dag kwam hij naar Cannes, waar ze nog twee dagen samen doorbrachten. Op de dag van vertrek deed hij haar uitgeleide op het station Saint-Charles. Hij had bonbons en lectuur voor haar gekocht en haar geholpen de koffers in het bagagenet te zetten. Toen volgde het treurige afscheid dat Morgan als volgt beschreef:

'Nu staat hij op het perron, zijn hoofd opgeheven, ik hang uit het raam, lach en kijk naar hem. Het lijkt wel een filmscène maar het is onze eigen dialoog en we spelen hem met een brok in de keel... Niemand zou weten dat er tranen in onze ogen stonden. Jean bleef nog lang op het perron staan, het was mijn laatste blik van Frankrijk en van hem.'

Gabins vriend Raoul Ploquin, benoemd tot voorzitter van het organisatie-comité voor Franse films, drong er bij Jean op aan naar Parijs terug te komen en zijn filmwerk te hervatten. Ook de directie van Goebbels' Continental nam contact met hem op en vroeg hem rollen in hun filmprojecten te accepteren. Maar Gabin wees beide voorstellen pertinent van de hand. Hij had ervaren dat niet alleen in het bezette noorden de Duitse rassenwetten waren bekrachtigd, ook de Vichyregering had ze aangenomen. Dat stuitte hem danig tegen de borst omdat hij zijn doorbraak in de filmwereld te danken had aan joodse producenten en regisseurs.

Met in zijn achterhoofd een weerzien met Michèle, begon hij contact op te nemen met zijn Franse vrienden die hem voor waren gegaan en in Hollywood werk hadden gevonden. Ze wisten Darryl Zanuck, hoofd van Fox te overtuigen Jean een contract aan te bieden. Om zijn komst te bespoedigen werd het lange filmcontract als telegram verstuurd. Nu stond Gabin sterk om de ambtenaren van de Vichyregering te benaderen om de nodige papieren te verkrijgen.

Evenals in het geval Michèle Morgan kon men moeilijk weigeren omdat de Amerikaanse regering zich nog neutraal opstelde.

Om de uitreisvergunning te verkrijgen, ondernam Jean de reis naar Vichy staande in een overvolle trein. Tijdens een gesprek met Jean-Louis Tixier-Vignancourt kreeg hij toestemming om voor acht maanden naar Amerika te reizen op voorwaarde, dat hij zijn woord gaf om daarna terug te keren.

De tocht ging via Barcelona, waar hij bij de Amerikaanse ambassade zijn visum voor Amerika verkreeg. Daarna reisde hij via Madrid naar Lissabon, vanwaaruit hij de oversteek naar New York zou maken.

Lissabon

Madrid, tussenstation naar de vrijheid, droeg nog ontelbare sporen van de bloedige burgeroorlog. Met militaire steun en wapenleveranties van Hitler en Mussolini had Franco de stad uiteindelijk veroverd. Op 19 mei 1939 had de *Caudillo* een glorieuze entree gemaakt in de na lange strijd veroverde hoofdstad. Ter zijner ere werd de Avenida de la Castellana herdoopt in Avenida de Genéralisimo Franco.

Hoewel de burgeroorlog een half miljoen slachtoffers had geëist, weerhield het de dictator er niet van zijn kruistocht voor te zetten, waarbij nog eens duizenden tegenstanders stierven voor executiepelotons of in concentratiekampen en gevangenissen.

Door de jarenlange oorlog was er in Spanje een nijpend gebrek ontstaan aan voedsel, kleding, benzine en bouwmaterialen om de gehavende stad weer op te bouwen.

Bij zijn aankomst in Madrid zag Jean Gabin de zwaar beschadigde gevels die nog de sporen droegen van ingeslagen granaten en artillerievuur. Zelfs autobussen en trams zaten nog vol kogelgaten. De uit Duitsland uitgeweken joodse actrice Steffie Spira vergeleek in haar memoires de stad met een mooie vrouw die het slachtoffer was geworden van geweld. Uit angst was de bevolking niet mededeelzaam want tussen de mensen doken overal de Guardia Civil en de geheime politie op, die ook nauw samenwerkten met de Gestapo. De controle door het Franco-regime was beangstigend: vluchtelingen waren verplicht tal van documenten in te vullen en dagelijks hun verblijfsvergunning te laten verlengen. Toen schrijver Golo Mann, zoon van Thomas Mann, zich daarover bij de portier van het hotel beklaagde, kreeg hij het barse antwoord: 'U heeft geen reden tot klagen! Temeer daar jullie allemaal roden zijn!'

Toen Alma Mahler bij een Spaanse luchtvaartmaatschappij tickets probeerde te kopen, verliet ze het kantoor gillend van angst toen ze aan de muur grote portretten van Mussolini, Hitler en Franco ontwaarde.

Vanwege de voedselschaarste had Franco Duitsland verzocht te hulp te komen maar Göring ging niet in op dat verzoek. Het enige wat de Duitsers Spanje schonken, bestond uit ladingen religieuze beelden en symboliek die ze in Polen uit kerken hadden geroofd en de Spaanse kerken weer moesten opsieren omdat er gedurende de burgeroorlog veel was vernield en gestolen. De armoede en de psychische druk van de dictatuur waren voor vele vluchtelingen duidelijk voelbaar. Het was voor de reizigers dan ook een verademing toen ze na een reis door het woeste rode landschap, de groene bossen van Portugal passeerden om na een vermoeiende treinreis Lissabon te bereiken. Weliswaar was ook Portugal onder Salazar een dictatuur, maar de sfeer was daar totaal anders omdat het land niet had geleden onder een burgeroorlog.

Het slaperige Lissabon veranderde in de zomer van 1940 in een kosmopolitische stad. Vooral na de ineenstorting van Frankrijk werd het land overspoeld door vluchtelingen. Tussen 24 en 26 juli passeerden achttienduizend personen de grens ondanks dat velen van hen niet in het bezit waren van de vereiste documenten. Zeker 90 procent van hen was jood en mocht binnen dankzij joodse vluchtelingenorganisaties die een beroep op de Portugese regering hadden gedaan om de vluchtelingen op te nemen. Of de gezagsdragers dit uit pure menslievendheid deden, is twijfelachtig want de meeste vreemdelingen brachten een vermogen aan buitenlandse valuta het land binnen: een forse injectie voor de zwakke Portugese economie.

Op een dergelijk exodus was de stad echter niet ingesteld, met als gevolg dat de hotels boordevol zaten en er zelfs provisorische slaapplaatsen ingeruimd moesten worden in badkamers en gangen. Later begon men de vluchtelingen onder te brengen in dorpen in de omgeving van Lissabon.

In tegenstelling tot de wijze waarop de voornamelijk joodse vluchtelingen door de Fransen waren behandeld, vonden ze in Portugal sympathie en begrip. De situatie lag dan ook heel anders omdat de Portugezen niets met de Eerste Wereldoorlog te doen hadden, terwijl veel Fransen waren gevallen in de strijd tegen de Duitsers.

Het waren niet alleen Duitse joden die zich in Lissabon bevonden. De vluchtelingen kwamen uit alle hoeken van Europa, onder hen bevonden zich na de Franse nederlaag ook veel Fransen die vanwege hun ras of politieke overtuiging waren uitgeweken met het doel een passage te boeken naar de vrijheid. Restaurants en terrassen in Lissabon deden goede zaken: het werden voor de vluchtelingen gewilde trefpunten waar het op bepaalde uren van de dag een ware kakofonie was van talen en dialecten.

Buitenlandse vrouwen, gekleed in jurken zonder mouwen, die hoed noch kousen droegen en er lustig in het openbaar op los rookten, baarden opzien in het traditionele Portugal, waar cafés alleen door mannen werden bezocht. Het feit dat sommige vrouwen bij het baden tweedelige zwempakken droegen, leidde zelfs tot een publiek schandaal.

Doordat veel emigranten in betrekkelijke luxe en confort leefden in het centrum van de stad, merkten ze niets van de grote armoede in de buitenwijken.

De American Export Line deed goede zaken: de reserveringshal was dagelijks overvol met radeloze vluchtelingen die vochten om een plaats op de volgende boot. Corrupte zwarthandelaren maakten enorme winsten met de verkoop van slinks verkregen tickets. Rond de Amerikaanse ambassade zag het zwart van de mensen.

In de stad wemelde het van nazi-spionnen en Gestapo-agenten en er deden tal van geruchten de ronde dat Duitse troepen het Iberische schiereiland wilden binnenvallen. De zogenaamde operatie Felix was inderdaad gepland voor 10 januari 1941 en had ten doel het Engelse Gibraltar te veroveren. Maar *generalissimo* Franco ging niet door de knieën en verleende de Duitsers geen doortocht. Zelfs een hoge Duitse onderscheiding die Hitler hem kort daarvoor had toegekend, kon hem niet vermurwen. Uiteindelijk zag Hitler van de zogenaamde geplande operatie Felix af.

Het Griekse schip *Nea Hellas* kon na de Duitse overval op Italië zijn thuishaven niet meer bereiken en maakte daarom vanuit Lissabon overtochten naar Amerika. Met deze overvolle boot maakten onder anderen ook het echtpaar Werfel-Mahler, Heinrich en Golo Mann en hun familie de reis naar de nieuwe wereld.

Over zijn laatste dag in Europa schreef Hans Natonek: 'Toen het schip de Taag af voer, zag ik achter mij de coulissen van Europa's verleden: barok en gotiek, tot ruïnes vergaan in het onwerkelijke schijnsel van de ondergaande zon. In dat licht zag ik in gedachte de torens van Praag, het vrolijke lieftallige Weense landschap en het Parc de Luxembourg van het nu ontzielde Parijs. Alles was betoverend aanwezig en dat laatste Europese beeld kwam spookachtig op me over.'

Op 21 februari 1941 maakte ook Jean Gabin de overtocht naar de vrijheid. Op de cover van het filmblad *Vedettes* verscheen zijn foto. Het blad schreef: 'NA MICHÈLE MORGAN VERTROK JEAN GABIN NAAR HOLLYWOOD.' Jean Gabin heeft zich op 21 februari ingescheept in Lissabon. Na Michèle Morgan, die sinds no-

Filmposter van Remorques.

vember in Hollywood verblijft om een film te draaien met Cary Grant. Het is een zeer ontzettend verlies voor de Franse film.'

Pas in november ging in het bezette Parijs hun film *Remorques* in de Cinéma Marivaux in première en ontdekte het publiek hen in een innige omhelzing op de omslag van het blad *Ciné Mondial*.

Parijs bezet

Op het moment dat de Duitse troepen de Franse linies hadden doorbroken en zich een weg baanden naar Parijs maakte Von Ribbentrop al plannen om de Duitse ambassade in Parijs weer te bemannen. Al op 14 juni, toen de gevechten nog in volle gang waren, liet hij vanuit Berlijn een afvaardiging, onder wie de toekomstige ambassadeur Otto Abetz, naar het bezette België vliegen. Na een turbulente vlucht op geringe hoogte landde het toestel in Dinant, waar het gezelschap zich nestelde in een hermetisch afgesloten kasteeltje dat als luxehotel in gebruik was. Een dag later reed de groep voor dag en dauw in *Wehrmacht*-auto's richting Parijs. Ze passeerden op hun tocht verwoeste tanks, bomkraters, pas gedolven graven en verlaten dorpen met weilanden vol loeiende koeien die nodig gemolken moesten worden. In de namiddag kwamen ze in het verlaten Parijs aan en begaven zich naar de Duitse ambassade in de rue de Lille. Deze werd nadat de ambassadeur na de oorlogsverklaring het land had verlaten, beheerd door twee bedienden en een tolk. Het gebouw stond onder bescherming van de Zweedse ambassade. Bij een diner in Hotel Ritz bespraken ze hoe ze contact konden leggen met Franse vrienden en bekenden om de relatie tussen de overwonnenen en de bezetters te zoveel mogelijk te normaliseren.

Onder leiding van Abetz zette ze zich in voor een propagandacampagne die de situatie onder de Fransen enigszins zou moeten verzachten. Door middel van radio, pers en affiches moest men de bevolking doen geloven dat de Duitsers zo kwaad nog niet waren. Weldra verschenen er op zuilen en schuttingen affiches met daarop een breed lachende Duitse soldaat die liefdevol een boterham etend kind optilt met de tekst: 'In de steek gelaten volk, geef uw vertrouwen aan de Duitse Soldaat.'

De Fransen hadden na de wapenstilstand duidelijk een blind vertrouwen in de oude vaderlijke maarschalk Pétain. Er werd een enquête gehouden waarbij prominenten hun mening konden geven over de Franse-Duitse samenwerking. Paul Derval, directeur van de Folies Bergère meende dat men de generaal

André Dassary.

Pétain het vertrouwen moest schenken. André Brunot, nestor van de Comédie Française, sprak zelfs over volledig vertrouwen en liefde. Overal waar de maarschalk in het openbaar verscheen, werd hij uitbundig toegejuicht en -gezongen. Er kwamen postkaarten en grote fotoreproducties in de handel met de beeltenis van de generaal. De hele reeks stond op een affiche afgedrukt met daarop de tekst 'Vous lui devez une place d'honneur à votre foyer' (u bent hem een ereplaatst schuldig in uw woonkamer). In 1941 bracht de verkoop van portretten van Pétain al een bedrag van 12 350 000 Francs op. De Baskische zanger André Dassary, die tot 1939 nog verbonden was aan het orkest van de joodse Ray Ventura, bracht een eerbetoon aan Pétain met het lied *Maréchal nous voila!* De vrolijke mars, op grammofoonplaat uitgebracht had in de vrije zone de Marseillaise verdrongen en werd overal gezongen waar de maarschalk in het openbaar verscheen. Elke ochtend, voor aanvang van de lessen, klonk het uit de keel van 4 miljoen leerlingen die het voor een portret van Pétain zongen. In de grote steden verschenen affiches met daarop het beeld van de oude maarschalk wijzend in de richting van de lezer met de tekst: 'Fransen! U bent noch verkocht, noch verraden, noch verlaten, schenk mij uw vertrouwen. Het 'Liberté, Égalité, Fraternité' (vrijheid, gelijkheid, broederschap) werd vervangen door 'Travail, Famille, Patrie' (werk, familie, vaderland). Het beeld van de *femme fatale* en de mondaine vedette maakte plaats voor de zorgzame moeder en vrouw. Op affiches en persfoto's verschenen jonge gezonde moeders met baby's. Voor moederdag verscheen er zelfs op grammofoonplaat de door Elyane de Celis gezongen wals *Être Maman* (moeder zijn) waarin het moederschap verheerlijkt werd.

Hitler wilde het vernederde Franse volk voor zich winnen door het zich in Wenen bevindende stoffelijk overschot van Napoleons zoon over te brengen naar Parijs. Daar kon hij het bijzetten in het graf van zijn vader in de Dôme des Invalides.

Al in 1927 had de Amerikaanse columniste Janet Flanner in haar kolom geschreven dat er in Frankrijk een 'historische hysterie' was uitgebroken nadat generaal Mariaux, de directeur van de Dôme des Invalides, had geopperd dat de stoffelijke resten van Napoleons in Oostenrijkse ballingschap op jeugdige leeftijd overleden zoon, de hertog Von Reichstadt, diende te worden overgebracht naar Parijs voor bijzetting in het mausoleum van zijn vader. Het idee werd echter niet verwezenlijkt omdat de Oostenrijkse autoriteiten daartoe niet bereid bleken. Hitler zag het als een uitstekende gelegenheid een verzoening tot stand te brengen en bovendien was het een goede gelegenheid Pétains positie nog meer te versterken.

Op 14 december meldde de Duitse pers: 'In het licht van de honderdste verjaardag van het overbrengen van Napoleons stoffelijke overschot van St. Helena naar Parijs heeft de *Führer* maarschalk Pétain meegedeeld dat hij besloten heeft de stoffelijke resten van Napoleons zoon over te dragen aan Frankrijk. Maarschalk Pétain heeft namens het Franse volk zijn dank betuigd voor deze grootmoedige geste.' Abetz, die inmiddels officieel tot ambassadeur was benoemd, organiseerde de propagandistische stunt.

Twee dagen voor de officiële plechtigheid hadden SA- en SS-mannen in alle stilte de zerk uit Kapuzinergruft van de Weense Hofburg verwijderd en op een lijkwagen met vier paarden naar Westbahnhof vervoerd vanwaaruit de kist per trein naar Parijs werd gezonden. Bij aankomst van de trein voor dag en dauw werd de kist op een Duitse affuit vanaf het Gare de l'Este door de licht besneeuwde straten van het nog donkere Parijs vervoerd naar de Dôme des Invalides. Duitse infanteriesoldaten tilden hem vervolgens plechtig naar het voorportaal waar hij door ambassadeur Otto Abetz werd overgedragen aan de Franse regering en door twintig Franse gardesoldaten de Dôme binnengedragen. Om twaalf uur passeerden maarschalk Pétain en zijn gevolg een erebataljon en in gezelschap van generaal Von Stülpnagel legde hij een krans bij de kist.

De rechtse organisatie Action Française, die al jaren had aangedrongen op een herstel van de Bourbonmonarchie, was niet blij met de Napoleon-verheerlijking.

Ook de meeste Fransen waren niet onder de indruk van Hitlers strategie. Ze bleven de 'Boches' zien als bezetters.

Toch kwam het leven langzamerhand weer op gang. De Duitsers hadden al direct nadat ze Parijs hadden bezet, bevel gegeven tot heropening van theaters en bioscopen. Dancings bleven op bevel echter gesloten. De Duitse ambassadeur Otto Abetz wilde het leven van alledag zo snel mogelijk normaliseren. Hij droeg er zorg voor dat de Sorbonne en andere hogescholen weer heropend werden. Amusement kwam pas schoorvoetend op gang omdat ook veel artiesten de stad waren ontvlucht en zich in de vrije zone bevonden.

Ook Maurice Chevalier had zich in juni teruggetrokken op zijn landgoed La Bocca bij Cannes. Na lange tijd niet te hebben gewerkt, begon hij met een nieuw pianist in de provincie op te treden in varietéprogramma's. Maar hij verlangde naar zijn geboortestad en toen hij dan ook werd benaderd voor een optreden in het Casino de Paris twijfelde hij geen moment en vertrok op 2 september 1940 per trein naar het bezette Parijs.

Weldra volgden andere artiesten zijn voorbeeld. Ook Edith Piaf wilde niet langer in de provincie blijven: 'Moffen of geen moffen, de hoofdstad van Frankrijk is Parijs en nergens anders.' Met haar toenmalige minnaar de zanger en later acteur Paul Meurisse gingen ze naar Brive onder meer een *laissez-passer* aan te vragen. Tijdens de reis in een onverwarmde trein kwamen bij de demarcatielijn in Vierzon de Duitsers in de trein om papieren te controleren. Ze gedroegen zich uiterst correct en beleefd.

Binnen de kortst mogelijke tijd floreerde het amusement weer als nooit tevoren. Piaf trad weer op in l'Amiral en de Bobino Music Hall en speelde een rol in de film *Montmartre-sur-Seine* en Meurisse trad op in een revue in het ABC Theater. In die tijd beging hij de stommiteit om enkele keren op te treden voor Radio Paris, het radiostation dat onder supervisie stond van de *Propagandastaffel*. Zowel directie als presentatoren bestonden uit collaborateurs en fanatieke antisemieten. Algauw begrepen de Parijzenaars dat de

Duitsers achter de schermen de touwtjes in handen hadden en men te maken had met verkapte nazi-propaganda. Op de melodie van *La Cucaracha* zong men 'Radio-Paris ment, Radio-Paris ment, Radio Paris est Allemand' (Radio-Parijs liegt, Radio-Parijs liegt, Radio-Parijs is Duits). In hun poging de omroep te populariseren, probeerde de directie artiesten te paaien met hoge, belastingsvrije gages.

De Duitse soldaten bezochten vanwege de taalbarrière nauwelijks toneelvoorstellingen. Hun voorkeur ging uit naar music-halls en nachtclubs. Met name de nachtclub La Vie Parisienne van de hoogblonde zangeres Suzy Solidor was een pleisterplaats voor Duitse officieren, waar Suzy zelfs het populaire *Lili Marleen* in het Duits zong. Ook Shéhérazade werd hoofdzakelijk door Duitse militairen bezocht. De garderobe van het etablissement puilde elke avond uit van de militaire jassen en petten. Elke avond trad daar de populaire zangeres Leo Marjane op; in die tijd was zij zeer bekend door haar chanson *Je suis seul ce soir* (Ik ben vanavond alleen) maar Marjane was niet alleen want zij had een relatie met een hoge Duitse officier.

De Duitsers hadden tevens hun eigen bioscopen, de zogenaamde Kinopanorama, waarvoor de twee luxe bioscopen Rex en Marigny waren gevorderd.

Op de Champs-Élysées namen ze de Elzasser taverne in beslag. Het restaurant dat al enkele jaren daarvoor was geopend met Duits bier en serveersters in Elzasserdracht, werd vóór de bezetting weinig door Fransen gefrequenteerd en werd beschouwd als pleisterplaats van de vijfde colonne.

In Parijs bevonden zich naar schatting twintigduizend geüniformeerde Duitsers die in plaats van een mark per dag in Duitsland, nu twee mark kregen. Dit bedrag mag heden ten dage een schijntje lijken maar was het vijfvoudige van het soldij van de Franse troepen. Bij hun aankomst in Parijs stortten de Duitsers zich op de winkels en kochten voor hun geliefden en familie zijde kousen, parfums, en luxe artikelen.

Na enige tijd kwam ook Mistinguett terug naar haar huis in de Parijse Boulevard de Capucines. Bij haar komst huilde ze bij het zien van de vele swastikavlaggen die op plaatsen hingen waar vroeger de driekleur wapperde. Maar ondanks haar verdriet opende ze in de winter van 1941 met een nieuwe revue in het Casino de Paris, waar de eerste rijen van het theater elke avond groen zagen van de Duitse uniformen.

Jodenvervolging

Langzamerhand begon de bezetter zijn stempel te drukken op de Franse samenleving. De *Wehrmacht*-troepen die de stad bezet hielden en vriendelijk toenadering hadden gezocht tot de bevolking, maakten plaats voor regimenten van de SA en de SS, die meer afstand namen. De Duitsers verwisselden de troepen regelmatig om verbroedering met de bevolking te voorkomen.

Een van de eerste dingen die de Duits ambassadeur Otto Abetz deed, was de zogenaamde 'zekerstelling' van staats- en particuliere kunstschatten. In juli organiseerde hij al een razzia waarbij joodse antiquairs en kunsthandelaren werden leeggeplunderd. Ook privé-woningen van onder anderen leden van de schatrijke joodse Rothschild-familie werden het slachtoffer van de kunstroof.

Daarna verscheen de zogenaamde *Liste Otto* waarin Abetz de publicaties verbood van joodse en anti-Duitse schrijvers onder wie André Maurois, Tristan Bernard, Henry Bernstein, Léon Blum, Romain Rolland et cetera.

Op 18 oktober 1941 vermeldde de *Staatscourant* van de Vichyregering het nieuwe aangescherpte Statut des Juifs waarin werd omschreven dat degenen die meer dan twee joodse grootouders hadden, werden beschouwd als joden. Artikel 3 van die nieuwe wet verplichtte hun zich in hun woondistrict te melden bij de politieprefect. Buitenlandse joden die gehoor gaven aan deze oproep wachtte opsluiting in gevangenissen vanwaaruit ze werden overgebracht naar kampen.

Daar kregen ze de gelegenheid een visum aan te vragen voor landen die bereid waren hen op te nemen, zodat ze alsnog het land konden verlaten. Dat nam veel tijd in beslag en dikwijls werd hun verzoek niet ingewilligd. In het mannenkamp Le Vernet stelde SS-*Standartenführer* Kund de geïnterneerden een ultimatum: degenen die niet over een visum beschikten en zich in oktober 1941 nog in het kamp bevonden, zouden getransporteerd worden naar Auschwitz.

Een deel van de Franse joden had geen gehoor gegeven aan de eis zich te melden bij de politie en was ondergedoken of in het bezit van vervalste identiteitspapieren.

De hoogzwangere halfjoodse vriendin van de joodse acteur Gérard Oury (pseudoniem voor Max Tannenbaum) kon op geen enkele sympathie rekenen. Zij was in haar naïviteit naar Vichy gereisd om bij Xavier Vallat, hoogcommissaris voor joodse zaken, de zaak van haar vriend en de toekomstige vader van haar kind te bepleiten. Haar werd sec meegedeeld dat als haar vriend het kind zou echten, het als jood zou worden beschouwd. Omdat ze zo onvoorzichtig was haar adres bekend te maken, was ze in gevaar en moest daarom zo snel mogelijk elders onderdak zien te vinden. Ze weken uit naar een hotel in Monaco maar ook in het prinsendom waren de Vichywetten van kracht, met het enige verschil dat de regerende prins Louis II geen vriend was van de Duitsers.

Een theaterdirecteur wist voor Oury en zijn vrouw, die inmiddels was bevallen, een engagement af te sluiten bij een theatergezelschap in het Zwitserse Genève. De Franse consul-generaal in Monaco deed een oogje dicht en gaf hun beiden paspoorten en uitreisvisa. Zo wisten te overleven in Zwitserland.

Oury en zijn vriendin hadden het geluk dat hun joodse afkomst niet bekend was, want degenen die slachtoffer werden van verraad, eindigden hun leven meestal op tragische wijze.

Soms waren de beschuldigingen ongegrond, zoals in het geval van Charles Trenet. Deze uit Narbonne afkomstige zanger had zich een grote populariteit onder jongeren vergaard. Hij had aanvankelijk in Berlijn en Parijs een opleiding gevolgd tot beeldend kunstenaar. In die tijd kwam hij in contact met de jonge Zwitserse pianist Johnny Hess. Trenet schreef teksten op de swingende muziek van Hess en al snel begonnen ze samen op te treden. Bij het uitroepen van de mobilisatie hadden ze zich allebei gemeld bij hun onderdeel. Trenet in Salon-de-Provence, waar hij zich stierlijk verveelde. Maar later werd hij ingezet om op te treden voor de troepen en reisde met een amusementsgroep van de ene naar de andere kazerne. Op het moment dat de wapenstilstand werd afgekondigd, bevond hij zich in Nîmes. Hoe groot de verwarring en de chaos na de inval van de Duitsers was, bleek toen de krant *Paris Soir* in een artikel bekendmaakte: 'Charles Trenet, de charmante prins van het chanson, is omgekomen.' Maar Trenet was springlevend en ging na de wapenstilstand terug naar Parijs om daar zijn carrière voort te zetten met een optreden in het Théâtre de l'Avenue. Kort daarop verscheen op 31 januari 1941 een artikel in het collabo-

Charles Trenet.

Sacha Guitry.

Samy Frey.

Simone Signoret.

rerende blad *Le Réveil du peuple* waarin men insinueerde dat Trenet een artiestennaam zou zijn en de zanger in werkelijkheid Netter heette en de zoon zou zijn van een rabbijn. De waanzin ging zelfs zo ver dat het blad een ingezonden brief afdrukte, ondertekend met 'Radioteur', waarin de schrijver beweerde dat het overleggen van geboortebewijzen van Trenets ouders en grootouders niet voldoende zou zijn omdat veel joden ambtenaren hadden omgekocht om 'geariseerd' te worden. Hij ging zelfs zo ver te beweren dat het bloed van joden anders was dan dat van ariërs en drong daarom aan op een bloedproef. Trenet kreeg daarna een *Ausweis* dat hem in de gelegenheid stelde om in Narbonne, Perpignan en Lyon de genealogische bewijzen van zijn arische afkomst te verzamelen, waarmee de *Kommandantur* uiteindelijk tevreden was. Het blad *La Semaine,* opgericht door de nauw met de nazi's werkende journalist Jean Luchaire, plaatste als pleister op de wonde de foto van Trenet over de hele voorpagina.

Ook Sacha Guitry, de befaamde acteur en schrijver van een groot aantal toneelstukken, werd slachtoffer van jaloerse collega's die beweerden dat hij een jood was. In *La France au travail* rekende Guitry in een artikel af met die leugen. De verraders baseerden hun aanklacht op een in 1925 verschenen artikel in *l'Univers Israëlite,* waarin stond dat Guitry's grootvader joods was. Wat ze er niet bij hadden verteld, was dat er in het volgende nummer een rectificatie was verschenen.

Toen in maart 1941 in Parijs *Le Juif Suss* van nazi-regisseur Veit Harlan in première ging, vormden zich lange rijen voor het theater. De gecontroleerde pers ging zich te buiten aan loftuitingen over de antisemitische propagandafilm. Kort daarop kwam een van de hoofdrolspelers, acteur en intendant van het Schiller Theater Heinrich George, met zijn gezelschap naar Parijs om bij de Comédie Française een opvoering te geven van Schillers *Kabale und Liebe.* Als eerbetoon bracht hij de Hitler-groet voor een marmeren buste van Molière.

Ook Ufa-ster nummer één, de Zweedse Zarah Leander die in juni naar Parijs kwam waar haar films met succes draaiden, deelde handtekeningen uit aan Duitse soldaten en Franse fans en ook de in Duitsland werkende Hongaarse Marika Rökk werd met veel egards ontvangen.

Na de inval van de Duitsers lag de Franse filmproductie een tijdlang volledig plat. De Duitsers zetten zowel Engelse als een groot deel van voor 1940 geproduceerde films op de index. In de vrije zone werd het Centre d'organisation de l'industrie cinématographique (coic) gesticht. Door het tot een industrie te verklaren, had de regering van Vichy, die nauw samenwerkte met de Duitse censuur, er de controle over. De eerste directeur was Raoul Ploquin, die voor de oorlog met de Ufa had samengewerkt en in Berlijn Franse versies van Duitse films had geproduceerd. Ploquin, die zeer bevriend was met Jean Gabin, redde door deze concessies de Franse filmproductie die anders volledig in handen van de Duitsers was beland.

Op reclamezuilen verschenen affiches van *La Lique Française* waarop Marianne, het symbool van de Franse natie, zich met een stok in de hand verdedigd tegen op de achtergrond opdoemende joodse karikaturen en vrijmetselaars. Het opschrift luidde: 'Frankrijk, verdedig u tegen deze dreigende geesten.'

In juli van dat jaar stichtte Joseph Darnard de rechtse militaire groep Service d'Ordre Legionnaire, die het regime van Pétain steunde en aanbood joden te arresteren en te vechten tegen het verzet.

In 1941 vond er een tweede proces plaats tegen de joodse producent Bernard Natan. Nadat zijn Franse nationaliteit hem was ontnomen, werd hij overgeleverd aan de Duitsers en op 25 september 1942 werd hij naar Auschwitz gedeporteerd, waar hij enkele weken later werd vergast.

In september werd in het Parijse Palais Berlitz de tentoonstelling *Le Juif et la France* gehouden. De façade van het paleis was bedekt met een enorm affiche die een wereldbol toonde met daarop een duidelijk joodse karikatuur die met een enorme klauwachtige hand Frankrijk in zijn greep hield. Op de expositiewanden vond men foto's van joodse acteurs, onder wie Jean Pierre Aumont, Marcel Dalio, Vera Korène en Marianne Oswald, regisseurs en producenten met daaronder teksten als: 'De joodse meesters van de film die de Franse smaak en geest perverteerden.' De tentoonstelling trok dertienduizend bezoekers.

Bij die gelegenheid werd ook de kwalijke antisemitische documentaire *Der ewige Jude* getoond, in Frankrijk uitgebracht als *Le Péril Juif* (Het joodse gevaar).

Op 29 mei 1942 werden in de bezette zone wonende joden vanaf de leeftijd van zes jaar verplicht de gele ster te dragen.

Naast een aantal korte films, waarin met name werd gewaarschuwd tegen het bolsjewistische en het joodse gevaar, werd als hoofdfilm vertoond de antisemitische *Corrupteurs*, geproduceerd door Nova Film en onder regie van Pierre Ramelot. Het scenario voor de film werd geschreven door een medewerker van het collaborerende Radio Paris en bestond uit drie korte verhalen: 1) een jongeman wordt onder invloed van een Amerikaans-joodse gangsterfilm een crimineel; 2) een meisje dat filmvedette wilde worden, komt in de handen van joodse producenten en belandt in de prostitutie; en 3) een oud echtpaar dat van een klein pensioen leeft, wordt opgelicht en geruïneerd door joodse bankiers. Aan het einde van de film verschijnt maarschalk Pétain op het witte dock om het Franse volk te waarschuwen voor het joodse gevaar.

Op 16 juni 1942 arriveerde Adolf Eichmann in Parijs. De volgende dag stelde de politieprefect hem zijn mannen ter beschikking voor het houden van razzia's onder de joodse bevolking, waarvoor negenduizend Parijse politieagenten gerekruteerd waren. Er werd hun een document overhandigd waaraan ze zich moesten houden. In de zes verordeningen stond onder andere dat ook kinderen dienden te worden gearresteerd en niet toevertrouwd mochten worden aan buren.

Van de ruim dertienduizend Franse joden, onder wie vierduizend kinderen, die gearresteerd werden, vonden de meesten de dood in vernietigingskampen. Bij een inval in een woning waar zich een moeder en haar vijfjarig zoontje bevond, wist de moeder het kind te redden door de deur waarachter het kind zich bevond te sluiten, haar jas van de kapstok te pakken en direct met de politie mee te gaan. Het joch dat Samuel Frei heette, ontkwam zo aan de gaskamers en werd grootgebracht door zijn ondergedoken grootouders. Hij werd na de oorlog als Sami Frey een bekend film- en theateracteur.

De joodse vader van Simone Kaminker was uitgeweken naar Londen, waar hij voor de BBC-radio werkte. Vanwege zijn plotselinge vertrek zat de familie zonder inkomsten. Simone belde haar schoolvriendin Corinne Luchaire, die voor het uitbreken van de oorlog grote opgang had gemaakt als filmactrice. Corinne zorgde ervoor dat haar vriendin, ondanks haar gedeeltelijk joodse afkomst, werk kreeg bij Les Nouveaux Temps van haar vader, de met de nazi's collaborerende Jean Luchaire. De twintigjarige Simone kwam in het café Flore in contact met de intellectuele kring rond schrijver Jean-Paul Sartre. Daar opperde ze het idee om als figurant aan de kost te komen na ontslag te hebben genomen bij Les Nouveaux Temps. Als halfjodin kwam ze echter niet in aanmerking voor inschrijving in de Kultuurkamer. Ze nam het pseudoniem Simone Signoret aan en wist een paar keer de regels te omzeilen door te vertellen dat ze haar werkvergunning had vergeten. Pas na de oorlog zou haar carrière van de grond komen en zou ze uitgroeien tot een van Frankrijks talentvolste en beroemdste filmactrices.

Nog in 1944, kort voor de bevrijding werd de joodse schrijver Max Jacob gearresteerd en geïnterneerd in het kamp van Drancy. Jean Cocteau en ande-

Jean Cocteau en
Jean Marais.

re schrijvers dienden een petitie in waarin ze aandrongen op zijn vrijlating. Helaas overleed Jacob op dezelfde dag dat het bevel tot zijn invrijheidstelling aankwam.

Collaboratie en zwarte handel

Door de bezetting van Parijs en de installatie van de Vichyregering lag de Franse filmindustrie enige tijd volledig plat. Pas na de invoering van de CIOC kwam de productie weer op gang. De Duitsers verboden alle Engelse films en, na instelling van de censuur, een deel van de Franse films.

Namen van joodse technische medewerkers werden van de titelrol verwijderd en scènes met joodse acteurs in bijrollen werden uit de films gesneden. Van een aantal films waarin de Amerikaanse, van oorsprong Oostenrijks-joodse acteur Erich von Stroheim speelde, werden diens scènes opnieuw gefilmd met Pierre Renoir, broer van de naar Amerika uitgeweken Jean Renoir.

Hoewel de Duitsers de markt aanvankelijk overspoelden met hun beste films, kwamen later ook de minder goede in de bioscopen. Het met de nazi's collaborerende blad *Le Film* besteedde ruime aandacht aan die films. Kopstukken uit de Franse filmwereld prezen in interviews deze producten van hun Duitse collega's.

Bij feestelijke premières van Duitse films waren dikwijls veel grote Franse sterren aanwezig. Hoewel het ze na de oorlog werd aangerekend, zagen velen het indertijd niet als collaboratie met de vijand. Omdat voor de oorlog immers tal van Franse versies van Duitse films in de Ufa-studios waren gemaakt, waren er vriendschappelijke banden ontstaan met collega's uit het buurland.

In het begin was de bezetting nauwelijks merkbaar. De Duitsers die door de linkse propaganda als barbaren waren voorgesteld, bleken zich over het algemeen correct te gedragen. Langzamerhand kwamen er echter steeds meer restricties, waardoor de sfeer steeds grimmiger werd.

Goebbels onderkende als geen ander de invloed van film op de grote massa. Hij benoemde dr. Diedrich tot hoofd van de propaganda-afdeling die gevestigd was in het Hôtel Majestic. De *Propagandastaffel* had ten doel controle uit te oefenen op pers, film, toneel en amusement. Zelfs teksten van chansons moesten de censuur passeren.

Vaderfiguur dr. Diedrich was bij alle premières aanwezig, waar hij indruk maakte door zijn elegantie en goede manieren. Met Kerstmis 1941 reikte hij, verkleed als kerstman geschenken uit aan kinderen van collaborateurs. Diedrich etaleerde zich als vriend van Frankrijk, maar bovenal van Françaises. Hij werd dan ook regelmatig gesignaleerd tussen de coulissen van het Casino de Paris.

Reeds in 1940 had de Duitse militaire commandant de order uitgevaardigd dat alle Franse films die voor 1939 waren gemaakt, moesten worden ingeleverd. In 1941 begon men in de vrije zone jacht te maken op alle films van voor 1937. De bedoeling van de Duitsers was de markt te zuiveren van in hun ogen inferieure en onzedelijke filmproducties. Saillant detail is dat veel van deze films in Ufa-studio's waren gemaakt. Het celluloid van de inbeslaggenomen films zou in Duitsland worden gebruikt voor de fabricage van nieuwe films. André Langlois, directeur van de Cinémathèque (filmmuseum), wist een groot aantal films te redden door die nota bene op te slaan bij vrienden in Mussolini's Italië. Later kreeg hij hulp van zijn vriend Frank Hensel, directeur van het *Reichsfilmarchiv*, die hem de kelders van het Palais Chaillot ter beschikking stelde. Enkel hij en een medewerker hadden de sleutel ervan.

In september 1940 stuurde Goebbels de voormalige Ufa-producent Alfred Greven naar Parijs om daar een filmmaatschappij op poten te zetten onder het voorwendsel een Franse onderneming te zijn.

De 43-jarige blonde, blauwogige Greven, die productieleider was van Terrafilm, werkte al vanaf 1939 in die functie bij Ufa. In dat jaar had hij daar nog de Franse film *L'Héritier de Mondésir* geproduceerd, met in de hoofdrol Fernandel. Greven werd bedrijfsleider van de in Parijs gestichte Continental Film met een beginkapitaal van 200 miljoen francs. De kantoren bevonden zich op de Champs Élysées en een deel van het personeel was Frans om de indruk te wekken dat het hier een Franse filmmaatschappij betrof. De meeste Fransen wisten echter al snel dat alle aandelen in handen waren van de Duitse staat.

Ondanks dat regisseurs en acteurs aanvankelijk weigerden voor de door de nazi's opgezette Continental Film te werken, kwamen al spoedig de eerste schapen over de dam en sloten vijf regisseurs, onder wie Maurice Tourneur, Henri Clouzot en Christian Jaque contracten af met Continental Film. Greven, die zeer bekwaam was, verfilmde onder andere enkele werken uit de Franse literatuur en wist zelfs enkele contemporaine schrijvers over te halen de rechten van hun boeken aan hem te verkopen, waaronder enkele politieromans van de in Frankrijk wonende Belgische schrijver Georges Simenon.

Greven kwijtte zich met veel ijver van zijn taak en produceerde een aantal uitstekende films. Tot groot verdriet van Goebbels, die er zich aan ergerde dat Greven de Franse film niveau wilde geven: 'Dat is niet ons doel. Als het Franse volk tevreden is met die oppervlakkige kitsch, is er ons alles aan gelegen die kitsch te produceren.'

In die tijd werd in Parijs de voedselvoorziening steeds nijpender. Dat had veel te maken met het feit dat veel boerenzonen nog in krijggevangenschap zaten of in de Duitse industrie tewerkgesteld waren. Hoewel transporten vaak haperden wegens gebrek aan benzine, werd er al spoedig een distributiesysteem ingevoerd. Het vleesrantsoen voor een volwassene bedroeg in 1940 driehonderd gram per week; in 1944 was het slechts zestig gram. Melk werd alleen nog verstrekt aan zwangere vrouwen en kinderen. Voor de winkels stonden enorme rijen. De wachttijd bedroeg gemiddeld vier uur per dag. Ook steenkool werd schaars. Tot overmaat van ramp was de winter 1940/41 bar koud. De zwarte markt floreerde. Er waren restaurateurs die het van zwarthandelaren gekochte verboden vlees onder de sla serveerden. Als de controle erachter kwam, riskeerden zij enkele weken celstraf.

Mistinguett loste haar voedselprobleem op door voor aanvang van de voorstelling voor het doek te verschijnen en met tranen in haar ogen te vertellen dat optreden moeilijk voor haar was omdat ze leed onder koude en honger. Ze maakte bekend waar ze woonde en vroeg de bezoekers haar alles te zenden wat ze over hadden. Zwarte handelaren die de voorstelling hadden bezocht schonken haar daarna kolen en levensmiddelen.

Parijs ging gebukt onder allerlei restricties, zoals verduistering en een avondklok.

De jonge zanger Charles Aznavour kreeg in die periode een engagement bij de Jockey Club in Montparnasse. Om zich in spertijd vrij te kunnen bewegen, haalde hij een *Ausweis* bij de *Kommandatur* op de Place de l'Opéra. Omdat na afloop van de voorstelling de metro al gesloten was en hij zich een fietstaxi niet kon permiteren, verplaatste hij zich op rolschaatsen. Een groot probleem was Aznavours kolossale neus, die hij in zijn memoires vergeleek met een kurkentrekker: 'Ik ben wel klein maar mijn neus was groot. Hij was zo krom en lang dat ik hem van opzij kon zien als ik scheel keek.' De neus, die hij na de oorlog liet verkleinen, gaf in het bezette Parijs problemen omdat de Duitsers daaruit opmaakten dat hij joods was. Hoewel een doopbrief van de Grieks-Orthodoxe Armeense kerk afdoende had moeten zijn, bleven de Duitsers wantrouwend en informeerden bij collega's naar Charles afkomst. Maar weldra kenden alle

Charles Aznavour..　　　　　Juliette Gréco.

patrouilles het komische mannetje en als hij na zijn optreden op zijn rolschaatsen naar huis reed, zwaaiden de Duitse soldaten hem zelfs vriendelijk toe.

Wegens gebrek aan benzine verschenen er in het stadbeeld weer koetsjes, fietstaxi's en door hout aangedreven auto's. Maar de etalages bleven leeg.

In Parijs leefde de jonge Juliette Gréco van de hand in de tand. Ze had geen bonkaart aangevraagd omdat ze bang was dat haar vader, een gepensioneerde Corsicaanse politieagent, dan achter haar verblijf zou komen en zou proberen zijn minderjarige dochter op een kostschool te plaatsen. Juliette leefde op droog brood, druivensuiker en soep van bouillonblokjes. Omdat ze geen geld had voor de kapper droeg ze het haar los tot op het middel. Tijdens de laatste winter van de bezetting was haar kleding volledig versleten en zaten haar raffiasandalen vol gaten. In deze enorme koude winter ontmoette ze actrice Alice Sapritch, die haar een mannenpak gaf en een paar te grote schoenen met crêpezolen. In Parijs zag men in die periode de bewoners in meest vreemde kledingstukken.

Hoewel de grote modehuizen het eerste jaar van de bezetting nog een modeshow hadden gegeven van stoffen die ze nog in voorraad hadden, lag daarna alles stil wegens gebrek aan materiaal. Handige vrouwen keerden hun jassen en uit oude autobanden werden schoenzolen gesneden. In 1943 was het dermate nijpend dat men overging op houten zolen. Maurice Chevalier zong in 1943 het chanson *La symphonie des semelles en bois* over het ritmische geklak van door meisjes gedragen houten schoenzolen. Niettegenstaande dat ook zijden dameskousen niet meer te krijgen waren, bleven Franse vrouwen inventief: ze bruinden hun benen met schmink en tekenden met een wenkbrauwpotlood de kousennaad op hun kuit.

In de cafés van Saint Germain-des-Prés, een wijk die door de Duitsers werd gemeden, ontstond een nieuw excentriek modebeeld onder jongens en meisje: de 'Zazou'. De rebelse jeugd keerde zich door hun provocerende haardracht en nonchalante kleding tegen de traditionele levensstijl. Hun outfit stond in groot contrast met stijve uitrusting van Duitsers met hun gemillimeterde militaire haarcoupe en die van de jeugdbeweging *Jeunesse populaire Française*. De rage sloeg over naar Vichy, waar hij door de conservatieve regering met afgrijzen werd ervaren. De mannelijke zazous droegen hun haren tot lang in de nek, en glimmend van de brillantine. Hun kleding bestond uit te ruime broeken met smalle pijpen, en jasjes tot de knie en daarbij dikwijls een zonnebril en een paraplu. Meisjes waren gekleed in geplisseerde korte rokken en een felle make-up. Hun muziek was de swing en hun idolen waren de Zwitserse Johnny Hess en Mademoiselle Swing, Irène de Trébert, zangeres bij het orkest van Raymond Legrand, die de plaats had ingenomen van de joodse Ray Ventura, die met zijn musici was uitgeweken naar Zuid-Amerika. Hess introduceerde het nummer *Oh! je suis swing* met in het refrein de zin: 'Zazou, zazou, je m'amuse comme un fou' en in 1943 het nummer *Ils sont zazous*.

Deze populaire stijl zou bij de bevrijding verdrongen worden door de bebop. Reactionaire kringen ergerden zich aan de nieuwe rage; voor hen bleef swing taboe. In rechtse kranten en bladen verschenen karikaturen van de zazous die bovendien kans liepen te worden overvallen door rechtse jongeren en te worden kaalgeschoren. In de 'vrije zone' konden ze zelfs worden gearresteerd. Als ze dan niet konden aantonen werk te hebben, werden ze naar het platteland gestuurd voor het binnenhalen van de oogst.

De anglofobie, ontstaan nadat de Engelsen de Franse vloot in Mers-el-Kébir, uit angst dat hij in handen van de Duitsers zou vallen, hadden gebombardeerd, ebde langzaam weg.

Onder de Franse bevolking begon nu tegenover de bezetter steeds meer weerstand en agressie te ontstaan, die zich onder andere uitte gedurende de nazi-propaganda in het bioscoop weekjournaals.

Voor de oorlog bestonden in Frankrijk zowel Franse als Amerikaanse bioscoopjournaals. Nadat die allebei door de bezetter waren verboden, werd in samenwerking met de Vichyregering in 1942 het France-Actualités op poten gezet. De Franse bioscoopbezoekers, die ook veel naar de verboden Franse programma's op de BBC luisterden, begrepen dat hun leugens werden voorgeschoteld. De ergernis ontaardde in fluitconcerten en boegeroep. Om de ordeverstoorders te kunnen lokaliseren, ging tijdens het journaal het licht in de zaal aan.

Ook de ondergrondse werd steeds actiever door te beginnen met sabotage en aanslagen op hoge militairen. In 1943 bracht het communistische verzet het clandestiene blad *Action* in omloop.

Maar in de filmwereld vierde collaboratie hoogtij. Steeds meer prominenten bezochten de feestelijke premières van de door Continental geproduceerde films en de ontvangsten van ambassadeur Otto Abetz en zijn Franse echtgenote, waar delicatessen werden geserveerd die in geen enkele Franse winkel te koop waren; zelfs niet op de zwarte markt.

Sacha Guitry was vaste gast op de Duitse ambassade in de rue de Lille. Hij probeerde vrienden ervan te overtuigen hem te vergezellen: 'Waarom kom je niet een keer dineren met onze vrienden?' 'Welke vrienden?' was dan steevast de vraag.

'Onze vrienden de Abetz, op de ambassade! Kom toch! Er is echte koffie, echte room, echte chocolade, kaviaar en Amerikaanse sigaretten!'

Maurice Chevalier trad op in het Vélodrome d'Hiver voor het eenjarige bestaan van de collaborerende Radio Paris. In november ging op uitnodiging van Goebbels een aantal beeldende kunstenaars naar Berlijn om er onder andere het atelier van Hitlers favoriete beeldhouwer Arno Breker te bezoeken. Onder de deelnemers bevonden zich onder anderen de schilders Vlaminck, Van Dongen en de beeldhouwer Paul Belmondo, vader van de latere acteur. Een jaar later exposeerde Breker zijn enorme beelden in de Orangerie. De expositie werd ook bezocht door de homoseksuele dichter Jean Cocteau, die een goede vriend was van Breker. Na het zien van de tentoonstelling schreef hij in zijn dagboek: 'Toespraken, uniformen. Reusachtige beelden met een bijna sensuele hang naar het detail en het menselijke. De haren, de aderen. Sacha Guitry zei tegen me: "Als deze beelden een erectie zouden kunnen krijgen, zouden we er niet meer langsheen kunnen lopen."' Breker vroeg acteur Jean Marais, intieme vriend van Cocteau, voor hem te poseren. De bijzonder knappe atletisch gebouwde acteur ging echter niet op dat verzoek in.

Op uitnodiging van Carl Froelich, directeur van de *Reichsfilmkammer* onder leiding van dr. Diedrich, vertrok ook een afvaardiging van Franse sterren naar Berlijn. Het gezelschap bestond uit Danielle Darrieux, Viviane Romance, Suzy Delair, Albert Préjean en Réné Dary. Ze bezochten er filmpremières en musea en dineerden met Magda en Josef Goebbels. In München werden ze ontvangen in Hitlers Braunes Haus. Jean Luchaire schreef in zijn collaborerende magazine *La Semaine*: 'Hollywood bestaat voor ons niet meer... zeiden de Franse artiesten na hun terugkeer uit Duitsland.'

Een jaar na de bezetting was in Parijs *Remorques* in première gegaan, de laatste film waarin Jean Gabin en Michèle Morgan samen speelden. Beide hoofdrolspelers bevonden zich op dat moment in Hollywood, waar langzamerhand steeds meer nieuws doorsijpelde over de gebeurtenissen in Frankrijk.

Ontmoeting met Marlene

Toen de boot eenmaal lag aangemeerd, zette Gabin voor de eerste keer voet aan wal in New York, waar hij nogal opzien baarde bij douaniers en immigratie-beambten. In tegenstelling tot de meeste acteurs die vaak met bergen koffers reisden, bestond de bagage van deze Fransman hoofdzakelijk uit een racefiets en een accordeon. Hij kon zijn werk- en verblijfsvergunning tonen maar sprak nauwelijks een woord Engels. Gelukkig trof hij in Amerika wonende vrienden die hem opvingen. Het was vooral Sylvain Chabert, echtgenoot van zangeres Irène Hilda. Toch voelde Gabin, die in Frankrijk een beroemdheid was, zich verloren in een land waar niemand hem kende.

Zijn grote voorbeeld Maurice Chevalier filmde weliswaar niet meer in Amerika, maar was nog steeds een begrip en de later gekomen Charles Boyer was opgeklommen tot de status van superster. Producent Walter Wanger had in 1938 de rechten gekocht van *Pépe-le-Moko* waarmee Gabin twee jaar daarvoor een groot succes had behaald. In de Amerikaanse versie speelde Boyer Gabins rol. Zijn tegenspeelster was de uit Wenen gevluchte fabelachtige schoonheid Hedy Kiesler, die als Hedy Lamarr haar Amerikaanse filmdebuut maakte en door de filmmaatschappij werd gepromoot als 'de mooiste vrouw ter wereld'.

Boyer wilde aanvankelijk deze rol, noch andere rollen die Gabin had vertolkt, spelen: 'Gabin is te speciaal, hij is uniek. Als hij een rol heeft gespeeld staat die. Ik ga geen Gabin-rol bewerken.' Maar toen Wanger dreigde de rol aan de Belgische acteur Fernand Gravet (Gravey in Frankrijk) te geven, hapte hij toch toe. De film, die werd uitgebracht als *Algiers*, kreeg goede kritieken die voornamelijk gingen over Lamarrs verblindende schoonheid. De film had een redelijk succes, maar was geen grote *moneymaker*.

Boyer was in zijn Franse tijd dikwijls de concurrent geweest van Gabin voor hetzelfde genre rollen. Hoewel ze in Amerika wel contact hadden, was Gabin geërgerd over het feit dat Boyer de Amerikaanse nationaliteit had aangevraagd. Hij was er niet van op de hoogte dat Boyer al in 1937, voor het uitbreken van de oorlog, die aanvraag had gedaan. Hoewel hij later vernam dat Boyer financieel het verzet in Frankrijk steunde, bleef hij toch bij zijn rechtlijnige standpunt.

In New York ontmoette Gabin ook de Franse *crooner* Jean Sablon, die kort voor de inval van de Duitsers naar Amerika was gereisd, waar hij met veel succes in hotels optrad. Sablon was in Frankrijk de eerste zanger die in een microfoon zong, wat nogal wat ergernis opwekte, de Fransen kenden het begrip *crooner* niet en noemden hem 'chanteur de charme'.

In een interview vertelde Sablon jaren later dat Gabin ziek was van heimwee en zich verloren voelde in Amerika. Wel begon hij al wat Engels te leren. Evenals vroeger op school was Gabin geen man die uit boeken kon leren. Doordat klanken belangrijker waren voor hem, begon hij vrij snel woorden en zinnen op te pikken. Maar Gabin had niet het charmante accent van Chevalier of de fluweelzachte uitspraak van Boyer: zijn stem was grommerig en afgemeten.

Tijdens een etentje vroeg Gabin aan Sablon of die hem niet kon voorstellen aan Ginger Rogers, die hij in showfilms als danspartner van Fred Astaire had gezien en enorm bewonderde.

Sablon, die direct begreep dat Gabins interesse niet alleen naar haar danskunst uitging, arrangeerde een etentje in zijn flat, waarvoor hij beiden uitnodigde. Hoewel Gabins Engels nog veel te wensen overliet, was Ginger duidelijk onder de indruk van hem, met als gevolg dat ze samen Sablons flat verlieten. De romance zou later in Hollywood nog een staartje krijgen.

Na een oponthoud in New York ondernam Gabin de treinreis van de oost- naar de westkust waar hij na vier dagen aankwam. Tijdens een onderhoud met Darryl F. Zanuck bleek dat er in Hollywood al een film voor hem op stapel stond, maar dat Zanuck verlangde dat hij eerst de taal beter onder de knie zou krijgen.

In Hollywood trof Gabin oude vrienden als Julien Duvivier, Jean Renoir en zijn gabber Marcel Dalio met diens vriendin Madeleine Lebeau, die beiden kleine rollen in Amerikaanse films speelden. Ze werden enkele jaren later vooral bekend door hun rollen in Michael Curtiz' klassieker *Casablanca*.

Voordat Jean Gabin voet op Amerikaanse bodem had kunnen zetten, was Michèle Morgan hem voorgegaan. Haar eerste indruk van Hollywood was positief: ze was verrukt van de door planten en bloemen omgeven huizen en trottoirs zonder wandelaars. Maar Julien Duvivier remde haar enthousiasme af: 'Ja, dat maakt, als je pas aankomt, indruk maar na een paar maanden heeft het meer weg van een begraafplaats.'

Bij de RKO studio's had de publiciteitsafdeling al een pasklaar levensverhaal voor Michèle klaarliggen zonder maar een woord met haar te hebben gewisseld. Ze werd verkocht als *typical French*, wat volgens de Amerikanen inhield: 'Sentimenteel, maar temperamentvol, u houdt van parfum, intelligente mannen, bourgognewijnen en kaas.' De Amerikanen verwonderden zich over haar pseudoniem Morgan en vroegen hoe ze in werkelijkheid heette. Toen ze vertelde dat ze Roussel heette, vonden ze dat prachtig klinken. Ze vonden het jammer dat ze voor Morgan had gekozen.

Op een persconferentie verbaasden journalisten zich over haar helblauwe ogen en blonde haar. Ze vonden dat haar qua type niet Frans, maar meer Zweeds of Noors. Toen ze echter op de stompzinnige vragen de haar voorgekauwde antwoorden gaf, had ze het pleit gewonnen.

Op een door Ginger Rogers gegeven party ontmoette Michèle alle grote Hollywoodsterren. In een onderonsje wilde Ginger vooral meer weten over Gabin.

Michèle probeerde voortdurend haar kennis van de Engelse taal te vergroten. Hoewel ze na enige tijd eindelijk een oproep kreeg voor een screentest voor de film *Suspicion* onder regie van de grote Alfred Hitchcock, ging de rol naar Joan Fontaine omdat Michèle de taal niet genoeg beheerste. Terwijl RKO dacht dat het probleem van de baan was toen men haar de rol van een doofstom meisje aanbod in *Johnny Belinda*, weigerde ze diep beledigd deze rol. In haar plaats werd actrice Jane Wyman gecontracteerd. De film werd een enorme kaskraker en Jane Wyman kreeg er in 1948, het jaar dat ze scheidde van Ronald Reagan, een Oscar voor.

Eindelijk ontmoetten Michèle en Jean elkaar in Hollywood in het Franse restaurant Chez Oscar, waar vooral Fransen kwamen die wel eens iets anders wilden eten dan hamburgers en steaks. Michèle, die Frankrijk tenslotte eerder had verlaten, vroeg honderduit over Parijs, de vrije zone en de bezetting. Hoewel ze onder het genot van Franse wijn herinneringen ophaalden, bleek tijdens dat etentje overduidelijk dat hun liefde was veranderd in vriendschap. Toen Gabin over zijn ontmoeting met Ginger Rogers in New York blufte, nodigde Michèle hem uit voor een etentje in haar huis, waarbij ze ook Ginger had gevraagd. Het viel haar op dat Jean weliswaar nog aarzelend Engels sprak maar zich in gezelschap met Ginger goed verstaanbaar wist te maken. Na die avond vormden Ginger en Jean een paar en de relatie zou enkele maanden duren. Michèle en Jean zouden zich daarna nog zelden laten zien in Hollywood.

Frank Sinatra.

Ginger Rogers.

Charles Boyer.

Jane Wyman.

Michèles carrière kwam in Amerika niet van de grond. Ze speelde in twee matige propagandafilms en was met Frank Sinatra te zien in een verfilming van de populaire Broadwayshow *Higher and Higher*. Hoewel Sinatra toen als *crooner* op het toppunt van zijn roem stond en tijdens optredens bijna onder de voet werd gelopen door gillende teenagers, werd zijn eerste speelfilm een gigantische flop. Michèle werd voor haar rol gekapt en opgemaakt volgens Hollywoodmodel en leek niet meer op zichzelf. Er ontstond blijkbaar geen chemie tussen haar en de zanger die zo broodmager was dat men de billenpartij van zijn broek moest opvullen. The New York Times deed *Higher and Higher* af als 'Lower and Lower'.

Michèles carrière kwam in Hollywood weliswaar niet echt van de grond, maar ze trouwde wel de Amerikaanse acteur William Marshall, een voormalig vocalist van het Fred Waring orkest, die in 1940 zijn filmdebuut had gemaakt. In 1944 werd hun zoon Mike geboren. Het huwelijk duurde tot 1949.

Gabin verfoeide de artificiële sfeer van Hollywood, maar New York beviel hem goed. Omdat de voorbereiding voor zijn eerste Amerikaanse film *Moontide* in volle gang was, had hij een zee van tijd en besloot daarom voorlopig naar New York te reizen. Daar bracht hij veel tijd door in het cabaret La Vie Parisienne, eigendom van Arthur Lesser, de toekomstige echtgenoot van de Franse zangeres Patachou.

Op het moment van zijn binnenkomst stond Irène Hilda op het door schijnwerpers hel verlichte toneel. Ze groette Gabin en zette speciaal voor hem Piafs melancholieke chanson *L'Accordéoniste* in.

Hij zat nauwelijks toen hij achter zich een zware vrouwenstem hoorde. Nadat hij zich had omgekeerd, zag hij Marlene Dietrich zitten, die in gezelschap was van een robuust uitziende man: 'Het is niet waar, Jean wat ben ik blij je na zo'n lange tijd weer te zien ...Kom bij ons zitten.' Marlenes begeleider bleek de Amerikaanse schrijver Ernest Hemingway te zijn, die ze aan Gabin voorstelde: 'Ik neem aan dat je meneer Hemingway kent.' Jean aarzelde een moment. Weliswaar had hij wat opgevangen over een boek dat Hemingway had geschreven over de burgeroorlog in Spanje (*For Whom the Bell Tolls*) maar dat was dan ook alles.

'Ja ik weet dat meneer Hemingway een groot schrijver is, maar ik moet u bekennen dat ik nooit de tijd had hem te eren... hoe zal ik zeggen?'

Marlene: 'Je hoeft niet bang te zijn dat je nooit gelezen hebt wat hij heeft geschreven. Je bent niet de enige, en hij neemt het je niet kwalijk.' En zich tot Hemingway wendend: 'Dat is toch zo papa?'

Waarop Hemingway grapte: 'Ik ook niet, ik lees ze nooit, ik heb mijn buik al vol van het schrijven.'

Hemingway had zich dat jaar in Cuba gevestigd, maar kwam af en toe voor zaken naar Amerika. De avontuurlijke schrijver, die inmiddels was uitgegroeid tot een mythe, genoot van het zoete leven in gezelschap van filmsterren zowel op Cuba als in New York en was regelmatig een onderwerp voor de roddelrubrieken.

Hemingway, die alles haatte wat Duits was, adoreerde weliswaar Marlene en zij hem. Het was een van de weinige mannen in haar leven waarmee ze een platonische relatie onderhield; zij noemde hem 'Papa' en hij haar 'Kraut'. Een scheldwoord voor Duitsers dat volgens haar uit zijn mond een compliment was.

Aangezien Gabin niet onder de indruk was van Hemingway, mengde hij zich nauwelijks in de conversatie. Maar juist die gesloten onverschillige, ongeïnteresseerde houding fascineerde Marlene, die gewend was dat mannen zich in allerlei bochten wrongen om indruk op haar te maken.

Die avond begon de relatie tussen Marlene en Jean.

Maria Riva, Marlenes dochter, schreef in haar memoires: 'Deze liefdesaffaire was de langstdurende, meest gepassioneerde, en voor allebei de meest pijnlijke, alhoewel Gabin natuurlijk het meest leed.'

Met de Franse slag

Al in 1939 had de relatie tussen Marlene en Remarque schipbreuk geleden. De oorzaak was Marlenes verhouding met James Stewart. Er volgde weliswaar een verzoening, maar de voortdurende ruzies leidden opnieuw tot een breuk. Remarque reisde daarna met zijn vrouw naar Mexico om bij het Amerikaanse consulaat hun visa en verblijfsvergunning te verlengen. Aldaar zocht hij weer toenadering tot 'Puma' met wie hij lange telefoongesprekken voerde en poëtische brieven wisselde, die hij meestal ondertekende met Ravic, de hoofdpersoon uit zijn op stapel staande boek *Arc de Triomphe*.

Toen Remarque een maand later terugkeerde naar Beverly Hills kwam hij van een koude kermis thuis aangezien Marlene een relatie was begonnen met Tim Durant, de knappe sportieve golfpartner van Charles Chaplin. Die verhouding was echter van korte duur, zoals een relatie met scenarioschrijver Hans Rameau geen lang leven beschoren was.

In juli 1940 begonnen de opnamen voor *Seven Sinners* met John Wayne als tegenspeler. Hoewel Marlene gefascineerd was door de stoere acteur had haar verleidingstactiek deze keer geen succes. Toch verscheen ze regelmatig met hem in nachtclubs. Toen Maria Riva jaren later vroeg hoe het precies zat, antwoordde de filmcowboy: 'Ik wilde niet een onderdeel van een stal worden! Daar heb ik nooit van gehouden.' Marlene zou nog twee films met Wayne maken. In haar memoires had ze geen goed woord voor hem over: een in haar ogen weinig interessante man. Ze stelde dat hij niet meer kon dan zijn zinnen opzeggen en dat ze hem steeds moest helpen met zijn tekst. Toen Wayne haar bekende nooit een boek te lezen, betekende dat volgens haar dat men niet veel verstand hoefde te hebben om een beroemde filmster te worden.

Maar nog beroerder kwam acteur Bruce Cabot ervan af, haar tegenspeler in *The Flame of New Orleans*: het toppunt van domheid, zelfs zijn oorspronkelijke Franse naam Etienne Pelisier Jacques de Bujac kon haar niet vertederen. Cabot, door David O'Selznick ontdekt op een party, kreeg in 1933 een rol in *King Kong*,

Marlene in The Flame of New Orleans.

waarin hij het meisje (Fay Wray) moest redden uit de handen van een reuzen-aap.

De uitgeweken René Clair regisseerde *The Flame of New Orleans* waarin Marlene een dubbelrol kreeg toebedeeld. De film speelt zich af in het New Orleans van 1841. Jammer genoeg leed de Franse frivoliteit van deze satire onder de beperkingen van de preutse Amerikaanse censuur. De prachtige fotografie van Clair doet, ondanks dat het zwart-witopnamen zijn, denken aan schilderijen van de Franse impressionisten. Ofschoon Universal interesse had het koppel Dietrich-Gabin te contracteren voor *Fair is my Love*, ging dit vanwege Jeans contractuele verplichtingen niet door.

Toen in november de relatie tussen Marlene en Remarque volledig op de klippen liep, besloot de schrijver naar New York te verhuizen. Marlene hielp hem met pakken en betrok daarna zijn leeggekomen bungalow, die ze kort daarna enige tijd met Gabin zou delen. Remarque kon het niet verdragen dat Marlene hem had ingeruild voor Gabin die hij in zijn correspondentie steevast 'de fietser' noemde. 'Puma [Marlene] ziet mannen als hotels,' vertrouwde hij zijn dagboek toe, 'sommigen zijn beter, anderen slechter, maar het maakt haar niet uit in waar ze woont.' Hoewel hij haar ontrouw meestal vergaf, bleef het voor hem onverteerbaar dat de in zijn ogen ongeletterde Gabin zijn plaats had ingenomen.

Blijkbaar had Marlene geprobeerd een rol in de op stapel staande Gabin-film te krijgen, want kort daarna noteerde Remarque: 'Ze wil een rol in Gabins film, zoals verwacht, de goede oude carrièrehoer.' Voor deze film had men echter Ida Lupino gecontracteerd.

Ondanks dat Marlene zelf had aangestuurd op een volledige breuk met Remarque ergerde het haar dat de schrijver, nog voor zijn vertrek, een korte verhouding had met haar rivale Greta Garbo, met wie hij romantische wandelingen langs het strand van Santa Monica had gemaakt. Uit jaloezie verspreidde ze het gerucht dat Garbo syfilis en borstkanker zou hebben. Tot haar grote opluchting hield de verhouding geen stand.

Gabin huurde na verloop van tijd een huis in Brentwood, naast dat van Greta Garbo, waar hij Franse vrienden uitnodigde voor gezellige avonden, waarop Marlene haar kookkunst ten beste gaf door Franse specialiteiten te bereiden, waaronder haar beroemde pot-au-feu. Bij deze gelegenheden speelde Gabin op zijn accordeon en Marlene op de zingende zaag en daarbij zongen ze chansons en operettemelodieën. In de tuin lagen ze dikwijls naakt te zonnebaden tot ze een keer werden verrast door de verbaasde melkboer. Maar Marlene groette de man vriendelijk alsof het de gewoonste zaak van de wereld was. Ze schiep er altijd genoegen in mensen met haar naaktheid te shockeren. Zwemster en filmactrice Esther Williams vertelde in haar memoires dat in de periode dat ze beiden voor MGM werkten, Marlene zich bij studiokapper Sydney Guilaroff altijd naakt had laten kappen met als enig kledingstuk het doorschijnend kapmanteltje. Terwijl Sydney aan haar kapsel werkte, ontdeed ze zich van het manteltje zodat ze spiernaakt was. Ze deed dat niet om de kapper te verleiden, want die was homoseksueel, maar omdat ze ervan genoot Guilaroff in verlegenheid te brengen, aangezien ze wist dat hij uiterst preuts was.

Marlene was een vrouw van contrasten. Jean Renoir schreef in zijn memoires tijdens zijn verblijf in Hollywood: 'Marlene was werkelijk een superster, niet alleen op de bühne, ook in het dagelijkse leven, ze kookte uitstekend: het beste was haar koolrollade.' In nachtclubs zong ze voor haar plezier patriottische Franse chansons en eindigde altijd met de Marseillaise, volgens Gabin belachelijk. Hij noemde haar 'ma Prussienne' terwijl zij hem op het voorhoofd tikte en met onderdanige stem sprak: 'Wat ik aan jou zo leuk vind, is dat het daarbinnen absoluut leeg is. Niks heb je in de kop, helemaal niets en dat vind ik nou juist zo leuk.'

Renoir schreef dat Gabin die weinig vlijende beledigende opmerking volledig koud liet.

Marlene probeerde Gabin te introduceren in de Hollywood society door met hem naar parties te gaan, waar hij zich stierlijk verveelde. In Frankrijk hield hij al niet van dat mondaine, gemaakte gedoe. Ook de door haar georganiseerde bezoeken aan ballet- en operavoorstellingen interesseerden hem geen snars. Met name opera vond hij bespottelijk en zijn commentaar was: 'Dat is toch onzin, zo'n figuur ligt zelfs nog te zingen als hij met in dolk in zijn borst te ligt sterven!'

Gabin prefereerde de huiselijke sfeer in gezelschap van zijn landgenoten. Als hij 's avonds thuiskwam, wachtte Marlene hem bij de deur op en omhelsde hem innig alsof ze hem jaren niet gezien had. Het viel hem steeds meer op dat ze zich behoorlijk meester had gemaakt van zijn Parijse dialect (Argot). 'Pose ton popotin là' (ga daar maar met je kontje op zitten).

Als Gabin eenmaal zat, knielde ze om zijn schoenen te verwisselen voor een paar pantoffels. Marlene ging volledig op de Franse tour: ze droeg een streeptrui en Franse baret over een oog en een opgerolde zakdoek om haar nek geknoopt, waardoor ze er uit zag als een apachedanseres uit een cabaret in Montmartre.

Pierre Renoir en Jean Gabin in La Bandera *(1935).*

Ook hielp ze Gabin met de dialogen voor *Moontide.* Ze voelden zich beiden ongelukkig met het zwakke scenario van O'Hara. Marlene meende dat alleen een competente regisseur als de uit Duitsland uitgeweken Fritz Lang de film nog kon redden.

Lang was voor de machtsovername een van Duitslands meest gerenommeerde regisseurs. Hij was gehuwd met scenarioschrijfster Thea von Harbou. Uit deze samenwerking ontstonden klassieke stommefilms als de verfilming van de Germaanse sage *Siegfried und die Nibelungen* en *Metropolis.* Aangezien Hitler een bewonderaar was van Langs werk, was het dan ook niet verwonderlijk dat Goebbels hem na de machtsovername het aanbod deed een prominente functie in de filmindustrie te bekleden. Dat Lang een halfjood was, was volgens Goebbels geen enkel probleem. Maar Lang verliet heimelijk Duitsland en na een tijd met succes in Frankrijk te hebben gewerkt, ging hij naar Hollywood, waar hij zijn reputatie bevestigde met de film *Fury.*

Hij had Marlene in 1934 ontmoet in Parijs en was in Hollywood dikwijls haar gast. Speciaal voor hem kookte ze dan haar beroemde goulash. Lang stuurde haar bossen rode rozen en er waren vage plannen om samen een film te maken. Hoewel de relatie echter als een nachtkaars uit ging bleven ze wel bevriend. In hoeverre het een intieme verhouding betrof, is niet helemaal bekend. Wel pochte Lang dat hij Marlene van Von Sternberg afhandig had gemaakt en dat zijn penis aanzienlijk groter was dan die van Von Sternberg.

Uiteindelijk kreeg Lang inderdaad de opdracht *Moontide* te regisseren. Hij nam het aanbod aan alhoewel hij niet bijster tevreden was met het zwakke verhaal. Tijdens een onderonsje met Gabin klapte hij uit de school over zijn vroegere verhouding met Dietrich. Gabin was woedend en jaloers en hij beschuldigde Marlene bij thuiskomst ervan een affaire te hebben gehad met Lang. Maar Marlene riep laconiek uit: 'Die lelijke jood? lieveling, je maakt zeker een grap.'

Gabin nam duidelijk wraak want tijdens de opnamen van *Moontide* in de 20th Century-Fox studio's werkte zijn oude vlam Ginger Rogers op een andere set aan *Roxie Hart*. Blijkbaar waren er weer heimelijk ontmoetingen totdat Marlene er achter kwam. In haar memoires schrijft Ginger: 'Marlene Dietrich was hot with fury.'

De regie van Lang was van korte duur aangezien hij na enkele dagen werd vervangen door Archie Mayo.

Gabins tegenspeelster was de van oorsprong Engelse actrice Ida Lupino, dochter van de fameuze Britse revue- en filmkomediant Stanley Lupino en actrice Connie Emerald. De aparte Ida Lupino was een goede actrice niettegenstaande dat Claude Rains en Thomas Mitchell, die karakterrollen in de film speelden, niet voor haar onder deden. De acteurs konden echter niet opboksen tegen het slechte script en de zwakke regie. De film had desalniettemin een redelijk succes alhoewel Gabin niet tevreden was. 'Als ik Engels spreek, heb ik het idee dat ik iemand anders hoor praten. Het lijkt wel of de film verkeerd gesynchroniseerd is, waardoor de woorden niet overeenkomen met mijn lichaamstaal en gebaren. Je hebt geen idee hoe pijnlijk dat is.'

Maria Riva vertelde in haar memoires dat in elke nachtclub waar Marlene met Gabin binnenkwam, het orkest steevast de *Marseillaise* inzette. Toch werd Gabin aanvankelijk met wantrouwen bekeken. Zoals de meeste Fransen bewonderde hij in het begin aanvankelijk de oude maarschalk Pétain totdat hij vanwege berichten uit Frankrijk inzag dat hij het spoor bijster was. In het door emigranten in 1934 opgezette weekblad *Aufbau* schreef Hans Kafka in zijn column 'Hollywood Calling': 'Jean Gabin, who rushed over to Hollywood after

John Wayne.   Fritz Lang.

the fall of France, turns out to be a fervent advocate of Vichy politics.'

Ook de FBI hield Gabin in de gaten nadat men beschuldigende brieven had ontvangen van jaloerse collega's maar bovenal van een zekere mevrouw Mabel Walker Wildebrandt, die beweerde dat Marlene een agente was van de Vichyregering die Gabin overgehaald zou hebben met haar naar Frankrijk te reizen om bij de in Duitse handen zijnde Continental te gaan filmen.

Pas nadat Amerika zich in de oorlog had gemengd, sloot de FBI het dossier toen men vaststelde dat Marlene aandelen verkocht ten bate van de Amerikaanse oorlogsvoering en daarnaast optrad voor de Amerikaanse troepen, terwijl Gabin zich had aangemeld bij de Vrije Fransen. Bovendien hadden zowel Gabin als al zijn Franse collega's het verzoek genegeerd van de consul van de Vichyregering om terug te keren naar Frankrijk.

Gabins type sloeg niet aan bij de Amerikaanse bioscoopbezoeker. Hollywood was gewend aan lange *all American heroes* als Gary Cooper, John Wayne en Clark Gable of gepolijste mooie mannen als Robert Taylor en Tyrone Power. Gabin paste niet in het plaatje van de Amerikaanse heldenverering; zijn kracht lag in het spelen van typische Franse volkse types. Als 'Jan met de pet' was hij op zijn best. Ook privé bleef hij in Hollywood een outsider die niet kon wennen aan de Amerikaanse levensstijl. Overmand door heimwee verlangde hij naar de bistro's en knijpjes van zijn geliefde Montmartre.

Ida Hupino en Jean Gabin in Moontide.

Pearl Harbor

Op 7 december 1941 luisterde de Japanse commandant Kanjiro Ono in de radiokamer van de Japanse bommenwerper Okagi naar een Amerikaans radioprogramma voor de strijdkrachten, waarin Bing Crosby *Sweet Leilani* zong. Zijn interesse ging echter niet uit naar het nachtelijke muziekprogramma van radio Honolulu, maar naar het weerbericht voor de volgende dag.

Toen hij hoorde dat het gedeeltelijk bewolkt zou zijn, stond voor hem vast dat dit het ideale weer was voor het uitvoeren van de opdracht, het bombarderen van de in de haven van Pearl Harbor gelegerde Amerikaanse vloot. De haven, sinds 1887 een Amerikaanse marinebasis op de Hawaii-eilanden, werd in de vroege ochtend overvallen.

Bij deze verrassingsaanval, die bijna twee uur duurde, vernietigde de Japanse luchtmacht achttien schepen en 188 vliegtuigen, waarbij 2400 Amerikaanse soldaten en zeelieden het leven lieten. De Japanners verloren slechts 29 vliegtuigen van de 353 die aan de aanvallen hadden deelgenomen en bovendien een onderzeeboot, vijf dwergonderzeeboten en 55 man.

Het nieuws sloeg in Amerika in als een bom. Een dag na de aanval verklaarden de Verenigde Staten de oorlog aan Japan, terwijl kort daarna Duitsland de oorlog aan Amerika verklaarde. Washington zag zich toen gesteld voor een 'Twee-oceanen-oorlog'.

In augustus, enkele maanden voor de fatale aanval, hadden patriottische nationalistische organisaties als de Black Legion en de Silver Shirts zich verzet tegen de inmenging van Amerika in de oorlog.

Presidenten van de grote filmstudio's vermeden tussen 1939 en 1940 met opzet films met een controversiële of politieke strekking. Hoewel de meeste filmogols joden waren, vonden ze de verkoop van hun films aan Duitsland belangrijker dan de vervolging van hun ras door de nazi's.

De eersten die de handdoek in de ring gooiden, waren de gebroeders Warner, hoewel ook Charles Chaplin stelling nam met zijn film *The Great Dictator,* waarin hij Hitler, de nazi-top en de Italiaanse fascistenleider Mussolini danig op de hak nam.

De opnamen daarvan vonden plaats kort na het uitbreken van de oorlog in Europa. De première vond plaats op 15 oktober 1940 in het New Yorkse Capitol en het Astor theater. De film was sowieso in Duitsland verboden maar bij vertoning in Argentinië leidde het tot rellen vanwege het grote aantal Duitse immigranten en bewonderaars van de *Führer*.

Voordat Amerika deelnam aan de oorlog waren er al een tiental antinazifilms verschenen.

In 1941 drongen twee senatoren uit North Dakota en Missouri aan op een onderzoek van de filmbranche. In een radiouitzending vanuit St. Louis waarschuwde senator Nye uit Dakota: 'Hollywood is een wild borrelende vulkaan van oorlogskoorts. De plaats loopt over van vluchtelingen en Britse acteurs. De filmindustrie vertegenwoordigt de financieel krachtige en gevaarlijke zogenaamde vijfde colonne. Het gevaar waaraan Amerika is blootgesteld, betreft niet de nazi's, maar de internationale verzwering van de joden. Deze mensen, die de filmindustrie volledig in de hand hebben, kunnen 80 miljoen mensen per week bereiken en dientengevolge listig en achterbaks het oorlogsvirus verspreiden.'

Senator Sheridan Downey van Californië daarentegen nam het op voor de filmbranche. Hij verdedigde Chaplins *Great Dictator* en benadrukte dat de film niet opriep tot interventie, maar tot vrede. Sarcastisch voegde hij daaraan toe: 'De enige fout van de film is, dat hij zo onbekommerd is en de nazi's derhalve te ongevaarlijk afschildert.'

De rechtse senators hielden hoorzittingen waarop voor- en tegenstanders werden gehoord. Maar na de aanval op Pearl Harbor en de verwachte oorlogsverklaring, kwam daar een abrupt einde aan. Hollywood, dat niet langer meer in de beklaagdenbank stond, kon verlicht ademen en zijn patriottisme tonen.

De filmstad die vanwege het grote aantal joden en Britten merendeels aan de geallieerde kant stond, was bereid te doen wat in haar macht lag, maar was niet van plan als een honderd procent kapitalistische organisatie financiële offers te brengen.

Bij de productie leverde dat geen noemenswaardige problemen op: gangsters werden nu nazi-misdadigers en iedere Amerikaanse hoofdrolspeler was nu een heroïsche vechter voor de vrijheid.

Immigranten die voorheen nauwelijks in aanmerking kwamen voor een rol, werden nu, vanwege hun accenten, plotseling veel gevraagd voor het spelen van zowel nazi-schurken als vrijheidstrijders. Het was bizar dat juist veel Duits-joodse acteurs in aanmerking kwamen voor het vertolken van sinistere nazi's.

Blijkbaar was het niet tot iedere Amerikaan doorgedrongen dat de marine een legerbasis op Hawaii had. Op het moment dat bekend werd dat Pearl Harbor was aangevallen, zat filmactrice Joan Crawford op de set te breien. Toen iemand naar de set rende en schreeuwde: 'De Japanners hebben Pearl Harbor aangevallen!' keek Joan op van haar breiwerk en zei: 'Oh, dear. Who was she?'

Na het uitbreken van de oorlog meldde een aantal vooraanstaande Hollywoodacteurs zich spontaan voor militaire dienst. Onder hen bevonden zich Robert Montgomery, Sterling Hayden, James Stewart, Henry Fonda en Tyrone Power. Degenen die zich niet hadden gemeld, werden opgeroepen. Een aantal werd vanwege de een of andere kwaal afgekeurd, onder wie John Garfield, voor een hartruis, Gregory Peck vanwege hernia, Peter Lawford vanwege een armblessure die hij als kind had opgelopen en Frank Sinatra omdat een van zijn trommelvliezen beschadigd zou zijn. Dat gaf hun de gelegenheid hun carrière voort te zetten en weerhield hen er zelfs niet van om soms in oorlogsfilms onverschrokken, dappere oorlogshelden te spelen. De publieke opinie reageerde nogal sceptisch op de vermeende kwalen van de thuisblijvers.

Acteur Lew Ayres, in 1930 vooral bekend geworden door zijn rol in *All Quiet on the Western Front* naar de pacifistische roman van Erich Maria Remarque, weigerde op religieuze gronden militaire dienst. Dat had tot gevolg dat filmstudio's hem mijdden en verhuurkantoren weigerden zijn films in roulatie te brengen. Om zijn goede wil te tonen, nam hij daarop vrijwillig dienst bij het medische onderdeel van het leger en zou later aan het front op heldhaftig wijze, onder vijandelijk vuur, gewonde frontsoldaten vervoeren.

Om hun image enigszins op te krikken, meldden enkele afgekeurde dienstplichtigen zich bij de Coast Guard, waar ze moesten speuren of er geen vijandige schepen aan de horizon te bekennen waren, en opletten of de verplichte verduistering adequaat werd nageleefd. Omdat ook de straatverlichting niet brandde, werden de Ocean Drive, de pier en het strand van Santa Monica gewilde ontmoetingsplaatsen voor homoseksuele matrozen op zoek naar een vluchtig avontuur.

Ook immigranten werden ingezet om de verduisteringsvoorschriften te controleren. Als ze met hun Teutoonse tongval bewoners sommeerden de blinden van de ramen goed te sluiten, leek het er soms op of er Duitsers waren geland. Voor Japanners, Duitsers en Italianen die nog niet de Amerikaanse nationaliteit hadden verworven, golden bepaalde restricties. Luitenant-generaal De Witt had voor hen een avondklok ingesteld. Ze mochten zich bovendien slechts in een straal van vijf mijl verplaatsen.

Filmstudio's probeerden soms vrijstelling van militaire dienst te verkrijgen voor populaire acteurs met als excuus dat ze onmisbaar waren voor patriottische films die de moraal onder de troepen moest versterken. De aan de lopende band gemaakte propaganda bestond meestal uit onbenullige, sentimentele verhaaltjes die bol stonden van vaderlandsliefde en als kapstok fungeerden om een show aan op te hangen waarin populaire big bands, vocalisten en komieken gratis optraden.

Aantrekkelijk filmsterren poseerden gewillig voor onschuldige sexy pinupfoto's die vrijwel op alle kasten van soldaten in zowel kazernes als militaire kampen prijkten. Populair onder de militairen waren vooral Betty Grable, Jane Russell, Rita Hayworth, Marie MacDonald, Ginger Rogers en Veronica Lake. Vanwege de geldende rassenwetten keken zwarte soldaten er wel voor uit een van de dames in hun kast te hangen. Zij beperkten zich tot gewaagde foto's van de mooie zwarte zangeres-filmster Lena Horne.

Onder de acteurs die afgekeurd waren voor militaire dienst bevond zich ook John Garfield, zoon van arme joodse immigranten uit New Yorks Lower East Side, die in films meestal macho rebellen speelde en een voorloper was van acteurs als Marlon Brando en James Dean. Samen met Bette Davis zette Garfield de Hollywood Canteen op touw in een oude verlaten nachtclub op Cahuenga Boulevard, een blok verwijderd van Sunset Boulevard. Bedoeling was de militairen, voordat ze naar het front vertrokken of tijdens hun verlof, een gezellige avond te bezorgen. Fabrieken schonken levensmiddelen, actrices kookten, serveerden of dansten met de soldaten op muziek van de orkesten van Harry James en Kay Kyser.

Acteurs en actrices begonnen oorlogsobligaties te verkopen om de wapenindustrie te steunen.

Onder hen bevond zich de blonde actrice Carole Lombard, echtgenote van Clark Gable. In de nacht van 15 januari 1942 hield ze tijdens een bijeenkomst in Indianapolis een vurige rede, deelde handtekeningen uit aan kopers van 'bonds' en zong tot besluit de Star-Spangled Banner. Ze verkocht die avond voor vijfhonderdduizend dollar. Op de terugreis naar Hollywood verongelukte het vliegtuig en vonden Carole en alle inzittenden de dood. Clark Gable besloot daarna dienst te nemen bij de luchtmacht, waar hij ondanks zijn gevorderde leeftijd onmiddellijk werd geaccepteerd.

Ook Marlene Dietrich zette zich volledig in. Ondanks dat ze inmiddels de Amerikaanse nationaliteit had, wilde ze als geboren Duitse aantonen aan welke kant ze stond. Hoewel ze er nog goed uitzag, was ze inmiddels de veertig gepasseerd. Voor haar lagen filmrollen niet meer voor het opscheppen omdat filmstudio's gedurende de oorlog de voorkeur gaven aan jeugdige actrices: type *girl next door*. In 1942 had Marlene nog in twee films met John Wayne gespeeld, daarna was er al twee jaar geen enkele nieuwe aanbieding gekomen. Ze verscheen daarom regelmatig in de Hollywood Canteen om met de soldaten te dansen en maakte een reis door Amerika om 'bonds' te verkopen. In die periode vroeg Orson Welles haar de rol over te nemen van zijn aanstaande echtgenote Rita Hayworth in de *Mercury Wonder Show* voor de strijdkrachten. Rita had verstek moeten laten gaan nadat Harry Cohn, de baas van Columbia, bezwaar had gemaakt omdat volgens hem de show niet te combineren was met Rita's filmwerk.

De officiële première, waarin Rita nog optrad, had plaatsgevonden in augustus 1943 in een tent op Chuenga Boulevard en op het moment dat Marlene erbij kwam, liep hij in het Playtime Theater van Hollywood.

Naast Marlenes optreden als het doorgezaagde meisje leerde Welles haar een telepathie-act waarbij een van de GI's uit de zaal naar het toneel werd geroepen. Het feit dat Marlene hem daar opwachtte in een sexy vleeskleurige, nauwe japon, zorgde in de zaal voor de nodige opwinding. Orson Welles zei over haar: 'Marlene is het meest onaantastbare en vreemdste wezen dat zich over deze aardbol beweegt.' Hij was stomverbaasd over haar relatie met Gabin en begreep niet hoe ze in gezelschap van Gabin al de glamour van zich afschudde en een onderdanig huisvrouwtje speelde, die met een schortje voor de maaltijd voor haar man bereidde. Wel beklaagde Marlene er zich bij Welles over dat ze teleurgesteld was in Gabin, die in plaats van haar kookkunst met passie te beantwoorden, net als een Franse boer zat te roken zonder een woord te zeggen, de krant las en wachtte tot het eten klaar was. Welles raadde Marlene aan in Gabins gezelschap niet meer de *Hausfrau* te spelen, maar het sekssymbool 'Marlene Dietrich'.

De act van Marlene en Orson werd vastgelegd in de propagandafilm *Follow the Boys*. Het succes van deze varietéshow bracht Marlene aan op het idee op te gaan treden voor de troepen. Ze nam daarvoor dienst bij de USO oftewel, de amusementsafdeling van het leger. Haar vuurproef beleefde ze in Fort Meade in Maryland, waar ze optrad voor twaalfhonderd uitzinnige GI's. De spil van de show was de jonge Danny Thomas, zoon van Libanese immigranten die kort

Orson Welles en Rita Hayworth.

voor de oorlog opgang had gemaakt als zanger en komiek in nachtclubs en radioprogramma's. De geroutineerde Thomas leerde Marlene de kneepjes van het vak: de timing en hoe ze moest reageren op fluitconcerten, gejoel en de uitgelaten massa kon bespelen en zo nodig aan het lachen kon krijgen. Ze zong liedjes uit haar films en bespeelde met een strijkstok een zaag die ze tussen haar beroemde benen klemde. Bij dit sexy schouwspel gingen de militairen volledig uit hun dak. De show bestond verder uit een acteur, accordeonist en een pianist.

Hoewel Jean Gabin weliswaar trots was op de manier waarop Marlene zich inzette voor haar nieuwe vaderland, sloeg de jaloezie in alle hevigheid toe als ze bij haar thuiskeer uitgebreid vertelde over haar ontmoetingen met de GI-boys die soms zo dicht tegen haar aan dansten dat ze hun erectie kon voelen. Tegen haar dochter beklaagde ze zich over Gabins jaloeziescènes: 'Het is een boer en bovendien een Franse, het slechtste soort, op de Hongaren na. Wat is er toch met hem aan de hand? Ik hou alleen van hem en zou zelfs voor hem willen sterven!'

Gabin had er op een gegeven moment genoeg van. Terwijl zijn land leed onder de Duitse bezetters en zijn gastland in oorlog was, maakte hij zijns inziens onbenullige films. Hij voelde zich schuldig: 'Zo vrij als ik was, voelde ik me innerlijk een smeerlap om niet deel te nemen aan de strijd.' Hij wilde een daad stellen en een bijdrage leveren aan de bevrijding van zijn land. Daarvoor was hij naar New York gereisd waar hij een onderhoud had met Sacha de Manziarly, die daar een gaullistische radiozender leidde. Maar die voerde aan dat hij het vaderland een betere dienst kon bewijzen door in propagandafilms over het Franse verzet te gaan spelen.

Mede daardoor kreeg Gabin de hoofdrol in The Imposter, een propagandafilm geregisseerd door zijn oude vriend Julien Duvivier onder wiens regie hij indertijd in Frankrijk zijn eerste films had gemaakt. De film was een eerbetoon aan de Forces Françaises Libres (Vrije Franse Strijdkrachten). Ondanks het feit dat hij de rol speelde van een verzetsstrijder gaf dat hem geen enkele voldoening. In tegendeel: hij schaamde zich er zelfs voor dat hij, na het draaien van actiescènes waarin hij geen schrammetje had opgelopen, naar zijn huis met zwembad in Brentwood terugging terwijl anderen met gevaar voor eigen leven de kolen uit het vuur moesten halen om nazi-Duitsland op de knieën te dwingen.

The Imposter begint met de inval van de Duitse troepen in Frankrijk. Gabin speelt een ter dood veroordeelde die tijdens de bombardementen op een Franse gevangenis weet te ontkomen door documenten van een dode sergeant te bemachtigen en daarna diens identiteit aan te nemen. Als hij hoort dat maarschalk Pétain de wapenstilstand heeft afgeroepen, vlucht hij naar Noord-Afrika, waar hij zich bij het leger van de Vrije Fransen aansluit. Vanwege zijn dapperheid promoveert hij, maar wordt gedegradeerd als men achter zijn ware identiteit komt. Onverschrokken meldt hij zich dan voor een gevaarlijke missie waarin hij de heldendood sterft.

De rol in die film deed voor Gabin de deur dicht. Hij kon zich nu niet langer meer afzijdig houden en ondernam stappen om zich aan te sluiten bij Forces Navales Françaises Libres (Vrije Franse Marine).

De omwenteling

Hitlers machtige leger kreeg in 1942 de ene na de andere klap te verwerken. De Duitse troepen waren aan het oostfront bij gevechten om de stad Stalingrad door de Russen omsingeld. Hoewel de strijd hopeloos was en generaal Paulus wilde capituleren, eiste Hitler niet te zwichten voor de overmacht en door te vechten tot de laatste man. Ook in andere gebieden werden de Duitse troepen steeds meer teruggedrongen.

Op 2 februari 1943 gaven zowel de negentigduizend overlevenden in Stalingrad alsook hun bevelhebber zich over. Het zou een keerpunt in de geschiedenis worden.

In de avond van 23 oktober 1942 hadden twaalf batterijen van het Britse leger onder leiding van generaal Montgomery een vernietigend bombardement uitgevoerd op Rommels stellingen bij El Alamein. Na twaalf dagen van felle strijd werd Rommels Duitse Afrikakorps uiteengescheurd, waarbij het grootste deel van de tanks verloren ging. Ondanks Hitlers bevel de strijd voort te zetten, trokken de troepen zich terug, achtervolgd door de 'woestijnratten' van Montgomery.

Op 5 november kwam generaal Eisenhower aan in Gibraltar, waar het hoofdkwartier gevestigd zou worden voor de operatie Torch. De sovjets hadden om die aanval gevraagd om de Duitse druk aan het oostfront te verminderen.

Drie dagen na Eisenhowers aankomst landden Amerikaanse troepen in Noord-Afrika. Doordat weldra belangrijke havensteden als Port Lyautey en Casablanca vielen, slaagde het Britse leger erin de Algerijnse steden Algiers en Oran in te nemen. Daardoor sneden ze de weg naar de oliebronnen in het Midden-Oosten af voor de Duitsers.

Doordat de geallieerden de situatie in de Middellandse Zee weldra meester waren, werden er plannen gemaakt voor een inval op Sicilië.

Toen de geallieerden steeds meer aan terrein wonnen in Noord-Afrika negeerde een deel van het Franse leger de bevelen van de Vichyregering en sloot zich aan bij geallieerden.

Ook Gabin wilde niet langer afzijdig blijven. Hij besloot, na de opnamen van *The Imposter*, Hollywood vaarwel te zeggen en zich daadwerkelijk te mengen in de strijd door zich aan te melden voor actieve dienst bij de Vrije Fransen. Zanuck was gemakkelijk te bewegen zijn contract te annuleren gezien het matige succes van Gabins Amerikaanse films.

Wederom reisde Jean oostwaarts, dit keer voor een bezoek aan de Manziarly.

Toen hij in New York uit de trein stapte, trof hij een totaal andere stad aan. In de drukke straten van Manhattan wemelde het van militairen in alle leeftijdsgroepen, van generaals in goudgallon tot mariniers in helderwitte uniformen. De bars puilden uit van de vele bezoekers. De kreten van de verkopers van kastanjes, hotdogs, limonade en snoep en het onophoudelijke rumoer van het verkeer vermengde zich met de muziek uit de vele jukeboxen en de luide radio's van taxichauffeurs. Overal klonken de swingende tonen van Benny Goodman, Glenn Miller, de Andrews Sisters, Gene Krupa en Frances Langford. Maar 's nachts bood de stad een sombere aanblik omdat, uit angst voor luchtaanvallen, de wolkenkrabbers na zonsonsdergang in het duister gehuld bleven.

Gabins bezoek aan de Manziarly liep op niets uit. Hij kreeg sterk de indruk dat die hem het uniform en Lorrainse kruis, symbolen van de Vrije Fransen, wilde verlenen zodat hij kon dienen als een soort paradepaard op bijeenkomsten in Hollywood en New York. Teleurgesteld besloot Gabin een andere bron aan te boren. Hij benaderde de latere admiraal Lahaie, die de zaak serieus nam door te beloven dat hij er voor zou zorgen dat Gabin zo snel mogelijk naar Noord-Afrika zou worden overgebracht. Na bevorderd te zijn tot bootsman eersteklasse werd hij midden april 1943 opgeroepen zich op de marinebasis Norfolk te melden.

Voor zijn vertrek bracht hij enkele dagen met Marlene in New York door, die het aanbod had gekregen om haar Broadwaydebuut te maken in de musical *One Touch of Venus*, waarvoor Kurt Weill de muziek en Ogden Nash de teksten had geschreven. Maar Marlene zag daar uiteindelijk op het laatste moment van af omdat ze de rol te gewaagd en te profaan vond. Waarschijnlijk was het niet de enige reden, ze meende ook dat de songs niet zo goed waren als die Weill indertijd voor de *Dreigroschenoper* en *Mahagonny* had gecomponeerd. Toen ze dat aankaartte, merkte Weill gepikeerd op dat hij nu in Amerika werkte en dat je Broadway niet moest vergelijken met de Kurfürstendamm. Na haar weigering ging de rol naar de jonge Mary Martin voor wie het scenario helemaal moest worden herschreven, omdat de hoofdpersoon nu geen exotische wereldse vrouw meer was, maar een fris, onschuldig meisje. Ondanks Marlenes negatieve reactie werden enkele van de songs uit deze musical, waaronder *Speak Low* en *Foolish Heart*, toch hits en beleefde de show 567 voorstellingen in het Imperial Theatre op Broadway. (Ava Gardner speelde de rol in 1948 in een speelfilm zonder muziek.)

Voor zijn vertrek schonk Gabin Marlene een drietal schilderijen van Franse impressionisten: Renoir, Vlaminck en Sisley. Hij had ze eigenlijk willen verkopen, maar ontdekte te laat dat werken van impressionisten die heden ten dage miljoenen opbrengen, indertijd in Amerika nog niet gewild waren. Marlene vergezelde Jean naar Norfolk, waar ze een restaurant bezochten en naar Hampton waar ze *Our Russian Front*, een oorlogspropagandadocumentaire van Lewis Milestone en Joris Ivens, zagen. Humphrey Bogart speelde er de rol in van een onverschrokken duikbootcommandant.

Nadat Gabin zich had gemeld, reisde Marlene terug naar Hollywood, waar ze onder regie van William Dieterle, een rol ging spelen in de kleurenfilm *Kismet*. De Duitse Wilhelm (William in Amerika) Dieterle, die in 1920 zijn filmdebuut maakte, had voordat hij in 1929 op uitnodiging van Universal naar Amerika ging, als acteur en regisseur in Duitsland gewerkt. In 1923 had hij samen met Marlene gespeeld in de zwijgende film *Der Mensch am Wege*, die hij ook zelf had geregisseerd.

In het duizend-en-een-nachtsprookje *Kismet* heeft Marlene een betrekkelijk kleine, maar opvallende rol als danseres Jamilla: ze danst met haar goud geschilderde benen een sensuele wilde haremdans. De film werd Dieterle helaas uit handen genomen en tijdens het snijden volledig verprutst. Een ander punt was dat Marlenes hoekige gezicht het wel goed deed in zwart-witfilms maar in kleuren veel van haar expressie verloor. Toen de film in roulatie kwam, bevond Marlene zich al aan het front.

Intussen was Gabin als bootsman vertrokken met het begeleidingsvaartuig *Elorn*, dat met andere oorlogsschepen een aantal tankers moest beschermen. De reis ging naar Algiers en verliep voorspoedig totdat ten zuiden van de Azoren Duitse duikboten de formatie aanvielen en daarbij een van de tankboten wisten lek te schieten. Toen andere begeleidingsschepen daarop het vuur openden en zo de duikboot verjoegen, kon de *Elorn* zijn reis over de Atlantische

Oceaan weer voortzetten. Het schip vervolgde aanvankelijk zijn route zonder verdere problemen totdat plotseling op de hoogte van Cap Ténes de hel los brak toen het konvooi werd aangevallen door Duitse Stuka's. Gabin moest vanuit zijn post de toestellen beschieten. Doordat een van de Stuka's werd geraakt, maakte het een onvoorziene duikvlucht in de richting van de *Elorn* voordat het vlakbij brandend in zee stortte. De vlammenzee, gepaard gaande met een enorme waterhoos, werd mede veroorzaakt door projectielen die hun doel niet hadden bereikt. Na enige tijd stopten de bombardementen en verdwenen de vliegtuigen aan de horizon. Wonder boven wonder wisten de opvarenden van de getroffen schepen zich uiteindelijk toch met reddingsboten in veiligheid te brengen.

Tijdens de gevechten stond Gabin doodsangsten uit. Hij moest denken aan de propagandafilm met Humphrey Bogart die hij samen met Marlene gezien had. Terugdenkend aan de luchtaanval zei hij later: 'Bogart was in de film heldhaftig en flegmatiek, zoals men nu eenmaal in een film moet zijn, maar ik zei tegen mezelf: "Wat een klootzak die Bogart! Wat een lul!" Ik had wel eens willen zien wat voor smoel hij hier zou hebben getrokken! Mijn tanden klapperden van angst zo hevig dat mijn pet als het ware op mijn hoofd danste.'

Eenmaal veilig aan wal in Algiers viel het hem op dat de stad waar hij jaren geleden *Pépé le Moko* had gedraaid, er nu totaal anders uitzag, het wemelde er van militaire uniformen. De macht was in handen van de Amerikanen die koortsachtig voorbereidingen maakten voor de landing op het Europese continent, gepland op 10 juli voor de kust van Italië.

Na een rekrutentraining op de *San Sirocco* nam Gabin dienst bij het Régiment Blindé des Fusiliers Marins onder leiding van generaal Leclerc. Hoewel hij zich onder zijn eigen naam Moncorgé had gemeld, was men er op de afdeling amusement algauw achter gekomen dat deze Moncorgé niemand minder was dan acteur Jean Gabin. Toen men hem opnieuw trachtte te strikken voor optredens voor de manschappen, weigerde Gabin, omdat hij zijn sporen wilde verdienen als soldaat en niet als entertainer. Niettegenstaande zijn vurige wens met de geallieerden de landing in Normandië mee te mogen maken, werd hij voorlopig ingezet als instructeur van de fusiliers.

In Algiers ontmoette Gabin acteur John Lodge, kleinzoon van de Amerikaanse senator Henry Cabot Lodge. John was in 1934 Marlenes tegenspeler geweest in *The Scarlet Empress* waarin hij de rol had gespeeld van graaf Alexei. Gabin kende Lodge nog vanuit Parijs omdat Lodge kort voor het uitbreken van de oorlog de rol van aartshertog Franz-Ferdinand had vertolkt in Max Ophuls' historische film *De Mayerling à Sarajevo*. Van Lodge vernam hij dat Marlene in Algiers was aangekomen, waar ze regelmatig optrad voor de troepen. Gabin verraste haar tijdens haar optreden, waarbij ze elkaar, onder luid gejuich van de GI's, gepassioneerd kusten. Doordat kort voor de eerste show een bom vlak bij het toneel was gevallen, was de elektriciteitstoevoer vernield. Desondanks speelde de groep vol bezieling door in het licht van autokoplampen en zaklantaarns.

Gabin voelde zich enigszins opgelaten in Marlenes gezelschap want ze bleef de gevierde filmdiva spelen en omringde zich voortdurend met hooggeplaatste militairen waarbij Gabin, qua rang in het niet viel. Marlene bleef slechts korte tijd in Algiers en vloog, nadat de geallieerden Italië hadden veroverd, voor een optreden naar Napels.

Gabins collega Jean-Pierre Aumont, die zich ook had aangesloten bij de Vrije Fransen was op 13 april 1944 met de eerste divisie geland op het Italiaanse strand, waar hij met zijn compagnie verbleef in Alba Nuova, een dorpje dertig kilometer ten noorden van Napels. Nadat hij op een dag in zijn jeep een Duitse kapitein had overgebracht naar de gevangenis en op het punt stond terug te rijden, voelde hij plotseling twee armen om zich heen: het bleek Marlene in militair uniform te zijn. Aumont haalde haar over mee te gaan naar zijn kamp maar nam tijdens de rit een verkeerde afslag, waardoor ze in een soort niemandsland verdwaald raakten, waar zich her en der nog vijandelijke eenheden bevonden. Het was levensgevaarlijk, want veel Duitsers zagen Marlene als een verraadster die, als ze in hun handen zou zijn gevallen, zeker de doodstraf zou hebben gekregen. Ze besloten daarom terug te rijden en kwamen pas heel laat, maar opgelucht, op hun bestemming aan.

De val van Parijs

Toen de geallieerden op D-day na hun landing op de kust van Normandië land-inwaarts oprukten, waren de Parijzenaars ervan overtuigd dat de stad spoedig bevrijd zou worden. Het communistische verzet riep op tot staking. Uit angst dat de Franse politie zou overlopen naar het verzet, gaven de Duitsers het bevel aan de politie hun wapens in te leveren. Maar de agenten, die zich enkele jaren daarvoor nog met veel ijver hadden ingezet bij razzia's onder de joodse bevolking, zagen plotseling dat het tij ging keren en besloten dat het nu zaak was van richting te veranderen. Op 15 augustus organiseerden ze een staking waarvoor ze hun uniform verwisselden voor burgerkleding. Met behoud van hun wapen namen ze deel aan het verzet.

Weldra brak er ook staking uit bij de posterijen, de spoorwegen en onder het metropersoneel. Ofschoon de ondergrondse maquis in het bezit waren van wapens, omdat veel soldaten ze na de wapenstilstand niet hadden ingeleverd of na het overmeesteren van een Duits wapendepot, was de voorraad te gering voor alle strijders. Desondanks veroverden de maquis tijdens straatgevechten steeds meer aan terrein op de in het nauw gedreven en gedemoraliseerde Duitse troepen. Het communistische verzet had al een aantal districten van Parijs onder controle.

De Vrije Fransen, die zich onder bevel van maarschalk Leclerc hadden aangesloten bij de geallieerde troepen, bevonden zich op tweehonderd kilometer van Parijs. De Gaulle had contact opgenomen met Dietrich von Choltitz, bevelhebber van Parijs, om hem mee te delen dat Duitsers die de stad wilden verlaten, niet zouden worden aangevallen.

Voor zowel de Duitse bezetters als de Franse collaborateurs werd de situatie met het uur nijpender. Uit angst voor represailles door de getergde bevolking, besloten ze hun hachje te redden door zo snel mogelijk de stad te verlaten. Rondom de luxe hotels op de Place de l'Étoile was het een drukte van belang vanwege zwaar beladen colonnes auto's, bestuurd door hoge Duitse militairen vergezeld van blonde vrouwen die zich gedroegen alsof ze op weg waren naar een vakantiebestemming. Het plotselinge vertrek zorgde voor een verkeers-chaos omdat sommige boulevards opengebroken waren door het verzet. Toen Duitse soldaten op de Boulevard St. Michel door de Parijzenaars werden getart en bespot door de militairen uit te wuiven met wc-borstels en hen met van alles te bekogelen, openden ze het vuur op de menigte.

Er waren ook Duitsers die op het laatste moment nog probeerden hun voordeel te halen door zoveel mogelijk in beslag genomen goederen op hun terugtocht mee te nemen. Een groep soldaten roofde, waarschijnlijk op last van een officier, de wijnkelder van privé-club Cercle Interallié leeg. Militaire en civiele voertuigen, zelfs een ambulance, werden volgepropt met de meest uiteenlopende voorwerpen die varieerden van Louis xvi-meubilair, opgerolde tapijten, kunstvoorwerpen, medicijnen en voedsel.

Otto Abetz, de Duitse ambassadeur die opdracht had gegeven de Vichy-regering over te brengen naar Belfort, vlak bij de Duitse grens, vluchtte later met Pétain en zijn gevolg naar het kasteel van Sigmaringen. In het gezelschap bevonden zich onder anderen de met de bezetters heulende journalist Jean Luchaire en de antisemitische schrijver Louis-Ferdinand Céline. Voor het overhaaste vertrek wist Abetz nog tal van kostbaarheden over te laten brengen naar zijn villa in Baden-Baden, waaronder gouden munten, kunstwerken, geld en waardepapieren.

Gedurende de winter van 1944 leed Parijs honger. Voedseltransporten waren volkomen ontregeld, reserves uitgeput en er was een tekort aan kolen, gas en elektriciteit.

Toen er tijdens de opstand ergens een paard door een verdwaalde kogel dodelijk getroffen was, werd het spoedig omringd door met messen gewapende huisvrouwen die allen probeerden een stuk vlees te bemachtigen.

De Duitsers hadden, in de tijd dat ze de macht nog volledig in handen hadden, een soort koehandel opgezet waarbij voor elke drie Fransen die zich bereid verklaarden om in Duitsland te gaan werken, er een krijgsgevangene zou worden vrijgelaten. Toen er echter nauwelijks meer aanmeldingen binnenkwamen, werden met medewerking van de Vichyregering zeshonderdduizend jonge Fransen verplicht tewerkgesteld, niet alleen in de Duitse oorlogsindustrie, maar ook op het land, omdat de meeste Duitse boeren onder de wapenen waren geroepen. Rond 1944 bevonden zich 2,6 miljoen Fransen in Duitsland waaronder vrijwilligers, dwangarbeiders en krijgsgevangenen. Maar ook veel agrariërs, zodat in Frankrijk de akkers niet meer volledig bewerkt konden worden en er steeds minder producten op de markt kwamen. Bovendien werd een deel van de oogst naar Duitsland getransporteerd. De tekorten werden vooral voelbaar in de winter van 1944 toen de geallieerden spoorwegemplacementen bombardeerden, waardoor de bevoorrading van Parijs volledig stagneerde. De Duitsers zetten toen *Wehrmacht*-voertuigen in om het voedsel verder te vervoeren vanaf het Austerlitz-station. De transporten werden daarbij dikwijls door hongerige mensen aangevallen en leeggeroofd.

Er ontstonden straatgevechten, er werden barricaden opgeworpen en vanaf de daken molotovcocktails naar de Duitse konvooien gegooid. Groepen Fransen die het stadhuis wisten in te nemen, hesen er de driekleur. Behalve de overdekte markt, vielen ook enkele telefoon- en gascentrales in handen van de vrijheidsstrijders.

Hoewel Hitler bevelhebber generaal Dietrich von Choltitz had opgedragen de stad tot het uiterste te verdedigen of anders monumenten en bruggen op te blazen en de stad in brand te steken, was Choltitz ervan overtuigd dat de *Führer* op de rand van de waanzin verkeerde en negeerde derhalve Hitlers orders. Op enkele strategische punten waar de Duitsers mijnen hadden geplaatst, wist het verzet ze onschadelijk te maken door de draden door te snijden.

Eisenhowers troepen waren de stad nog niet binnengetrokken uit angst voor een bloedbad onder de bevolking en verwoesting van Parijs. Bovendien zou Eisenhower zelf dan de bijna onmogelijke taak op zijn schouders laden voedsel te verschaffen aan een ondervoede en hongerige bevolking. De Gaulle wilde te allen tijde verhinderen dat het communistische verzet de hand zou leggen op regeringsgebouwen en radiozenders of dat de Amerikanen als eersten de stad zouden binnentrekken. Uiteindelijk gaf Eisenhower de Vrije Fransen het bevel Parijs binnen te vallen. Op 22 augustus trok de tweede divisie in de richting van Parijs en twee dagen later reisde generaal De Gaulle de oprukkende troepen achterna. Aangezien de Duitse *Wehrmacht*-bevelhebber Dietrich von Choltitz geen bloed meer wilde vergieten, capituleerde hij op 25 augustus. De bevrijding die toen een feit was, werd aangekondigd met het luiden van de kerkklokken, waaronder die van de Notre-Dame. Een uitzinnige menigte zong voor de overwinnaars luidkeels de lang verboden *Marseillaise*.

Na zijn glorieuze entree sprak De Gaulle vanaf het Hôtel de Ville de menigte toe en maakte daarna een zegetocht over de Champs-Élysées tot aan de Notre Dame.

Toen de nog in Parijs achtergebleven en in het nauw gedreven Duitse soldaten werden gearresteerd, werden ze door de bevolking zo ernstig gemoles-

teerd dat regelmatig de politie tussenbeide moest komen om erger te voorkomen. Collaborateurs werden gevangengenomen en dikwijls op gruwelijke
wijze mishandeld en vernederd. Schrijver-filosoof Jean-Paul Sartre zag in de
rue de Buci een groep *miliciens* met hun broek op de schoenen gegeseld worden door de menigte. Maar de grootste slachtoffers van de opgekropte haat
werden vrouwen die relaties hadden gehad met Duitsers, de zogenaamde
'horizontale collaboratie'. Ze werden kaal geschoren terwijl op hun hoofd of
borsten met zwarte verf een hakenkruis werd getekend. Het bood soms een
trieste aanblik, vooral als ze een baby in hun armen droegen van de Duitse vader. De opgezweepte sadistische menigte voelde echter geen enkele compassie. Tienduizend vermeende collaborateurs werden opgepakt en geïnterneerd
in kampen en gevangenissen.

Onder degenen die met de geallieerde troepen Parijs bereikten, bevond zich
ook Ernest Hemingway. De schrijver had de oorlog doorgebracht op Cuba,
waar hij met medewerking van de Amerikaanse ambassadeur een soort spi-
onagedienst had opgezet. Op zijn jacht *Pilar* hield hij de kust in de gaten om
eventuele vijandelijke onderzeeërs te melden. Maar voor veel Cubaanse vrienden diende zijn bravourachtige missie uitsluitend om te ontkomen aan de
strikte distributie van benzine, zodat het zogenaamde spionagewerk in werkelijkheid bestond uit vissen en drinkgelagen met zijn maatjes. Hoewel de
schrijver zeer bevriend was met president Roosevelt en zijn vrouw, hield de
FBI hem nauwkeurig in de gaten vanwege zijn linkse sympathieën gedurende
de Spaanse burgeroorlog. De duidelijk op zijn retour zijnde Hemingway, die
tijdens de bevrijding nog even soldaatje wilde spelen, had op de route naar
Parijs een groepje verzetsstrijders om zich heen verzameld, waarbij hij een
soort van bevelhebber speelde. Toen ze op hun tocht een zielig, doodsbang
verdwaald klein Duits soldaatje konden arresteren, kwam Hemingway op het
idee de man uit te horen over Duitse troepenverplaatsingen. Eigenlijk had hij
een brandende aansteker onder de soldaats tenen willen houden, maar doordat hij geen bijval kreeg, werd de man vrijgelaten. In het bevrijde Parijs nam
Hemingway zijn intrek in het Ritz Hotel waar inmiddels ook Marlene Dietrich
korte tijd logeerde. Later zou ze het geallieerde leger volgen bij de opmars door
Duitsland. Marlene kende Hemingway nu al een jaar of tien en liep soms zijn
badkamer binnen terwijl hij zich aan het scheren was, om een praatje te maken of een whisky met hem te drinken. Er bestond geen seksuele relatie tussen
hen. De schrijver worstelde met het probleem dat 'Mister Scrooby', zoals hij
zijn penis noemde, al enige tijd geen erectie kon krijgen.

*Herdenking bevrijding
van Parijs in 1951.*

Marlene nam ook contact op met Gabins zuster en zwager in Mériel om hun mee te delen dat alles goed ging met Jean.

Gedurende de maand januari lag Parijs bedekt onder een laag sneeuw. Vanwege de enorme kou was distributie van kolen onafwendbaar. Er was, afgezien van een uur in de middag, de gehele dag geen stroom. Wegens papierschaarste verschenen dagbladen op halve grootte. Melk werd alleen verstrekt aan de groep J-1, pas geborenen en kinderen tot drie jaar. Kinderen van vier tot veertien hadden recht op vier eieren die op de zwarte markt verkocht werden voor dertig franc per stuk.

Dat de voedselschaarste in Parijs nog lang duurde, blijkt uit een menu van

Hotel Claridge met datum 19 februari 1945, dat Marlene had gestuurd aan haar echtgenoot Rudolf Sieber in Amerika voorzien van enkele sarcastische opmerkingen. Het begon met Crème Solférino, een waterige tomatensoep en als hoofdgerechten stonden er vermeld 'Pommes Macaire', waarachter Marlene schreef 'mashed potatoes' en 'Soissons Bretonne' waarachter ze vermeldde 'Beans'. Daarbij merkte ze op: 'Kun je je voorstellen wat de armen eten als je dit in een chique restaurant voorgezet krijgt. Bovendien moet je nog een halfuur lopen om dit als diner te krijgen. Als je ergens leest dat het in Parijs goed leven is en dat er hier goede zwarte markt restaurants zijn, geloof er dan maar geen woord van.'

Maar Marlene had in vergelijking met de Parijzenaars niets te klagen. Volgens haar vroegere vriend, de scenarioschrijver en tekstdichter Max Colpet, was haar kamer rijkelijk voorzien van levensmiddelen, waarvan de bevolking alleen nog maar kon dromen.

De joodse statenloze Colpet, die net was ontslagen uit het Zwitserse interneringskamp Bout-du-monde schrijft in zijn memoires: 'Ze nam mij mee naar haar kamer in Hotel Claridge. Ik vertrok daarna beladen als een pakezel met Nescafé, cacao, suiker, melkpoeder en droge worst.'

Colpet zou later voor Marlene de tekst schrijven van Pete Seegers pacifistische song *Where have all the flowers gone* die in Duitsland als *Sag mir wo die Blumen sind* een schlager werd.

Na haar oponthoud in Parijs vertrok Marlene naar het front om op te treden voor de geallieerde troepen.

Een triest weerzien

Helaas ging Gabins grote wens om met de troepen van Leclerc op D-day te mogen landen op de kust van Normandië, niet in vervulling. Pas in de herfst van 1944 keerde hij met de kruiser *La Gloire* terug naar Frankrijk, waar hij weer voet op Franse bodem zette in Brest, de plaats waar hij kort voor het uitbreken van de oorlog aan *Remorques* had gewerkt en een romance beleefde met Michèle Morgan.

In februari ging de pantserbrigade waarvan hij inmiddels deel uitmaakte, in Bourges met verlof. Hoewel hij nu de gelegenheid kreeg zijn familie in Mériel te bezoeken en zijn geliefde Parijs terug te zien, werd dat weerzien een desillusie.

De aanblik van de verpauperde stad, die nog triester was dan hij zich had voorgesteld, maakte grote indruk op hem. Er was werkelijk een gebrek aan alles. Omdat de taxi's uit het stadsbeeld waren verdwenen, was hij genoodzaakt de overvolle metro te nemen, met zo'n bekend gezicht geen pretje. Rondom hoorde hij opmerkingen als: 'Hé, is dat niet Gabin? Wat is die oud geworden zeg!' Of: 'Die man met dat witte haar, is dat echt Gabin?'

Max Colpet gaf in zijn memoires een beschrijving van het Parijs dat hij vier jaar eerder voor het laatst zag: 'Het weerzien met Parijs was tamelijk teleurstellend. En dat betrof niet alleen mij, ook oude vrienden die teruggekeerd waren hadden hetzelfde gevoel. Misschien verwachtten we te veel, we dachten ontvangen te zullen worden als door een geliefde, die je na een vierjarige scheiding begroet en hartelijk in de armen sluit.' Maar alles was koud en onpersoonlijk. Men merkte in de stad overal de gevolgen van jaren bezetting. Er heerste een eigenaardige atmosfeer, een valse glans, een gedwongen zorgeloosheid. Parijs leek op een hoer die zich te bont geschminkt had en een goedkope pruik droeg. De één vertrouwde de ander niet en iedereen probeerde er, zonder gewetensbezwaren, beter te worden van zwarte handel, zelfs de geallieerden soldaten profiteerden ervan. Bovendien was het bijna onmogelijk een kamer te vinden daar de meeste hotels gevorderd bleven: alleen de uniformen en de vlaggen aan de gevels waren verwisseld. En als men na lang zoeken toch een hotel had gevonden, moest men zelf het beddengoed meebrengen. Colpet had het geluk dat Marlene voor optredens op reis moest waardoor hij haar kamer kon betrekken.

Marlene bevond zich aan het front terwijl Gabin in Parijs aankwam. In zijn woning in de rue Maspéro en vernam hij dat zijn scheiding van Doriane inmiddels was uitgesproken. Hij hoorde van kennissen dat ze in Megève een bar-dancing zou exploiteren. Maar omdat hij niet lang in het trieste Parijs wilde blijven, keerde hij terug naar zijn onderdeel in Bourges.

In de periode dat zijn divisie daar was ingekwartierd, stuitten de geallieerden aan het Rijnfront op hevige weerstand.

Na felle gevechten boekte men echter langzaam vooruitgang. Marlene, die met het geallieerde leger in de richting van de Rijn was getrokken, zou daar geconfronteerd worden met veel menselijk leed. Het gebeurde regelmatig dat soldaten die haar tijdens haar optreden 's avonds nog geestdriftig hadden toegejuicht, de volgende dag zwaargewond waren of, erger nog, waren omgekomen. Ze bezocht ook gewonde Duitse militairen, maar was hard in haar oordeel: 'Ze vechten voor Hitler, terwijl de Amerikanen voor de vrijheid vechten.'

Als Pruisische soldatendochter trotseerde ze, zonder te klagen, het gebrek aan hygiëne, de ratten en de luizen. Om warm te blijven in de ijzige kou, dronk ze calvados op haar lege maag. Ze bracht dikwijls de nacht door in tenten of in huizen die gedeeltelijk verwoest waren door het oorlogsgeweld, zong op geïmproviseerde toneeltjes en bezocht militaire hospitaals. Tijdens haar optredens droeg ze een dunne paillettenjurk die het voordeel had dat hij in de koffer niet kreukte. Naast liedjes uit haar films zong ze de Engelse versie van *Lili Marleen*, dat in Duitsland populair was geworden door de vertolking van Lale Anderson. Doordat Suzy Solidor het liedje al in 1942 op de plaat had gezet, bereikte het zelfs de geallieerde troepen in Algiers. Marlene, die het een jaar later op haar repertoire nam, had tevens enkele bekende Duitse melodieën en in het Duits vertaalde Amerikaanse *evergreens* opgenomen, die werden uitgezonden via de op Duitsland gerichte Amerikaanse propagandaradio. Daarbij sprak Marlene de verbindende tekst die de Duitse soldaten moest aansporen de wapens neer te leggen en te deserteren: 'Jungs opfert euch nicht. Der krieg ist doch Scheisse! Hitler ist ein Idiot!'

Toen op 7 maart 1945 geallieerden troepen bij Remagen over de Rijn trokken, ondervonden ze zo veel weerstand van de Duitsers dat Essen pas een maand later in hun handen viel. Marlene was blij in Aken voor haar jongens te kunnen optreden in een gehavende bioscoop.

Op 16 april bereikten Russische troepen de buitenwijken van Berlijn. Na huis aan huis gevechten, waarbij de Russen steeds meer terrein wonnen, namen ze uiteindelijk het centrum van de stad in. Op 2 mei capituleerde Berlijn, waar Hitler twee dagen daarvoor een einde aan zijn leven had gemaakt door een ampul cyaankali en een revolverschot. Op 5 mei trof men bij de *Führerbunker* de verkoolde lichamen van Hitler en Eva Braun aan. Hitler was kort voor zijn zelfmoord getrouwd met Eva, die erop had gestaan hem te volgen in de dood.

Laat in de winter kreeg Marlene opdracht terug te keren naar Parijs om te herstellen van bevriezingsverschijnselen door een verkoudheid. Toen ze weer was opgeknapt, was ze te zien bij drie galavoorstellingen voor de troepen, met onder anderen haar vrienden Maurice Chevalier en Noël Coward. Hoewel ze in haar boek beweerde dat ze samen met Gabin geluisterd had naar de radiospeech van generaal De Gaulle, waarin deze op 8 mei aankondigde dat de oorlog voorbij was, bevonden beiden zich op die dag niet in Parijs. Marlene verbleef in Beieren. De divisie waarin Gabin zich bevond, had opdracht gekregen de laatste weerstand in de Elzas te breken. Vanuit Garmisch-Partenkirchen kreeg de divisie opdracht richting Berchtesgaden te trekken. Op die route ondervonden de mannen nauwelijks enige weerstand en toen ze op hun bestemming aankwamen met Hitlers Berghof in zicht, had Duitsland al gecapituleerd.

Marlene en Jean hadden elkaar al een jaar niet gezien. Een paar dagen voor v-e Day kwam Marlene er achter dat divisie Leclerq zich in Landsberg bevond. Haar verzoek aan bevelhebber Daniel Gélinet om de Franse troepen te mogen bezoeken, werd ingewilligd.

Marlene charterde een jeep en legde de tachtig kilometer af naar het punt waar de Franse troepen gelegerd waren. Het hilarische verhaal over wat er toen gebeurde, vertelde ze later aan vrienden: 'Ik kwam aan op het moment dat de voorbereiding voor een parade ter ere van generaal De Gaulle in volle gang was. Een twintigtal tanks bulderde in een formatie van vier naast elkaar. Ik reed met mijn jeep zigzag langs de pantservoertuigen wetende dat ik Jean makkelijk zou herkennen, want, trouw als hij was aan zijn militaire dienst bij de marine, bleef hij zijn kwartiermeesterspet dragen. Toen ik hem ten slotte ontwaarde, stopte ik de jeep, liep langs de rupsband, klom naar de koepel en riep: "Jean...!

Jean! Ik wil je kussen!" Verstoord draaide hij zich om en toen hij me naar boven zag klimmen riep hij: "Merde! Merde! Dat gaat niet!" Sodemieter op!'

De divisie waarbij Gabin zich bevond was daarna enige tijd gelegerd aan de Oostenrijks-Tsjechische grens. Gezeten in zijn tank ontmoette Gabin daar de populaire Duitse acteur Hans Albers die in de door de nazi's geconfisqueerde Praagse studio's had gewerkt aan de film *Shiva und die Galgenblume*, waarvan de productie halverwege moest worden gestaakt vanwege het oprukkende Rode Leger. Hoewel Albers Gabin kende van zijn filmwerk in Berlijn, overdonderde hij Gabin enigszins met de vraag of hij aan een film meewerkte.

Toen de Amerikaanse troepen het verwoeste Berlijn eenmaal hadden bereikt, ging Marlene op zoek naar haar familie. Hoewel de stad in 1943 in de maanden november en december voortdurend was gebombardeerd, waarbij 27 duizend doden vielen, had ze bericht gekregen dat haar moeder nog in leven was en ze had met haar getelefoneerd. In haar huis ontmoette ze enkele vrienden, onder wie de homoseksuele acteur Hubert (Hubsi) von Meyerink en haar vroegere kleedster Resi, die ze bij de Amerikanen een baantje als huishoudster bezorgde. Ook kwam ze de jonge, knappe Amerikaanse generaal Gavin tegen, op wie ze in de oorlog verliefd was geworden.

Na de hereniging met haar moeder ging ze op zoek naar de familie van haar zuster Elisabeth. Tot haar schrik kwam ze tot de ontdekking dat ze in het concentratiekamp Bergen-Belsen zaten. Daar aangekomen, kwam ze er achter dat ze geen gevangenen waren geweest, maar deel hadden uitgemaakt van een amusementsgroepje voor de bewakers en tevens de kantine exploiteerden. Elisabeth, haar man *Truppenbetreuungoffizier* George Will en hun zoon leefden in betrekkelijke luxe in een nabijgelegen flat.

Toen haar moeder in november op 63-jarige leeftijd overleed, kwam Marlene speciaal daarvoor over uit Parijs. Tijdens de begrafenis stond ze in de regen bij de door bommen verwoeste kapel van het Berlijnse kerkhof Friedenau en zag hoe de van het hout van oude schoolbanken gemaakte kist, afdaalde in de groeve.

Haar zuster Elisabeth en haar 'foute' familie negeerde ze daarna volledig. In een interview met Maximilian Schell in 1982 beweerde ze zelfs dat ze enig kind was geweest.

Nadat Marlene en Jean Gabin beiden waren ontslagen uit het leger, vestigden ze zich in Parijs in Hotel Claridge. Hoewel geen van beiden het wilde toegeven, had de oorlog duidelijk een wig tussen hen gedreven. De ruzies en vechtpartijen waren niet van de lucht. Op een dag had Marlene er genoeg van en verliet ze het Claridge Hotel om haar intrek te nemen in het Élysées Parc Hotel. Ondanks de ruzies, die grotendeels voorkwamen uit Gabins jaloezie, kwam het echter steeds weer tot een verzoening.

Gabin werd na zijn ontslag uit militaire dienst onderscheiden met het de *Medaille militaire* en het *Croix de guerre*. In 1960 kreeg hij het *Légion d'Honneur*. De Franse republiek verleende Marlene de titel *Chevalier de la Légion d'Honneur* en door de Amerikanen werd ze onderscheiden met de *Medal of Freedom*. Maar ondanks al dat eerbetoon overheerste een melancholieke sfeer. Vanuit Parijs schreef Marlene haar dochter Maria: 'M'n Engel, ik ben zo gedeprimeerd, ik kan zelfs niet meer lachen. Ik heb de laatste resten van mijn humor verloren... Van het Europa waarvan ik zoveel hield is niets meer over dan een vage verschrompelde herinnering. Ik verlang er nog steeds naar, maar realiseer me dan dat het voor altijd verdwenen is.'

Zuiveringen en degradaties

De bevrijding was voor sommige Fransen de gelegenheid om oude vetes te beslechten. Bij de instanties kwamen dan ook stapels brieven binnen, meestal anoniem, waarin men anderen beschuldigde van samenwerking met de vijand. Maar in geen enkel ander Europees land dat had geleden onder de Duitse bezetting, was het zo moeilijk om aan te wijzen wie er hand- en spandiensten had verleend aan de bezetter. Uiteindelijk had het grootste deel van het Franse volk het volste vertrouwen gehad in de oude maarschalk Pétain die nu in staat van beschuldiging was gesteld voor hoogverraad.

Schrijvers die met de bezetter geheuld hadden en het anti-semitisme hadden aangewakkerd, werden gearresteerd. Robert Brasillach werd gefusilleerd, Charles Maurras veroordeeld tot levenslang. Drieu de la Rochelle wachtte zijn vonnis niet af: hij maakte een eind aan zijn leven. Céline vluchtte naar het buitenland.

De *purification* (zuivering) en de *Indignité nationale* (nationale verontwaardiging) richtten zich nu op degenen die positief tegenover Pétain en het Vichybeleid hadden gestaan. Maar dat was in wezen een groot deel van de Franse bevolking, eigenlijk iedereen die een beeltenis van de maarschalk in zijn kamer had of zich positief over de oude man had uitgelaten. Ook degenen die deel hadden uitgemaakt van Vichyregering die nota bene indertijd door Washington erkend was. Velen zoals rechters, advocaten, notarissen en leraren van openbare scholen die hun beroep gedurende die periode hadden uitgevoerd, vielen onder de zogenaamde *Dégradation nationale* waardoor hun jarenlang van alles verboden werd. Men mocht geen onderscheidingen meer dragen, niet als getuige optreden en er werd hun het recht ontzegd een uitgeverij, radiostation of filmmaatschappij te leiden of directeur te zijn van een bank of verzekeringsmaatschappij.

Ook Maurice Chevalier ontsprong de dans niet, zijn optreden voor de collaborerende Radio Paris, die ook zijn concerten sponsorde, werd hem fataal. De

Franse nazi-propagandist Jean-Herold Paquis, die bij Radio Paris had gewerkt, verklaarde dat Chevalier voor zijn optreden op het Gala des Ambassadeurs zestigduizend franc per optreden kreeg. Zijn voorstellingen werden tevens bijgewoond door een groot aantal Duitse officieren, hoewel de meeste aanwezigen Fransen waren. De foto's die in de gecontroleerde pers verschenen, gaven echter de indruk dat Chevalier uitsluitend had gezongen voor de Duitse troepen omdat die gewoonlijk op de eerste rijen zaten. De zanger was ook akkoord gegaan met een optreden voor de Franse krijgsgevangenen in het kamp Alten Grabow, waar hij tijdens de Eerste Wereldoorlog zelf was geïnterneerd. Hij had er geen gage voor verlangd maar had bedongen dat een aantal gevangenen uit zijn geboorteplaats Ménilmontant zou worden vrijgelaten, een afspraak die de Duitsers waren nagekomen. Maar propagandaminister Josef Goebbels had misbruik gemaakt van Chevaliers spontane geste door in de Duitse pers een foto van hem te laten plaatsen waarop hij werd omringd door een aantal Duitse militairen, en te vermelden dat hij voor de Duitse troepen zou hebben opgetreden. De foto verscheen ook in het Amerikaanse blad *Life*.

Door de BBC werden Chevaliers stappen met argusogen bekeken. Commentator van de Vrije Fransen radiozender Les Français parlent aux Français was de Frans-joodse chansonnier Pierre Dac, die het bezette Frankrijk in 1943 nog had weten te ontvluchten en verschillende maanden gevangen zat in een Spaanse cel voordat hij uiteindelijk Londen bereikte. Dac attaqueerde in zijn programma Chevalier door hem openlijk een verrader en collaborateur te noemen. Ook Joséphine Baker beschuldigde haar collega in een interview, dat ze op 27 mei 1944 aan de United Press in Algiers gaf. Het in een aantal kranten verschenen artikel bestond uit verdachtmakingen, halve waarheden en onjuistheden die Chevalier echter danig in het nauw brachten.

Na de landing van de geallieerde troepen op 27 augustus 1944 op het strand van Normandië deed het onjuiste verhaal de ronde dat Chevalier door het verzet was gefusilleerd. De *New York Herald Tribune* bracht het onder de kop: 'CHEVALIER SLAIN AS A FRENCH TRAITOR'. De maquis zaten inderdaad achter Chevalier aan, maar trof hem niet thuis. De zanger zat enige tijd ondergedoken totdat er een gesprek plaatsvond met de uit Londen teruggekeerde Dac, waarbij Chevalier gezuiverd werd van alle blaam. Ook Marlene Dietrich en Charles Boyer namen het voor Chevalier op. Boyer, die vanuit Amerika het Franse verzet financieel had gesteund, verklaarde dat Chevalier onterecht de dupe was geworden van een hetze die was ontstaan door ongefundeerde beschuldigingen.

Ook bij de filmbranche was het 'bijltjesdag' toen er tal van kopstukken werden gearresteerd. Typerend was dat juist gedurende de bezetting de Franse filmindustrie enorm had gefloreerd. Dat kwam doordat een aantal vooraanstaande regisseurs het land had verlaten en jong talent de kans had gekregen hun plaats in te nemen en zich volledig te ontwikkelen. Onder hen bevond zich de jonge scenarioschrijver Henri-Georges Clouzot, die in 1942 zijn debuut maakte als regisseur. Hoewel een aantal Franse acteurs en regisseurs had geweigerd voor de onder Franse vlag opererende Duitse Continental te werken, waren niet allen zo principieel. Een aantal van hen greep de kans om carrière te maken met beide handen aan. Bij de bevrijding plukten ze daar de wrange vruchten van. Er volgden tal van arrestaties. Onder de beschuldigden bevonden zich auteur-acteur en regisseur Sacha Guitry en zijn twee ex-vrouwen Yvonne Printemps en Yvette Lyses, operazangeres Mary Marquet en de actrices Mireille Balin, Danielle Darrieux en Arletty, de zangers Tino Rossi en Georges Guetary, om enkelen te noemen.

In vrachtwagens werden de vermeende collaborateurs overgebracht naar het Vélodrome d'Hiver, gedurende de bezetting een verzamelplaats voor gearresteerde joden. Daar werden ze geselecteerd en deels overgebracht naar het depot, de gevangenis van Fresnes of het kamp in Drancy. 'De dood, de dood!' riepen omstanders bij hun arrestaties. De pers berichtte dagelijks over veroordelingen en executies waarbij ook de naar Sigmarinen gevluchte redacteur Jean Luchaire zijn leven eindigde voor het vuurpeloton. Zijn dochter, de mooie filmactrice Corinne Luchaire, werd in Nice gearresteerd en geïnterneerd in Fresnes. Toen de rechtbank haar schuldig bevond aan collaboratie werd ze veroordeeld wegens *Indignité nationale* en gedurende tien jaar uit haar burgerrechten ontzet. In 1949 schreef de ziekelijke Corinne haar memoires met als titel *Ma drôle de vie* (mijn vreemde leven), waarin ze zich probeerde te rechtvaardigen. Een jaar later overleed ze ten gevolge van een longontsteking.

Onder de kopstukken uit de film- en toneelwereld die gearresteerd werden, bevond zich ook de succesvolle acteur Pierre Fresnay, die gedurende de bezetting in vier films van Continental had gespeeld. Een van die films was de door Clouzot geregisseerde *Le Corbeau*. Vooral deze film was voor de Duitsers koren op hun molen, want het stelde het Franse volk voor als gedegenereerde bourgeoisie, verdorven en decadent, precies zoals Hitler het in *Mein Kampf* had beschreven.

Fresnay werd na zes weken vrijgelaten, maar toen hij weer op de planken stond, scandeerde een aantal verzetstrijders van het laatste uur: 'Naar Berlijn!

naar Berlijn' en werd een andere voorstelling verstoord toen ex-gevangenen uit Dachau in hun kampkleding op het toneel sprongen en Fresnay tegen de grond sloegen. Uiteindelijk overleefde de in de Elzas als Pierre Laudenbach geboren Fresnay de boycot en zette hij met veel succes zijn werk bij film en toneel voort.

Ginette Leclerc, Fresnay's tegenspeler in *Le Corbeau* werd veroordeeld tot negen maanden celstraf en kreeg een beroepsverbod. Maar het was niet alleen haar medewerking aan de film dat haar ten laste werd gelegd, Ginette had met haar vriend acteur Lucien Gallas de nachtclub Le Baccara gedreven en had van de nazi's een vergunning gekregen om sterke drank te verkopen. Haar club was een verzamelpunt voor collaborateurs, zwartemarkthandelaren en hoge nazi's. Desondanks speelde Ginette na haar ontslag uit de gevangenis in 1946 alweer haar eerste filmrol.

Ook Clouzot werd gearresteerd maar beriep zich erop dat de film geen antireclame was voor Frankrijk omdat hij alleen in het Franssprekende gedeelte van België en Zwitserland te zien was en nooit in het Duits gesynchroniseerd of vertoond was. Clouzot werd veroordeeld tot een levenslang beroepsverbod, dat later werd omgezet in twee jaar.

Ook beroemde vrouwen die relaties hadden met Duitsers moesten het ontgelden, zoals bijvoorbeeld zangeres Léo Marjane vanwege haar relatie met een Duitse officier. Ze zong voor Radio Paris en tijdens haar optreden in cabaret Shéhérazade zat de zaal steevast vol met vrienden in hun Duitse uniform. Toen ze door het Comité d'Épuration daarover werd aangesproken, reageerde ze gevat: 'Duitsers? Oh, dat wist ik niet, ik ben namelijk bijziend.' Maar na de oorlog kwam haar carrière nauwelijks nog van de grond. Modeontwerpster Coco Chanel vluchtte vanwege haar relatie met een hoge Duitse militair naar Zwitserland.

Een andere beroemde vrouw die een relaties met een Duitser had gehad, was ook Arletty, Gabins oude partner uit Carné's meesterwerk *Hôtel du Nord*. Arletty had in 1941 in Parijs de knappe Duitse luchtmachtofficier Hans Jürgen Soehring ontmoet, met wie ze gedurende de bezetting samenleefde. In 1942 speelde ze onder regie van Marcel Carné de hoofdrol in *Les Visiteurs du soir* en een jaar later gaf Carné haar de rol van Garance in *Les enfants du paradis*. De film werd vanwege de inval van de geallieerden enige tijd gestaakt. Na de bevrijding van Parijs werd Arletty gearresteerd maar op verzoek van Carné tijdelijk vrijgelaten omdat ze nog enkele scènes moest draaien. Daarna werd ze schul-

Arletty al Garance in Les Enfants dus Paradis.

dig bevonden aan artikel 75, collaboratie met de vijand. Op die beschuldiging antwoordde ze: 'Mijn hart mag dan Frans zijn maar mijn kont is internationaal.' De niet op haar mondje gevallen actrice verdedigde zich met de woorden: 'In dat wetsartikel staat nergens dat het verboden is lief te hebben, ook al was het voor mijn part een moordenaar geweest of Hitler zelf.'

Toen Carné's meesterwerk uiteindelijk op 15 maart 1945 in première ging in de Parijse bioscopen Madeleine en Colisée, kon Arletty de première niet bijwonen omdat ze nog was geïnterneerd in het kamp van Drancy en daarna nog anderhalf jaar huisarrest te goed had.

Acteur Robert le Vigan, die een karakterrol speelde in *Les Enfants du Paradis*, had bij Radio Paris meegewerkt aan het programma *Le rythme du temps*, waarin hij verbaal joden, geallieerden en gaullisten attaqueerde. Voor samenwerking met de bezetter werd hij veroordeeld tot tien jaar in het werkkamp van Noé. In 1949 kreeg hij een tijdelijke in vrijheidstelling en maakte daarvan gebruik door over de Pyreneeën naar Spanje te vluchten en vandaaruit naar Argentinië. Daar speelde hij slechts één filmrol, omdat de Franse regering een klacht indiende bij de Argentijnen, die hem wel restricties oplegden maar hem echter niet uitleverden. Hij hield zich in leven door Franse les te geven, en zou nooit meer een voet op Franse bodem zetten. Hij overleed in 1972 in ballingschap.

In totaal moesten 1087 personen uit de wereld van film, theater en amusement zich verantwoorden, van wie de helft, na schuldig bevonden te zijn meestal een tijdelijk werkverbod kreeg. De willekeur was groot. Zo werd actrice Junie Astor veroordeeld omdat ze een invitatie voor een bezoek aan Berlijn had geaccepteerd terwijl Viviane Romance en René Dary, die dezelfde reis hadden gemaakt, vrijgesproken werden.

Marcel Carné werd ten laste gelegd een contract te hebben gesloten met de onder een dekmantel werkende Duitse Continental, voor een film die uiteindelijk nooit werd gemaakt. Ook was het in zijn voordeel dat hij gedurende bezetting in het geheim had gewerkt met twee ondergedoken joden: componist Kosma, die onder het pseudoniem Georges Mouque werkte en decorontwerper Trauner. Afgezien van twee van zijn medewerkers, Arletty en Le Vigan, die gevangen zaten, werd zijn *Enfants du paradis* het eerste grote filmsucces in het bevrijde Frankrijk.

Carné's onbetwiste meesterwerk speelde zich af tijdens de regering van de Franse Bourbon-koning Louis Philipe (1830-1848). Plaats van handeling was de boulevard du Temple die in de volksmond 'Boulevard du crime' werd genoemd. Die naam dankt de boulevard aan de vele theatertjes waarin meestal toneelstukken werden opgevoerd vol moord en doodslag. Maar de naam had zeker ook betrekking op het grote aantal zakkenrollers dat zijn slag sloeg onder de massa. Naast Arletty vertolkte Jean-Louis Barrault de rol van de legendarische mimespeler Baptiste Debureau en Pierre Brasseur de rol van acteur Frédéric Lemaître.

Filmen was ook na de bevrijding beslist geen pleziertje omdat er nog steeds stroombeperkingen waren en de verwarming nog niet volop functioneerde. Toch had men de draad weer opgepakt. Met het oog op gebrek aan elektriciteit werd er 's avonds in onverwarmde, ijskoude studio's gewerkt. Actrices verschenen soms in luchtige kleding klappertandend voor de camera, waar ze in scènes goed gehumeurd moesten overkomen. Er werden in die tijd tal van films gemaakt over het ondergrondse verzet. Al kort na de bevrijding regisseerde Jeff Musso *Vive la liberté*, waarin een heldhaftige verzetsheld werd gespeeld door Jean Darcante, nota bene de acteur die de Duitse antisemitische film *Jud Süss* in het Frans had gesynchroniseerd. Producenten die gedurende de bezetting een kwalijke rol hadden gespeeld, schroomden niet geld te verdienen aan de werkelijke helden die hun verhaal niet meer konden navertellen.

Ondanks de moeilijke werkomstandigheden rolden er in 1945 nog 73 films uit de Franse filmstudio's.

Na hun meesterwerk *Les enfants du paradis* zochten regisseur Marcel Carné en scenarioschrijver Jacques Prévert naar een ander thema voor een film. Een joodse producent die de oorlog had overleefd door onder te duiken, was bereid die film te financieren. Men dacht aan de verfilming van het Britse kinderboek Mary Poppins maar kon de rechten niet verkrijgen. Toen ook een ander idee op niets uitliep, liet de producent het afweten.

Toen kwam Alexander Korda, de koning van de Britse filmindustrie, in zicht. Alhoewel Korda een contract aanbood voor drie films, liepen de onderhandelingen spaak omdat Carné eiste dat een van de films in kleur gemaakt zou worden. Uiteindelijk kwam Carné tot een vergelijk met producent Trachimel. Maar ook daaraan kwam een einde toen deze bij het oversteken van de Champs-Élysées dodelijk werd aangereden door een Amerikaanse legervoertuig.

Bij alle plannen was er geen moment aan gedacht Gabin een rol aan te bieden. Degenen die waren uitgeweken naar Amerika werden, evenals in Duitsland, niet met open armen ontvangen. Ze kregen sarcastische opmerkingen, waarbij steevast werd aangevoerd dat, toen Frankrijk onder de bezetting leed, zij lagen te zonnebaden naast hun zwembad in Beverly Hills. Bovendien had de Franse filmindustrie immers ook zonder hen met succes gewerkt. Het leek er even op dat Gabins carrière vroegtijdig tot een eind was gekomen: 'Toen ik terugkwam hadden mijn vroegere kleine kameraadjes mijn plaats ingenomen.'

Inmiddels werd de markt overspoeld met een groot aantal Amerikaanse films. Op de covers van filmbladen zag men hoofdzakelijk foto's van Hollywoodsterren: Rita Hayworth, Ingrid Bergman, Hedy Lamarr, June Allyson waren onder de vrouwen de absolute favorieten. Bij de mannen waren dat Clark Gable en Errol Flynn.

In een van de vele Parijse bioscopen draaide Gabins *Moontide* die in Frankrijk was uitgekomen onder de titel *La Péniche de l'Amour*. Het satirische blad *Le Canard enchaîné* reageerde met een scherp artikel van de hand van filmrecensent Jeanson, die meende dat de titel beter zou passen bij een romantische Tino Rossi-film. Jeanson had tevens zijn twijfels over de hoofdrolspeler. Hij vroeg zich af wie deze geonduleerde halfzachte kleffe slappeling was: 'Gabin? Welnee: een krullenkop. Waar is Gabin? Kan men ons niet de echte Gabin terugbrengen!' ster van films als *La Bandera* en *Pépé le Moko*?' Hij vroeg zich verder af hoe het mogelijk was dat Gabin, die altijd uiterst selectief te werk ging in het kiezen van zijn rollen, had meegewerkt aan dit idiote, langdradige verhaal zonder kop of staart. Het uiteindelijke oordeel van Jeanson was: 'Gabin heeft met zijn krullen zijn charisma verloren. Hij heeft in Hollywood, in plaats van een goede regisseur, een kapper gevonden.'

De oorzaak waardoor Gabin in de vergetelheid was geraakt, was dat de meeste van zijn films gedurende de bezetting verboden waren. Nadat Josef Goebbels hem in Carné's *Pépé le Moko* had gezien, schreef hij in 1941 in zijn dagboek: 'Een typisch vervalproduct, morbide en decadent. Men begrijpt steeds beter waarom Frankrijk te gronde moest gaan.' De Vichyregering beweerde zelfs dat de films die hij onder Carné had gemaakt, de jeugd gecorrumpeerd en moreel ondermijnd hadden en zodoende medeschuldig waren aan de ondergang van de republiek.

Toen Gabin naar Amerika vertrok, liet hij als acteur een leegte achter. Het was niet makkelijk een plaatsvervanger voor de nonchalante, volkse held te vinden. Gabins vertrek opende uiteindelijk de deur naar succes voor de een jaar jongere René Dary, die qua fysiek veel op Gabin leek en dezelfde achtergrond had. Ook Dary had gezongen in operettes en revues en bovendien on-

Pierre Dac.

Léo Marjane.

Robert le Vigan.

Pierre Fresnay.

der de naam 'René Kid' een bokscarrière achter de rug. Dary maakte tijdens de bezetting opgang in het soort ruwe bolster blanke pit rollen waarmee Gabin bekend was geworden.

Vijf jaar afwezigheid had Gabins carrière duidelijk geschaad. Terug in Parijs hernieuwde Gabin de vriendschapsbanden met het koppel Carné en Prévert, dat op dat moment op het toppunt van roem stond. Raymond Borderie stelde Carné voor om weer een film te maken met Gabin. Het was niet zo makkelijk een juiste rol te vinden voor Gabin, die de veertig was gepasseerd en met zijn grijze slapen en verweerde kop niet langer voor *jeune premier* kon doorgaan. Zelfs zijn opvolger Dary, die ook de grens was gepasseerd, speelde na de bevrijding hoofdzakelijk karakterrollen.

Gabin had, voor hij naar Amerika vertrok, de rechten van de roman *Martin Roumagnac* verworven. Naar alle waarschijnlijkheid had zijn toenmalige echtgenote Doriane, die ook zijn zaken waarnam, de aankoop geregeld. Ze was een tijdlang spoorloos, maar zodra ze vernam dat Gabin zich in Parijs bevond, verscheen ze weer ten tonele om de scheiding, die gedurende de bezetting was uitgesproken, aan te vechten. Door aan te voeren dat ze was getrouwd in gemeenschap van goederen, eiste ze de helft van Gabins bezit op. De kwestie die zich nog lang zou voortslepen, kwam pas in 1949 tot een vergelijk.

Hoewel Gabin vóór de oorlog al had getracht Carné en Prévert over te halen *Martin Roumagnac* met hem in de hoofdrol te verfilmen, hadden ze er nooit brood in gezien. Ook toen hij na de oorlog met hetzelfde voorstel kwam, toonden ze geen interesse.

Het ging Gabin in die tijd niet voor de wind. Er was geen passende rol voor hem te vinden en tot overmaat van ramp was er de rechtszaak met Doriane. Hij noemde die tijd later 'mijn grauwe periode'. Ook de relatie met Marlene stond onder spanning, omdat hij erachter was gekomen dat ze gedurende haar optreden voor de geallieerde troepen in Duitsland een verhouding had gehad met de getrouwde Amerikaanse generaal Gavin.

Tijdens Gavins verblijf in Parijs had ze zelfs nog enkele heimelijk ontmoetingen met de knappe generaal. Ze spraken met elkaar af in Monseigneur, een romantische Russische bar waar een zigeunerorkest speelde. Aan die relatie kwam een abrupt einde toen Gavins echtgenote echtscheiding aanvroeg en Marlene als de oorzaak van de breuk aanwees. Maar Marlenes advocaten zorgden ervoor dat haar naam werd verwijderd uit de aanklacht. Dat kon niet verhinderen dat de zaak uitlekte, waardoor in Parijs het grapje de ronde deed dat het enige verschil tussen Gavin en Gabin uiteindelijk maar één letter was.

De Engelse toneelschrijver en acteur Noël Coward, met wie Marlene en Jean in een Parijs restaurant dineerde, vertelde dat ze voortdurend aan het ruziën waren. Marlene voerde aan dat ze haar onafhankelijkheid wilde bewaren zoals de grote Sarah Bernhardt, die tenslotte ook meerdere minnaars had. Tot ergernis van Marlene vertelde Gabin op zijn beurt dat hij onlangs de actrice Maria Mauban had ontmoet en zeer onder de indruk was van haar schoonheid.

Op 15 juni 1945 waren Jean en Marlene uitgenodigd om in het Théâtre Sarah Bernhardt een balletvoortelling bij te wonen van de groep van Roland Petit. De decors voor het ballet waren gemaakt door Brassaï en Picasso zou het achterdoek maken. Maar toen hij verstek liet gaan, maakte men gebruik van de vergroting van een van zijn stillevens en een eveneens vergrote foto van een masker. Gabin hield niet van ballet maar was toch gekomen omdat Prévert het verhaal voor het ballet *Le rendez-vous* had geschreven en Joseph Kosma de muziek had gecomponeerd. Het gezelschap was toch onder de indruk van de voorstelling. Toen ze na afloop nog ergens wat dronken, opperde Carné plotseling het idee dat het verhaal van Préverts ballet zich prima zou lenen voor een film met Jean Gabin in de hoofdrol, waarop Prévert en Gabin in koor uitriepen: 'Denk je dat werkelijk?'

'Ja dat weet ik zeker,' sprak Carné.

Na nog een paar drankjes werden ze steeds enthousiaster en Carné was ervan overtuigd dat het verhaal voor Gabin een comeback zou betekenen. Ze spraken af dat Prévert het idee zou gaan uitwerken tot een filmscenario.

Les portes de la nuit

Toen ook Borderie van Pathé het een prima idee vond, begonnen Carné en Prévert voorbereidingen te treffen. Om tot een avondvullende film te komen, moesten er aan het basisverhaal elementen en karakters worden toegevoegd.

Tijdens een etentje met Marlene kwam Gabin plotseling met een voorstel op de proppen: 'Waarom betrekken we "La Grande" niet in het plan?' Marlene wilde wel instemmen op voorwaarde dat haar rol niet te groot zou zijn. Gabin gaf als reden dat Marlene een vreselijk accent had dat hij 'chleu' noemde en voegde er weinig elegant aan toe dat de Fransen dat al vier jaar te veel hadden gehoord.

Carné en Prévert gingen akkoord en er zou een nieuw contract voor Marlene worden opgesteld. De film zou een coproductie worden van Pathé en de Amerikaanse filmmaatschappij RKO.

Maar RKO haakte af toen bekend werd dat Marlene aan de film zou meewerken. De veel gepubliceerde 'scandaleuze' affaire tussen Jean Gabin en de gehuwde Marlene was de preutse Amerikanen in het verkeerde keelgat geschoten. Ze vreesden dat daarom de film door de Amerikaanse bioscoopbezoeker geboycot zou worden. De plannen zouden uiteindelijk toch doorgang vinden omdat Alexander Korda zich garant had gesteld voor een groot deel van de kosten.

Prévert had zich teruggetrokken in Saint-Paul-de-Vence waar hij aan het scenario zou gaan schrijven. Het was een voordeel dat twee andere medewerkers de fameuze decorontwerper Trauner en componist Kosma, in dezelfde streek woonden, waardoor ze bepaalde zaken makkelijker konden bespreken.

Marlene had veel noten op haar zang en dientengevolge onder andere in haar contract laten opnemen dat haar medewerking pas definitief zou worden als ze het scenario niet alleen had gelezen, maar ook had goedgekeurd. Ze liet duidelijk merken niet bijster geïnteresseerd te zijn in het project omdat het uiteindelijk een Gabin-film zou worden en haar aandeel bescheiden zou zijn. Tijdens gesprekken over het scenario begon ze zich echter steeds meer met de inhoud te bemoeien door allerlei suggesties aan te dragen. Het werd algauw duidelijk dat ze haar beroemde benen wilde laten zien, want een van haar voorstellen hield in dat ze in een scène waarin ze uit een koets stapt, haar rok omhoog zou moeten tillen om een bankbiljet uit haar kous te halen om de koetsier te kunnen betalen. Maar Carné en Prévert, die al veel artistieke successen op hun naam hadden staan, waren niet ontvankelijk voor de wensen van Marlene, die er te veel een Hollywoodcliché van wilde maken.

Op een avond ontmoetten de spelers Prévert, Carné en componist Kosma, die het leidmotief uit de film zou spelen.

De Hongaars-joodse Kosma, die veel had samengewerkt met Kurt Weill, was in 1933 uitgeweken naar Frankrijk, waar hij zich tijdens de oorlog had aangesloten bij het verzet en in 1944 tijdens acties ernstig gewond was geraakt. Toen hij het lied op de piano voorspeelde, kon niemand bevroeden dat het chanson, dat voor Marlene was geschreven, later voorzien van een tekst van Prévert als *Les feuilles mortes* een wereldhit zou worden.

Intussen had Gabin kans gezien zijn droom te verwezenlijken door een producent te vinden voor de door Carné en Prévert afgewezen *Martin Roumagnac*. Voor de door Georges Lacombe geregisseerde film zou de eerste draaidag beginnen op 15 mei in studio Saint-Maurice. De keuze van Lacombe was uiterst merkwaardig omdat juist deze regisseur voor de omstreden Continental Film had gewerkte.

Intussen werden de opnamen voor Carné's film, die uiteindelijk *Les portes de la nuit* zou gaan heten, tot drie keer toe uitgesteld. De reden dat het schrijven niet opschoot was de gezondheidstoestand van Préverts echtgenote; tijdens haar zwangerschap hadden zich complicaties voorgedaan.

Carné maakte met Gabin zelfs een reis naar Zuid-Frankrijk om Prévert wat op te porren. De reis verliep niet al te best, want Gabin zat voortdurend op alles te schelden. Toen ze door vertraging tot overmaat van ramp alleen in een hotelletje terecht konden waar ze in een tweepersoonsbed moesten slapen, was de stemming tot het absolute nulpunt gedaald.

Uiteindelijk bereikten ze na veel oponthoud het huis van Prévert, die een aantal van de al geschreven scènes voorlas. Doordat Gabins commentaar steeds was: 'Wat zal "a grande" daar van vinden,' of: 'Wat zal "la grande" daar van zeggen,' riep Prévert op een gegeven moment geërgerd uit: 'Merde, als je die naam nog eens noemt begin ik echt te kotsen.'

Toen Prévert het draaiboek uiteindelijk klaar had, ontving zowel Gabin als

266

Marlene een exemplaar. Maar tot beider verbazing weigerde Marlene, na de tekst te hebben gelezen, aan de film mee te werken, zich beroepend op de clausule in haar contract dat ze alsnog het contract kon verbreken als het eindscenario haar niet beviel. Ze bracht in dat ze juist zo graag in Frankrijk had willen filmen omdat er minder op maat gewerkt werd dan in Hollywood. Marlene benadrukte dat ze een mens van vlees en bloed wilde spelen en geen femme fatale zoals in haar Amerikaanse films, hoewel ze zelf clichés had aangedragen. Maar waar ze zich het meest aan ergerde was dat ze in de film, waarin flashbacks van Parijs gedurende de bezetting zouden worden getoond, de dochter en de zuster van collaborateurs moest spelen. Marlene, die het imago van vrijheidstrijdster had opgebouwd, zag daar niets in. Ze voerde aan dat een dergelijke film Frankrijk in het buitenland een slechte naam zou bezorgen. Blijkbaar ging het er bij haar niet in dat de collaboratie in geen land zo groot was geweest als in het bezette Frankrijk.

Kort daarop deelde ook Gabin mee niet aan de film te zullen meewerken. In zijn geval betekende dat contractbreuk omdat duidelijk vermeld stond dat hij het scenario niet kon weigeren. Het regende beschuldigingen over en weer, waarbij Carné verklaarde dat Gabin onmogelijk was geworden en Gabin op zijn beurt de regisseur een dictator noemde. Er moest een arbiter aan te pas komen van het Centre national de la cinématographie, die oordeelde dat Gabins medewerking aan *Martin Roumagnac* in het gedrang was gekomen doordat de draaidagen van *Les portes de la nuit* steeds werden uitgesteld.

In de *Canard Enchaîné* van 13 februari 1946 schreef Jeanson: 'Geïnterviewd door Paris-Cinéma verklaarde Gabin op zijn bekende gemoedelijke manier van praten: "Wel men heeft geen acht geslagen op de data... Ik was niet meer vrij... Bovendien hebben we de rollen geaccepteerd tegen de condities die gedurende de demobilisatie golden. We hadden een vriendenprijsje afgesproken." Waarop Jeansons sarcastische commentaar was: "De condities van de demobilisatie van meneer Jean Gabin en van mevrouw Dietrich zijn inderdaad bijzonder matig. Alle gedemobiliseerden zullen er begrip voor hebben dat meneer Gabin slechts 33 duizend franc per week zou gaan verdienen en mevrouw Dietrich zich wilde opofferen om de hoofdrol te gaan spelen voor slechts dertigduizend dollar, plus vijfduizend franc per draaidag in geval van vertraging, plus nog 120 duizend franc om haar zaken in Hollywood te regelen, plus 5 procent van de netto recettes. Inderdaad een schijntje...!"'

Carné moest nu op zoek gaan naar nieuwe hoofdrolspelers. In Gabins plaats contracteerde hij de jonge chansonnier Yves Montand, die na de oorlog grote opgang maakte. Montand beleefde in die tijd een liefdesrelatie met Edith Piaf. Zij was het die zijn Marseillaise tongval corrigeerde, zijn repertoire en kleding koos en hem maakte. Montand had kort na de bezetting een kleine rol gespeeld in Piafs film *Étoile sans lumière*. De rol die Marlene gespeeld zou hebben, werd overgenomen door de Russische, betrekkelijk nieuwe Nathalie Bélaïeff, die als Nathalie Nattier kleine rolletjes had gespeeld in twee films.

Op 22 februari gaven Gabin en Dietrich een exclusief interview aan het filmblad *Ciné Revue*. Over de gehele voorkant prijkte een gesigneerde foto van Marlene en op de achterzijde die van Gabin. Op het over twee pagina's afgedrukte artikel zetten ze hun problemen met Carné uiteen. Maar een paar weken later verscheen in hetzelfde blad een vernietigend artikel over Marlene onder de kop: 'Marlenes ster verbleekt.' De schrijver vroeg zich af of het niet beter zou zijn dat Marlene na dit voorval haar koffers zou pakken en zou afreizen naar Amerika omdat de publiciteit rond het incident over haar weigering haar geen goed had gedaan. Men benadrukte dat haar opvolgster Nathalie Nattier een verzoenend karakter had zonder de hoge eisen en pretenties van Marlene. Het artikel waarin men van mening was dat regisseurs zich veel miljoenen zouden kunnen besparen door Marlene niet meer voor Franse films te contracteren, eindigde met de zin: 'En wij zouden Marlene zonder enige rancune graag zien vertrekken naar haar Californische bungalow.'

Hadden Marlene en Jean Gabin gelijk toen ze hun rollen weigerden? Ondanks dat Carné voor *Les portes de la nuit* naast Montand en Nattier, een keur van Franse karakteracteurs had gecontracteerd, konden noch Trauners geniale decors, noch Kosma's muziek of de prachtige belichting, de film redden. Op de avond van de première verscheen Montand in smoking met Piaf aan zijn zijde onder het verblindende licht van de flitslampen van de vele fotografen. De film met een budget van honderd miljoen franc bleek een mislukking te zijn die in de bioscopen werd onthaald op fluitconcerten en zelfs onrust in de zaal. Een krant betitelde *Les portes de la nuit* als 'Les portes de l'ennui' (De poorten naar de verveling). Nathalie Nattier, die in de pers was aangekondigd als 'La plus belle femme du monde' ('De mooiste vrouw ter wereld') vond men onbetekenend en over Montand schreef een journalist: 'Hij wachtte ongeduldig om zijn grootse debuut als acteur te kunnen maken, maar hij zal nog een tijdje moeten wachten.'

Yves Montand en Nathalie Nattier.

Montand zou zich als acteur pas kunnen revancheren toen Henri-Georges Clouzot hem in 1952 de hoofdrol toevertrouwde in *Le salaire de peur* en hem daarmee filmgeschiedenis liet schrijven. Maar als zanger hield hij toch nog iets positiefs over aan zijn mislukte filmdebuut, want in 1949 zette hij *Les Feuilles mortes*, dat aanvankelijk voor Marlene bestemd was, op de plaat en scoorde daarmee een wereldhit.

Martin Roumagnac

De liefdesrelatie tussen Marlene en Gabin ging ondanks het mislukte Franse debuut rustig door. Ze waren onafscheidelijk. Gabin was duidelijk van plan haar na haar scheiding te trouwen en zelfs bij Marlene rijpte dat idee. Ondanks dat Gabin een gezin wilde, lag het niet voor de hand dat Marlene nog kinderen zou kunnen krijgen. Hoewel in haar Amerikaanse paspoort stond dat ze in 1904 geboren was, was ze in werkelijkheid in 1901 geboren en dus drie jaar ouder dan Gabin, die daar blijkbaar niet op de hoogte was.

Hun relatie was turbulent en bracht veel problemen met zich mee. In haar memoires beschreef ze Gabin na hun ontmoeting in Hollywood als volgt: 'Jean Gabin was hulpeloos als een vis op het droge en hing aan me als een weeskind. Ik was bereid hem dag en nacht te bemoederen. (...) Zijn talent als acteur is bekend, zijn fijngevoeligheid niet. De ruwe harde houding was alleen gespeeld. Hij is de gevoeligste man die ik ken. Een kind dat het liefst in de schoot van de moeder wil liggen om geknuffeld te worden.'

Maar Gabin had ook een andere kant. De joodse tekstdichter Max Colpet, die de oorlog in het Zwitsers interneringskamp Bout-du-monde had overleefd en bevriend was met Marlene, schreef in zijn memoires dat Gabin geen enkele vrouw meer vertrouwde nadat hij jaren geleden zijn tweede vrouw met een andere man had aangetroffen in een flagrante situatie. Hij was ziekelijk jaloers, soms gepaard gaande met enorme driftaanvallen als hij Marlene ervan verdacht vreemd te gaan. Hij bekeek haar argwanend als ze, voordat ze alleen ergens naartoe ging, haar gewaagde kanten ondergoed aantrok. Gabin was ook de macho die er niet voor terugdeinsde een paar klappen uit te delen. Zo kon het gebeuren dat Marlene, na met een blauw oog het huis verlaten te hebben, midden in de nacht over de Champs-Élysées dwaalde, die hoofdzakelijk bevolkt werd door prostituees. Ze herkenden haar niet en dachten dat ze een van hen was die door haar pooier tot de orde was geroepen.

Toen Gabin *Les portes de la nuit* zag, had hij, de ruzie met Carné daargela-

Daniel Gélin.

ten, ondanks het geringe succes waardering voor de film. Wel vond hij het bij nader inzien jammer dat hij niet met Marlene de rollen had gespeeld, ervan uitgaande dat met hen in de hoofdrol de film waarschijnlijk wel een succes was geworden.

Op 9 mei begonnen in de studio van Saint-Maurice de opnamen voor *Martin Roumagnac*.

In de film speelde ook Marlenes oude vriendin Margo Lion een rol. Lion had gedurende de Weimarrepubliek in Berlijn opgang gemaakt in cabarets en revues. Ze was in 1928 de ster van *Es liegt in der Luft*, waarvan haar echtgenoot Marcellus Schiffer de schrijver was. Marlene, die er ook een rol in had, zong samen met haar *Wenn die beste Freundin*. Doordat Lions vader een Fransman was, beheerste ze naast Duits ook de Franse taal. G.W. Pabst gaf haar daarom in 1931 een rol in zijn film *L'Opéra de quat'sous* de Franse versie van zijn *Die 3-Groschen-Oper*. Toen Schiller in 1932 een einde aan zijn leven maakte, vestigde Lion zich definitief in Frankrijk, waar ze rollen in films speelde. Ze kende ook Gabin, naast wie ze in 1935 een rol had vertolkt in *La Bandera*.

Ook de knappe jonge acteur Daniel Gélin speelde in de film. Hoewel hij aan het begin van een bloeiende carrière stond, had hij slechts in een paar films bijrollen gespeeld en al vier jaar niet gefilmd. Nadat Gélin gehuwd was met actrice Daniele Delorme, had hij met zijn hoogzwangere vrouw zijn intrek genomen op het landgoed van vrienden in Bois-Colombes. Tijdens de opnamen van de film zou hun zoon Xavier worden geboren. Een rol naast het fameuze koppel Gabin-Dietrich was voor Gélin een mooie opsteker in zijn carrière.

Gélin beschreef in zijn memoires dat hij tijdens het filmen veel van Gabin had geleerd. Hij verbaasde zich vooral over Gabins uiterlijk, dat geen enkele expressie vertoonde maar zodra de camera's draaiden, een diepe menselijkheid en puurheid uitstraalde. Gélin typeerde hem als mager, met grijzende haren, soepel en elegant. Gabin had tijdens het filmen een uitstekend humeur en maakte veel grappen. Zijn vrolijkheid had veel te doen met de aanwezigheid van zijn maatje, journalist Fernand Trignol, die in diverse kranten over sport en film schreef en met wie hij hetzelfde gevoel voor humor deelde.

Gabin leek gelukkig en verliefd. Gélin was onder de indruk van Marlene, die hij fascinerend, vriendelijk en eenvoudig vond.

Hoewel ze de Franse taal perfect beheerste, sprak ze met een accent, niet echt Duits, noch Amerikaans, Gélin noemde het een 'Marlene accent'. Ze gebruikte deels een aantal uitdrukkingen in het argot, was enorm professioneel en regelde zelf haar belichting. De briljante cameraman Hubert, die daarvóór nota bene aan *Les enfants du paradis* had gewerkt, kreeg instructies: 'Een paar meter naar links, hier een andere camera, een violette, hier een ander daar!' Haar bemoeizucht leverde nogal ergernis op bij Hubert. Er vonden nog een paar incidenten plaats. In de *Ciné Revue* van 2 augustus verscheen een verhaal onder de kop 'MARLENE DOET DOMME DINGEN'.

'Marlene die op het ogenblik onder regie van Georges Lacombe *Martin Roumagnac* beëindigt, ontbreekt het totaal aan tact. Op een dag toen men bezig was de laatste scènes uit te lichten zodat alles klaarstond voor de repetitie en de regisseur de laatste orders had uitgedeeld, was het echter precies zes uur. Het hoofd van het belichtingpersoneel merkte terecht op dat het nu te laat was en dat het werk uitgesteld moest worden tot de volgende ochtend. Hij veranderde ook niet van mening toen zowel de producent als de regisseur op verlenging aandrong. Reglement is reglement, was het antwoord. Daarop wilde ook Marlene een duit in het zakje doen. Zeer verleidelijk wendde ze zich tot de leiding met de woorden: "Kom nou vriendjes, dat gaan jullie mij toch niet aandoen, ik die u bevrijd heb?"

De keiharde kerels van Saint-Maurice hadden echter tijdens het moment van de bevrijding geen zand in hun ogen gehad en gezien dat Marlene in een van de laatste jeeps Parijs binnenreed, en dat terwijl ze zelf nog met hun geweer in de aanslag stonden. Omdat de toon van de vedette en de importantie die ze zich toebedeelde hun helemaal niet beviel, antwoordde een van hen met het onmiskenbare accent van de Parijse buitenwijken, haar strak aankijkend: "Kindje, hier zijn net zo weinig bevrijdsters als boter bij de melkboer op de hoek." Beledigd trok Marlene zich daarna in haar kleedkamer terug.'

Die opmerking bewees hoeveel voedseltekorten er nog waren.

Op een dag dat Marlene geen opnamen had, kwam ze onverwachts langs op de set. Ze droeg een blauw herenkostuum en rookte een sigaret uit een ellenlang pijpje. Ofschoon ze een zak met snoep bij zich had wat ze begon rond te strooien alsof ze de kippen voederde, scheen niemand zich daaraan te ergeren. Tegen het einde van de draaidagen was de stemming opperbest. Op de laatste dag had de decorontwerper in een hoek van de set een bar gebouwd waarboven een spandoek hing met de tekst: 'GOODBYE MARLENE'. Marlene kwam die dag in een kostuum dat ze in de film had gedragen: een zwarte zijde rok en een kanten blouse. Het was warm en men was dorstig. Er werd gedronken en gezongen. Marlene was ontroerd terwijl ze stuk voor stuk acteurs, assistenten en arbeiders omhelsde, waarvan sommigen in hun onderhemd. Gabin hield zich op de achtergrond zonder duidelijk zijn emotie te tonen, maar toen Marlene van iedereen afscheid had genomen, kon hij niet nalaten te zeggen: 'Wel grande, en ik dan?' Daarop opende hij zijn armen en toen ze hem omhelsde, drukte hij haar hoofd tegen zijn borst. Toen volgde er een lange stilte. Jean zei geen woord, maar tikte zachtjes met zijn rechterhand op haar achterste, waarbij je alleen nog het geruis van haar zijden rok hoorde.

Een moment later ontruimde het personeel de studio. Alle decors gingen in rekken terwijl in een hoek van het podium al een musetteorkest klaarstond. Ondanks de vele aanwezigen leek de lege set enorm groot. Toen de eerste tonen van een accordeon klonken, openden Marlene en Jean op de muziek van een valse-musette het bal.

De volgende dagen brachten Jean en Marlene door in Jeans buitenhuis in Sainte-Gemme. Daar spraken ze veel over hun toekomst en poogde Jean Marlene over te halen in Frankrijk te blijven. Uiteindelijk vertrokken ze weer naar Parijs, waar ze meestal in hotels woonden. Enkele dagen voor Jeans verjaardag vroeg Marlene wat hij als cadeau wilde. 'Ik weet wat,' antwoordde Gabin, 'Ik heb je toen ik Amerika verliet een paar schilderijen gegeven, die me erg dierbaar zijn. Natuurlijk blijven ze, zonder twijfel, van jou! Maar ik vind het een beetje vreemd dat je ze bewaart in een kluis in New York. Ik zou het leuk

Marlene vertrekt naar Amerika.

vinden als ze hier waren en ik ze op mijn verjaardag zou kunnen bewonderen.' Marlene twijfelde geen moment en gaf opdracht de schilderijen te verzenden. Op Jeans verjaardag liet ze de Renoir, de Vlaminck en de Sisley ophangen aan de wanden van het Claridge Hotel waar ze verbleven. Jean was tot tranen geroerd bij het zien van de doeken die hij eigenlijk indertijd aan Marlene had gegeven omdat hij verwachtte de oorlog niet te overleven, waarvan hij blijkbaar wel spijt van had.

Marlene was eigenlijk van plan naar New York te gaan om haar dochter te zien maar bleef desondanks omdat ze wilde weten hoe *Martin Roumagnac* zou worden ontvangen. 18 december was de dag van het oordeel. De filmrecensenten lieten er weinig van over. Een krant schreef: 'De Gabin die we terugzien, heeft grijzend haar en een zachtere uitdrukking, hij is niet meer de keiharde held van vroeger, maar een rijpe veertiger, een ander personage. Maar nog steeds een groot acteur! Zijn verschijning op het witte doek heeft zijn kracht behouden en zijn spel is menselijker geworden.'

Voor Marlene had men echter geen goed woord over. Jeanson schreef in *Le Canard enchaîné* dat hij, door toedoen van producent Decharme in het Olympia een doodsaaie avond beleefde bij het zien van de middelmatige productie *Martin Roumagnac*:

'Het scenario is geschreven naar een roman die niemand heeft gelezen. Decharme blijft geloven in de indrukwekkende aanwezigheid van zijn vedette. En wil niet inzien dat het juist Marlene Dietrich is die zijn film heeft geruineerd. Door al haar verkleedpartijen verliest het verhaal elke geloofwaardigheid. (...) Marlene is geen actrice maar een mannequin die voortdurend haar benen laat zien. Gabin blijft een groot acteur, jammer dat hij met zoiets zijn tijd verdoet.'

Na het lezen van de slechte kritieken riep Marlene uit: 'Ik heb het verknalt.' Gabin: 'Welnee, je kent de Fransen niet, je moet een beetje geduld met ze hebben. Wacht een tijdje, je zal zien dat ze van je gaan houden.'

Gabin moet wel blind van liefde zijn geweest om op het idee te komen Marlene de rol te geven van Blanche Ferrand, een in Australië opgegroeide Française. Men had voor deze formule gekozen vanwege Marlenes accent.

Na terugkeer in Frankrijk drijft de jonge weduwe Blanche samen met haar oom een vogelwinkeltje in een provincieplaatsje. Daar ontmoet ze de ingenieur Martin Roumagnac (Gabin) en wordt zijn maîtresse. Hij steekt zich in de schuld om een dure villa voor haar te bouwen. Maar dan ervaart Roumagnac

dat Blanche een dure maintenee is die een verhouding heeft met een rijke getrouwde man. Ze heeft de man beloofd om na de dood van zijn ziekelijke echtgenote met hem te trouwen. Martin voelt zich bedrogen en blind van jaloezie
en woede doodt hij Blanche. Hij wordt gearresteerd en ervaart tijdens het daar-
opvolgende proces dat Blanche alleen maar van hem hield.

Marlenes rol was in verhouding tot Gabin gering omdat Blanche al halverwege
de film wordt vermoord. De vrouw die uitblonk als vamp en *femme fatale* was
volkomen miscast als de Normandische plaatselijke schone. Ze trok haar hele
trukendoos open om er iets van te maken, maar bleef volkomen ongeloof-
waardig. Gabin had haar nog aangespoord niet zo perfect te spreken: 'Verbind
de woorden, je speelt geen barones!' Dat de film niet boven de middelmaat
uitkwam, wijt Maria Riva, Marlenes dochter, aan het feit dat ze al te lang minnaars waren, waardoor hun sensualiteit aan slijtage onderhevig was.

Toen de film in het najaar van 1946 vertoond zou worden in Amerika met als
titel *The Room Upstairs*, veroorzaakte hij een schandaal. Het machtige Catholic
Legion of Decency drong aan op censuur, men ergerde zich aan de wijze waarop vrijelijk over prostitutie werd gesproken. Nadat de schaar erin was gegaan,
bleven van de oorspronkelijke film van 115 minuten slechts 88 minuten over.
Het werd ook in Amerika een flop.

Ofschoon Gabin er tot het laatste toe op bleef aandringen dat Marlene in
Frankrijk zou blijven, voerde ze aan dat ze geld nodig had en ze onmogelijk een
aanbod kon afslaan van MGM van honderdduizend dollar om de rol van een
Hongaarse zigeunerin te spelen in de film *Golden Earrings*, die door Mitchell
Leisen geregisseerd zou worden. Marlene vertrok naar Amerika met in haar
bagage de drie schilderijen die Gabin haar indertijd had gegeven.

Gabin, die zich toen realiseerde dat hun relatie geen toekomst had, maakte
er, nadat ze was vertrokken, een einde aan door Marlene een afscheidsbrief te
schrijven. Het moet voor Marlene een bittere pil zijn geweest omdat ze niet
gewend was de bons te krijgen. Meestal was zij degene die een relatie beëindigde.

Het sprookje dat was begonnen in het helle licht van de schijnwerpers en
de glitter van Hollywood, eindigde in het sombere, door oorlog getroffen, verarmde Parijs.

Gabin verkocht het huis in Normandië, waar hij zoveel uren had doorgebracht met Marlene. Wat Lacombe ook probeerde om *Martin Roumagnac* te
redden door de film opnieuw te snijden en er andere stukken aan toe te voe-

gen, het mocht niet baten, de film bleef slecht. Heden ten dage vindt men er nog nauwelijks een kopie van en het verhaal gaat dat Gabin ze allemaal heeft opgekocht om ze te laten vernietigen. Hoewel Marlene had verwacht dat ze, evenals met haar vroegere liefdes, ook met Gabin een vriendschappelijke relatie zou kunnen blijven onderhouden, had Gabin haar volledig uit zijn leven verbannen. Hij wilde niet graag meer over haar spreken, maar als hij dat toch moest doen, gebruikte hij niet meer het liefdevolle 'La Grande' maar het denigrerende 'La Prussienne' (De Pruisische). In Marlenes memoires *Nehmt nur mein Leben*, die drie jaar na Gabins dood uitkwamen bij de Duitse uitgeverij Bertelsmann, schrijft ze: 'Gabin was de volmaakte man. Nu zou men hem een "Superman" noemen. Een man die alle anderen in de schaduw stelde. Hij was het idool dat vrouwen zoeken. Niets aan hem was fout. Alles was duidelijk en transparant. Hij was goed en steeg als mens hoog boven alle anderen mannen uit die ik gekend heb.'

Bloeiende carrières

Na er drie jaar niet gefilmd te hebben, was Marlene terug in de filmstudio's van Hollywood, waar ze naast de Engelse acteur Ray Milland onder regie van regisseur Mitchell Leisen de zigeunerin Lydia zou spelen in *Golden Earrings*. Ze kwam tijdens het filmen een beetje op de achtergrond omdat de homoseksuele Leisen meer oog had voor Milland dan voor haar. Maar Marlene was niet de persoon om de tweede viool te spelen en algauw waren de ruzies niet van de lucht omdat ze probeerde Milland scènes af te snoepen. Milland was een briljant acteur die in 1945 een Oscar had gewonnen voor de rol van een aan alcohol verslaafde schijver in Billy Wilders *Lost Weekend*.

Marlene speelde zigeunerin Lydia met een zwarte pruik, donkere make-up en gekleed in vodden. Ze stond duidelijk onder invloed van het neorealisme van naoorlogse Italiaanse cineasten als Vittorio de Sica en Roberto Rosselini, voor wie ze grote bewondering had. Voor haar terugkeer naar Hollywood had ze in de omgeving van Parijs een zigeunerkamp bezocht om de gebruiken van de bewoners te leren kennen. Ze wist een staaltje van neorealisme te vertonen gedurende het spelen van een scène waarin ze een vis van de graat kluift en de uitpuilende ogen uitzuigt. Het aanschouwen van dit toneel werd de arme Ray Milland iets te veel, zodat hij in spoed naar de toiletten moest hollen om over te geven.

Marlenes poging tot vernieuwing ging volledig aan de Amerikaanse bioscoopbezoeker voorbij. De *New York Times* schreef: 'De studio werd blijkbaar om de een of andere suïcidale reden geïnspireerd om Miss Dietrichs speciale kwaliteiten te verdoezelen door een vette ragebol van haar te maken, we vermoeden dat het publiek haar niet zo wil zien.'

Desondanks had *Golden Earrings* een redelijk succes dat vooral te danken was aan het feit dat het katholieke Legion of Decency de banvloek over de film had uitgesproken. De reden was dat Marlene en Milland volgens het script 'samenwonen maar niet getrouwd zijn'.

Marlene als zigeunerin in Golden Earrings.

De echte opmerkelijke comeback voor Marlene kwam pas een jaar later toen Billy Wilder haar de rol aanbood van een nachtclubzangeres met een nazi-verleden in zijn komedie *A Foreign Affair*. Hoewel ze aanvankelijk niet bijster enthousiast was een nazi te spelen, en bovendien de hoofdrol voor Jean Arthur bestemd was, wist Wilder haar toch te over te halen. Tijdens het filmen ontstond er frictie omdat Arthur meende dat Wilder Marlene bevoordeelde door haar meer close-ups te geven. Omdat Marlene dikwijls in haar kleedkamer voor Wilder kookte, verdacht Arthur Marlene ervan een verhouding met hem te hebben, hoewel de relatie tussen hen puur vriendschappelijk was. Het verhaal dat zich in het naoorlogse gebombardeerde Berlijn afspeelt, is een geslaagde komedie rond indrukwekkende beelden van de verwoeste Duitse hoofdstad. Marlene zong drie liedjes gecomponeerd door Friedrich Holländer, die indertijd de tekst en de muziek had geschreven voor *Der blaue Engel* en na zijn vlucht uit nazi-Duitsland in Hollywood opgang had gemaakt als componist van filmmuziek waaronder nog vier Hollywoodfilms van Marlene.

Time schreef: 'Als nachtclubzangeres gaat Marlene terug naar dezelfde sexy rol die ze achttien jaar daarvoor speelde in *The Blue Angel*.' Marlene kon zich verheugen op goede kritieken, alhoewel sommige kranten het smakeloos vonden dat Wilder het gebombardeerde Berlijn als decor voor zijn film had gekozen. Luchtopnames tonen de verwoeste stad als het vliegtuig over de skeletten van gebouwen vliegt. Macaber was het wel dat Wilder ervoor gekozen had bij deze beelden de song *Isn't it Romantic?* ten gehore te brengen. Begrijpelijk was het wel, omdat een groot deel van Wilders familie de dood had gevonden in de vernietigingkampen van de nazi's. Ook in militaire kringen vond de film geen genade, men ergerde zich eraan dat de Amerikaanse soldaten relaties met *Fräuleins* aanknoopten en zaken deden op zwarte markt. Ondanks deze minpunten werd de film voor Marlene een triomf.

Na Marlenes vertrek had Gabin een korte verhouding met de twaalf jaar jongere, uit Tanger afkomstige actrice Colette Mars, die een kleine rol had gespeeld in *Martin Roumagnac*. Maar de relatie was niet van lange duur, ze gingen vriendschappelijk uit elkaar. Hij begon ook weer met filmen en speelde in *Miroir* zijn eerste vaderrol. Daniel Gélin, die in *Martin Roumagnac* zijn moordenaar was, speelde nu zijn zoon. In de film debuteerde tevens de mooie Martine Carol, een tijdlang Frankrijks eerste naoorlogse sekssymbool, totdat ze plaats moest maken voor Brigitte Bardot. *Miroir* werd geen succes. Daarna volgde nog een aantal weinig opzienbarende films. Na een verzoening met Carné was Gabin in 1949 te zien in diens film *La Marie du port*. Gabin had er zelf op aangedrongen dat Carné, met wie hij voor de oorlog zijn beste films had gemaakt, de regie zou doen omdat hij dacht dat Carné zijn gedeukte image kon redden. De comeback waarop hij hoopte, bleef echter uit. De film was een artistiek hoogstandje, maar geen publiekstrekker doordat de smaak van de naoorlogse bioscoopbezoeker duidelijk was veranderd. *L'Aurore* schreef: 'Een film die een beetje uit de tijd is en doet denken aan het genre film van voor de oorlog.' Gabins films waren geen kaskrakers meer en zijn gages waren aanmerkelijk geslonken.

Toen interessante filmrollen uitbleven, waagde hij het om na jaren weer een toneelrol aan te nemen in *Soif* van Henry Bernstein in het Théâtre des Ambassadeurs.

Het was op 28 januari 1949 dat hij met de acteurs repeteerde aan het stuk dat veertien dagen later in première zou moeten gaan. Jean had die dag dezelfde scène al zo'n zes keer gerepeteerd en was helemaal niet tevreden over zijn prestatie. Moedeloos en uitgeput liet hij zich op een stoel neerzakken omdat hij vreselijk de pest in had dat hij de scène niet onder de knie had gekregen. Hij had helemaal geen zin om deel te nemen aan het gebruikelijke dagelijkse dineetje met zijn collega's en riep ze toe: 'Gaan jullie maar alleen, ik ga naar mijn nest.' Maar de anderen vonden het flauw en bleven aandringen: 'Kom nou met ons mee, we gaan naar de Colony Club.' Dat was nou juist een zaak die Gabin verfoeide, het schemerlicht en de artificiële exotische sfeer deed hem aan Hollywood denken. Maar zijn collega's bleven aanhouden en uiteindelijk wisten ze hem over te halen.

Tijdens het eten zag Gabin zijn oude vriend Fred Sannet binnenkomen in het gezelschap van een lange knappe vrouw. Ze droeg het blonde haar tot op de schouders en was elegant gekleed in een turquoise avondjapon. Gabin was gefascineerd door haar verschijning, de groene ogen deden hem aan die van Michèle Morgan denken en haar figuur aan dat van Marlene.

Het bleef die avond alleen bij kijken maar hij was duidelijk onder de indruk. De volgende dag besloot hij zijn vriend te bellen om te vragen wie die jonge vrouw was. Sannet, die slechts een vriendschappelijke relatie met haar onderhield, vertelde hem dat ze Dominique heette en mannequin was bij het modehuis Lanvin. Haar werkelijke naam was echter Christiane Fournier. Ze was de ongehuwde moeder van een zoontje van negen jaar oud. Ofschoon Sannet hem haar telefoonnummer wilde geven, was Jean veel te verlegen om haar te bellen. Dus vroeg hij Sannet of hij hem op een andere manier met haar in contact kon brengen. Toen Sannet Dominique vertelde dat Gabin graag kennis

Jean Gabin en echtgenote Dominique.

met haar wilde maken, antwoordde ze: 'Waarom niet.' Sannet sprak af dat hij met haar naar de Colony Club zou komen en haar daar aan hem zou voorstellen.

 Dominique wachtte op de afgesproken avond op zowel Sannet als Gabin, maar Sannet kwam niet opdagen. Toen na het poederen van haar neus van het toilet kwam, zag ze Jean aan een tafel zitten in gezelschap van acteur Claude Dauphin. Ze liep naar hem toe en merkte op: 'Ik geloof dat we allebei afgesproken hebben met Sannet, maar volgens mij is hij er nog niet.' Toen Gabin haar uitnodigde plaats te nemen, nam Dauphin afscheid. Er ontstond tussen Dominique en Gabin een levendige conversatie en hij nodigde haar uit de kostuumrepetitie bij te wonen van het stuk waarin hij speelde. Op de afgesproken dag kwam ze in gezelschap van Sannet. Toen het doek was gevallen, bezochten ze Jeans kleedkamer om hem te complimenteren met zijn spel. Ondanks dat het een drukte van belang was, wist Jean haar even apart te spreken om te vragen of ze met hem wilde souperen in restaurant Calvados. Na die avond stuurde hij haar regelmatig bloemen en gingen ze dagelijks na de voorstelling ergens eten. Daarna zette hij haar af bij haar woning zonder ooit meer van haar te verlangen. Op een avond nam ze daarom zelf het initiatief door hem te vergezellen naar zijn kamer in Hotel Baltimore, waar ze gezamenlijk de nacht doorbrachten. Op 3 maart moest Dominique voor een modeshow van Lanvin naar Spanje en Marokko. Toen ze de avond tevoren haar koffer pakte, drong hij erop aan dat ze niet zou gaan. 'Maar dat is onmogelijk, ik moet echt gaan!' antwoordde ze.

'Nee je gaat niet, we gaan trouwen.'

Hij liet er geen gras over groeien. Drie weken later traden ze in het 16de arrondissement in het huwelijk. Diezelfde avond gaf hij bij Maxims een diner voor vrienden en familie.

Voor Marlene, die er nog altijd op hoopte dat haar beëindigde relatie met Gabin toch nog nieuw leven zou kunnen worden ingeblazen, was het een grote klap. Zonder een moment te aarzelen reisde ze naar Parijs met als doel een gesprek met Gabin, die echter elk contact weigerde. Toen hij met Dominique een bezoek bracht aan een cabaret, zat daar toevallig ook Marlene in gezelschap van een Engels acteur. Toen ze bij het verlaten van de zaak langs hem heen moest, negeerde hij haar volledig. Hoewel Dominique er bij hem op aandrong met Marlene te spreken, bleef hij bij zijn weigering.

Marlene had begrip voor het feit dat Gabin een jongere vrouw had getrouwd en een gezin wilde stichten, maar ze had gehoopt vrienden te kunnen blijven zoals met de meeste mannen met wie ze een verhouding had gehad. Maar Gabin was niet te vermurwen. Voor hem was het een afgesloten deel van zijn leven. Toen hij op een dag met Dominique een antiekzaak bezocht, kwam even later ook Marlene binnen. Jean liep toen naar haar toe en verzocht haar te vertrekken. Doelbewust stak ze de straat over zodat Gabin nog eenmaal haar mooie benen kon zien.

Marlene bleef bij gemeenschappelijke kennissen informeren naar zijn wel en wee en dat van zijn familie. Als er een film van hem werd vertoond, bezocht ze verschillende malen de voorstelling.

Het huwelijk van Jean en Dominique was gelukkig. Ze kregen drie kinderen: Florence, Valérie en zoon Matthias. In het openbaar verschenen ze zelden.

Jean kocht een villa in Neuilly en investeerde later zijn geld in bouwland, waaronder 42 hectare in de gemeente Bonnefoi waarop zich het vervallen landhuis La Pichonnière bevond, voorzien van stallen en nevengebouwen. Nadat Gabin alles had laten restaureren, liet hij een beheerder het huis be-

Jean Arthur, John Lund en Marlene Dietrich in Billy Wilders A Foreign Affair.

wonen en voor het overige personeel werden er andere huizen gebouwd. Hij kocht steeds meer land op, dikwijls voor veel te hoge prijs, om ten slotte op het grondstuk bij La Pichonnière zijn eigen huis te kunnen bouwen, dat hij Moncorgerie noemde. Het investeren in bouwland kwam voort uit angst dat zijn filmcarrière eens tot stilstand zou komen en hij daardoor niet in staat zou zijn om zijn familie te onderhouden.

Hij bleef door de jaren heen investeren in grond en huizen, maar als die eenmaal verbouwd waren en hij er een tijd had gewoond, wilde hij alweer verkassen. Het liefst verbleef hij in Deauville. De reis van negentig kilometer werd dan gemaakt in twee auto's waarin behalve Gabin en Dominique de kinderjuffrouw, de kokkin en de dieren zaten: twee honden, de kat in een mandje, de goudvissen in een glazen kom, waterschildpadden, een papagaai en een kanarie in hun eigen kooi. Naast privé-lessen liet hij de kinderen bij katholieke internaten inschrijven hoewel hij zelf geen enkele binding met het geloof had.

Pas in 1951 begon Gabins naoorlogse carrière weer gestalte te krijgen door de rol van Joseph River in Max Ophuls' meesterwerk *Le plaisir*. Daarna speelde hij in nog zes films waarvan de laatste, *Touchez pas au grisbi*, zich afspeelde in het criminele milieu. De rol van gangster Max-le-menteur was eigenlijk aangeboden aan Daniel Gélin, die echter bedankte: 'Het is een uitgesproken rol voor Gabin.' Jean speelde samen met Lino Ventura, met wie hij een lange vriendschap zou onderhouden. De jonge Jeanne Moreau was te zien in de rol van een danseres en callgirl. Ze had al in enkele film gespeeld maar was desondanks nauwelijks opgevallen. Doordat Gabin haar raad gaf en haar de kneepjes van het vak leerde, werd de film niet alleen háár doorbraak maar ook de absolute comeback van Jean Gabin. Hij had er ook voor gezorgd dat Gaby, zijn eerste vrouw, een rolletje in de film kreeg. Gaby was een klein dikkerdje geworden, die regelmatig bij de familie Gabin langskwam met cadeautjes voor de kinderen. Dominique en Jean onderhielden ook vriendschappelijke banden met Jeans oude liefdes. Als Michèle Morgan en Colette Mars af en toe op visite bij Dominique kwamen, was het onderwerp van hun gesprek dan meestal Jean Gabin.

Na *Ne touchez pas au grisbi* kon Gabins carrière niet meer stuk. In 1969 speelde hij samen met Lino Ventura en Alain Delon in *Le Clan des Siciliens* de mafiapatriarch Vittorio Manalese in *Les Clan des Siciliens* samen met Lino Ventura en Alain Delon. Hij raakte bevriend met de jonge, Delon, die gekscherend opmerkte: 'Gabin is een bruine beer maar wel een die honing eet.'

De films die Marlene na *A Foreign Affair* maakte, hadden geen van alle succes, uitgezonderd Hitchcocks *Stage Fright*, hoewel de film niet een van de besten was uit het oeuvre van de Master of suspense. Tijdens de opnamen had ze een verhouding met haar veel jongere tegenspeler, de Engelse acteur Michael Wilding, die haar echter liet schieten om met de veel jongere Elisabeth Taylor te trouwen. Marlene was woedend en verbrak alle banden. Ook haar samenwerking met haar oude vriend Fritz Lang in de western *Rancho Notorious* was niet veel meer op dan een B-film. De karakters van de dominante regisseur en zijn eveneens bedillerige actrice botsten voortdurend. Ze noemde hem later het prototype van een sadist die zowel haar lichaam als haar ziel wilde bezitten.

Na een gastrolletje in *Around the World in 80 Days* en een mislukte Italiaanse productie met Vittorio de Sica als tegenspeler, was het weer Billy Wilder die haar een prachtige rol bezorgde in *Witness for the Prosecution*, een bewerking van een thriller van Agatha Christie. Tijdens de productie van die film kookte Marlene weer voor haar medespelers. Op een avond was ook Alfred Hitchcock erbij. Hij leed aan de slaapziekte narkolepsie. Tijdens de maaltijd werd hij overmand door slaap en viel met zijn gezicht in een bord erwtensoep.

Na twee kleine maar opmerkelijke rollen in Orson Welles *Touch of Evil* en Stanley Kramers *Judgement at Nuremberg* was Marlenes filmcarrière praktisch voorbij. Maar de eerzuchtige Pruisische officiersdochter, niet het type vrouw dat zich zomaar van het internationale toneel laat verwijderen, begon als zangeres een tweede succesvolle carrière. Ze maakte met haar show tournees over de hele wereld.

In 1950 stelde haar vriend Noël Coward, de homoseksuele Engelse acteur en toneelschrijver, haar voor aan acteur Yul Brynner, die samen met Gertrud Lawrence schitterde in de Broadway-musical *The King and I*. Dezelfde avond begon hun romance. De getrouwde Brynner stond bekend als een rokkenjager die al heel wat relaties achter de rug had. Marlene, die hij als jongen al had bewonderd, was vijftien jaar ouder. Brynner huurde dicht bij het St. James Theater heimelijk een flat waar hij na de voorstelling met Marlene de liefde bedreef. Daarna begaf hij zich pas naar de echtelijke woning, waar zijn nietsvermoedende vrouw Virginia op hem wachtte. Marlene schreef hem regelmatig brieven die via haar dienstbode en zijn garderobejuffrouw aan hem werden doorgespeeld. Uit angst dat ze in verkeerde handen zouden kunnen komen, ondertekende ze met Max. De relatie met Brynner hield overigens geen stand.

Hoewel Gabin ook een woning in Parijs bezat, was hij toch teruggegaan naar zijn oude liefde, het platteland. Hij bleef echter wel filmen, want zo zei hij eens: 'Ik denk niet in geld, maar hoeveel koeien ik er na een film van kan kopen.' Steeds kondigde hij aan te zullen stoppen: 'Geen film meer voor mij. Ik heb nu andere bezigheden.' Hij kocht zelfs een paar renpaarden en liet op zijn grondstuk een racebaan met tribune bouwen. Hij won een paar prijzen met paardenracen en was zeer geflatteerd toen, tijdens races in Deauville, baron De Rothschild, eigenaar van een hippodroom, hem aansprak met 'Cher confrère'. Maar hij was nog meer verguld toen in *Paris-Turf*, het blad over paardenraces, de vermelding stond dat een van zijn paarden gewonnen had. Een dergelijke naamsvermelding kon hem meer verblijden dan alle goede filmkritieken. Het spoorde hem aan tot het fokken van renpaarden, iets wat hem veel geld kostte, maar weinig opleverde.

Zijn hart lag op het platteland waar hij meestal rondliep in een oude manchester broek en een geruit hemd. Hij nodigde dikwijls vrienden uit voor copieuze maaltijden, want eten en drinken bleef voor Gabin een ceremonie. Als

Ray Milland.

Yul Brynner.

Jean Claude Brialy.

Colette Mars.

aperitief dronk hij altijd twee whisky's of enkele anisettes en bij het eten bediende hij zich royaal van wijn. Omdat hij niet meer sportte, kreeg zijn eens slanke figuur een behoorlijke omvang. Maar als er na de maaltijden een dansje werd gemaakt, bewoog hij zich nog soepel. Toch moest hij op dieet, met het oog op een film en omdat hij last kreeg van zijn darmen. Gabin was tevens een fervente roker wiens vingers bruin zagen van de nicotineaanslag. Hij rookte per dag twee pakjes Gitanes en een pakje Craven A.

Als vader was hij uiterst conservatief en streng. Toen de minirokken in de mode kwamen, verbood hij zijn tienerdochters die te dragen. Laat thuiskomen was er niet bij; als regel gold: 'Zolang je onder mijn dak woont heb je te doen wat ik zeg.' Ook sprak hij soms zijn veto uit over de huwelijkskandidaten van zijn dochters, waardoor er spanningen of zelfs tijdelijke breuken ontstonden.

Hoewel hij weinig interesse had om nog te blijven filmen, nam hij, als producenten en oud-collega's erop aandrongen, toch steeds weer rollen aan onder het motto: 'Het is de biefstuk voor mij en mijn familie.' In 1962 vertelde hij in een interview: 'Ik heb gevochten voor een groen bezit voor mijn vrouw en mijn drie kinderen. Ik heb de misère gekend die ik hun wil besparen. Ik wil dat ze, als ik er niet meer zal zijn, kunnen beschikken over alles wat ze nodig hebben.'

De rollen die hij in de loop der tijd speelde, waren veel minder experimenteel in vergelijking met wat hij vóór de oorlog vertolkte. Hij speelde op zeker omdat hij wist dat het publiek naar de film ging om Gabin te zien. Bij de *nouvelle vaque* vond hij geen aansluiting. Filmers als Godard en Truffaut maakten dan ook geen gebruik van zijn diensten. Laatstgenoemde vond het zelfs gevaarlijk met acteurs als Gabin te werken omdat ze altijd veranderingen wilden aanbrengen in het scenario, close-ups verlangden en de film opofferden aan hun eigen belangen.

Gabin bleef altijd Gabin, of hij nu commissaris Maigret speelde of Jean Valjean uit Victor Hugo's *Les Misérables*: elke film waarin hij te zien was, trok volle zalen.

Maar vooral de laatste jaren van zijn leven werd het filmen steeds meer een routine.

Marlene woonde tussen haar concerten door op haar luxeflat aan de avenue Montaigne, waar ze haar vrienden, zoals bekend, dikwijls onthaalde op haar kookkunst. Gekleed in een spijkerbroek en een losvallend hemd bereidde ze dan haar specialiteit pot-au-feu, ook Gabins favoriete gerecht. In de immense salon met twee Steinway-vleugels zette ze, voor de komst van de gasten, op haar knieën het parket in de was. Aan de wand hingen foto's van Hemingway, de uitvinder van de penicilline Sir Alexander Fleming, en Jean Gabin in de rol van Jacques Lantier in *La bête humaine*.

Jean-Claude Brialy, die dikwijls bij Marlene te gast was, vertelde in zijn memoires dat ze altijd met veel tederheid, respect en spijt over Gabin sprak en informeerde hoe het met hem en zijn familie ging. Als men Gabin naar Marlene vroeg, reageerde hij altijd geërgerd: 'Dat is verleden tijd.'

In 1973 trad Marlene voor de laatste keer op in Parijs in het theater *L'espace Cardin*. Tegen het einde van de voorstelling vertelde ze de aanwezigen dat ze van hen hield en hen bewonderde vanwege hun courage gedurende de oorlog. Daarna volgde een wereldtournee; eerst Noord- en Zuid-Amerika, daarna Japan, toen optredens in België, Nederland en Engeland, opnieuw Canada en ten slotte Australië.

Op 29 september 1975 maakte Marlene tijdens een optreden in Her Majesty's Theatre in Sydney een fatale val, waarbij ze haar heup brak. Ze werd per vliegtuig overgevlogen naar New York, waar ze drie maanden in het gips lag. Op het moment van het ongeluk speelde Jean-Claude Brialy met Jean Gabin in Italië in de Frans-Italiaanse coproductie *L'Année sainte*. Tijdens de opnamen werd Gabin op de set onderscheiden met Croix d'Officier de l'Ordre du Mérite National.

Brialy vertelde Gabin over Marlenes ongeluk en zijn voornemen haar een telegram te sturen. Hij vroeg Gabin of hij namens hem Marlene mocht groeten, het antwoord was: 'Ja, natuurlijk.' Toen Brialy in het telegram aan Marlene liet opnemen dat Gabin haar vriendelijk groette en haar beterschap wenste, was ze kinderlijk verheugd. Marlene kon toen niet bevroeden dat dit het laatste contact zou zijn.

Toen Marlene het ziekenhuis mocht verlaten, bezocht ze eerst Rudolf Sieber, haar zieke echtgenoot in Californië, om vervolgens terug te keren naar haar Parijse woning op de achtste etage van de avenue Montaigne 8 waar ze vanwege haar immobiliteit gebonden werd aan bed of rolstoel. Op een elektrische kookplaat naast haar bed kon ze toch nog koken. Als ze geen zin had, belde ze het Duitse specialiteitenrestaurant Maison d'Allemagne om op de meest vreemde uren een maaltijd te laten bezorgen.

Op 24 juni 1976 vernam ze dat haar echtgenoot Rudi Sieber, van wie ze nooit gescheiden was, onverwacht was overleden.

Epiloog

Kort voor zijn dood besloot Gabin zijn landgoed met stallen, bekend als La Pichonnière te verkopen. De regering had een wet uitgevaardigd, waarbij het aantal hectaren dat men in gebruik mocht hebben, aan banden werd gelegd. Hij weigerde echter grond te verhuren, hij wilde alleen verkopen. Voor de Normandische boeren bleef Gabin 'de meneer uit Parijs' die grond in bezit had dat eigenlijk aan hun toekwam. Op een dag, om 4.30 uur in de ochtend bezetten zevenhonderd boze boeren zijn land, waarbij ze alles kort en klein sloegen. Ze hadden de telefoonverbinding verbroken en eisten dat hij een papier zou tekenen waarin hij toestemde in het verhuren van een aantal terreinen. De rel liep uit op een proces dat Gabin won maar de aardigheid was er voor hem af. Het feit dat ook zijn beide dochters geen interesse hadden in het bedrijf en zijn zoon Mathias er de voorkeur aan gaf in Chantilly een paardenfokkerij te beginnen, was de reden van de verkoopsplannen.

Na een vakantie in Deauville, waarvan zowel Jean als Dominique genoten hadden, keerden ze terug naar La Pichonnière.

De affaire met de boze boeren had zijn sporen achtergelaten bij Gabin. Het viel iedereen op dat hij steeds afweziger werd. Hij kon uren voor zich uit zitten staren zonder een woord te zeggen. De man voor wie eten altijd een feest was geweest, verloor zijn eetlust. Zijn gezicht vermagerde en zijn eens zo gezonde huidskleur werd met de dag grauwer. Toen er uit Kreta een postkaart van zijn dochter kwam, kon hij de tekst nauwelijks lezen. Dominique besloot een arts te raadplegen. Alhoewel die geen oorzaak kon vinden, drong hij aan op een nader onderzoek in een paviljoen van het Amerikaanse Eisenhower hospitaal in Neuilly. Daar werd geconstateerd dat Gabin aan leukemie leed. Hoewel de artsen toch nog optimistisch bleven, moet Gabin het zelf hebben ervaren als een doodsoordeel. Hij vroeg een sigaret, inhaleerde diep en mompelde: 'Merde! Merde!'

Hoewel Dominique die avond bij hem wilde blijven, stelde de nachtzuster haar gerust en zei dat het niet nodig was, met de constatering dat hij rustig sliep. Dominique ging naar huis maar deed, ondanks dat ze slaappillen had ingenomen, geen oog dicht. De volgende ochtend rinkelde de telefoon. Het was het ziekenhuis dat haar de droevige mededeling bracht dat haar man op maandag 15 november 1976 om 6.10 uur in zijn slaap was overleden. Zijn oude legerchef admiraal Gélinet zou hem op vrijdag hebben onderscheiden als officier in het Légion d'honneur.

De eenvoud van Gabin kwam na zijn dood opnieuw tot uiting. In plaats van een eeuwige rustplaats op de Parijse Père-Lachaise, waar de meeste prominente artiesten rusten, koos hij voor een crematie in besloten kring in Père-Lachaise en uitstorting van zijn as in volle zee. Maar Dominique kon zijn wens onmogelijk respecteren. Zowel de marine als de oorlogsveteranen van de tweede pantserdivisie wilden oud-strijder Gabin de laatste eer bewijzen. Omdat er tegelijkertijd zakken vol brieven van bewonderaars binnenkwamen, besloot Dominique uiteindelijk gehoor te geven aan een openbare ceremonie, waarvoor duizenden fans kwamen opdagen. Na de crematie werd de urn overgebracht naar het marineschip *Détroyat*, waar de mariniers een eerbetoon hadden georganiseerd, met toestemming van Giscard d'Estaing. Toen het schip twintig mijl van de kust van Brest was gevaren, strooide commandant Pichon onder het oog van de aangetreden manschappen Gabins as in de golven. Boven het schip cirkelden ontelbare helikopters en vliegtuigen waaruit fotografen de plechtige ceremonie konden vastleggen. Jeans kinderen wierpen vervolgens een boeket viooltjes, Gabins lievelingsbloemen in de zee.

Het was niet conform Jeans wens, maar hij zou er zeker trots op zijn geweest.

In 1978 speelde Marlene haar laatste filmrol, een gastoptreden in *Just a Gigolo*. Met een hoed met voile en gefilmd met een softlens speelt ze een barones die in het Berlijn van de jaren twintig leidster is van een groep gigolo's. Met gebroken stem zingt ze de titelsong *Just a gigolo*, een oude hit van Bing Crosby. De film, waarin David Bowie de hoofdrol speelde, had weinig succes.

Daarna trok Marlene zich volledig terug en bracht de laatste jaren van haar leven bijna geheel verlamd in haar flat door als een kluizenaar. Slechts een handjevol vertrouwelingen had toegang tot haar woning. Haar enige contact met de buitenwereld was de telefoon waarmee ze over de hele wereld gesprekken voerde met vrienden en kennissen. De telefoonrekeningen liepen dan ook op tot astronomische bedragen. In 1979 kwamen bij het Bertelsmann Verlag haar memoires uit met onder de titel: *Nehmt nur mein leben* waarin ze zich etaleert als een nette *Hausfrau* die altijd haar plicht heeft gedaan. In 1982 liet ze zich overhalen mee te werken aan een documentaire over haar leven, onder regie van Maximilian Schell. Ze was toen geheel verlamd en liet zich, voordat de filmploeg kwam, in haar rolstoel naar de sofa rijden onder het voorwendsel dat ze niet kon lopen omdat ze een teen had gebroken. Het gesprek werd in een mengeling van Duits en Engels opgenomen, maar er mocht niet worden gefilmd. Wat ze niet wist, was dat Schell het met haar agent Terry Miller op een akkoordje had gegooid om de opnameband, ook na het officiële gesprek, door te laten lopen in de hoop dat Marlene misschien nog een aantal opmerkelijke uitspraken zou doen, wat ook gebeurde. Schell verrijkte het geheel met scènes uit haar films, optredens en oude journaalbeelden. Toen de film in 1982 uitkwam, was ze zo woedend dat ze Schell een proces wilde aandoen. Maar onmiddellijk nadat de film prijzen had gewonnen, veranderde ze van gedachte.

Tijdens de opnamen roerde Schell het onderwerp dood aan door aan haar te vragen of ze bang was om te sterven: 'Nee, wie heeft daar nou angst voor, men moet angst hebben voor het leven maar niet voor de dood!' was haar antwoord.

Op 6 mei 1992, zestien jaar na Gabins overlijden, blies ook Marlene haar laatste adem uit. De *Herald Tribune* kopte: 'MARLENE DIETRICH DIES The face didn't ask for anything, that simply existed. One could dream into anything. It had all possibilities.'

Haar stoffelijk overschot werd bedekt met de Franse driekleur opgebaard in La Madeleine, waar een eredienst werd gehouden in het bijzijn van vijftienhonderd mensen en daarna overgevlogen naar Berlijn, waar ze op 16 mei ten grave werd gedragen op het kerkhof in Berlijn-Friedenau, waar ook haar moeder rustte. Op de perstribune verdrongen zich 235 journalisten om de teraardebestelling te kunnen verslaan. Henk van der Meyden berichtte in *De Telegraaf*; '"De blauwe Engel" voorgoed terug in Berlijn.' Hetty Hessels schreef: 'Marlene terug van een lange reis.'

Win Boevink: 'Toen haar kist, bedekt met de vlag van Berlijn, uit de open Cadillac werd getild, weerklonk er spontaan applaus vanaf de trottoirs. De enige filmdiva die Duitsland heeft gekend, was ten lange leste naar huis teruggekeerd.'

Naast haar dochter Maria Riva waren ook vrienden en collega's zoals

Het Jean Gabin-museum in Mériel.

Maximilian Schell, Hildegard Knef en Horst Buchholz aanwezig. Duizenden Berlijners liepen daarna langs het open graf, homoseksuelen en travestieten die de herinnering opriepen aan het turbulente Berlijn van de jaren twintig.

Op haar grafsteen stond: 'Marlene 1901-1992 – Hier steh Ich an den Marken meiner Tage.'

De nabestaande boorde na haar dood een goudmijn aan. Dochter Maria Riva, die ooit had geprobeerd als actrice furore te maken maar het charisma van haar moeder miste, schreef een onthullend boek over haar moeder dat in vele talen werd uitgegeven. In *Marlene Dietrich, by her daughter Maria Riva*, ging ze vooral in op het liefdesleven van haar moeder en portretteerde haar als een eerzuchtige vrouw voor wie alles moest wijken en waaraan iedereen ondergeschikt was. In een interview verklaarde ze dat haar moeder weliswaar een groot artieste was maar als mens zeer tekortschoot. Voor 8 miljoen dollar verkocht ze vervolgens een groot deel van haar moeders bezittingen aan de stad Berlijn. De collectie bestond onder andere uit drieduizend kledingstukken, vijftienduizend foto's en 450 paar schoenen (maat 34). Na de nodige restauratie was een deel van de verzameling te zien in Bonn en Parijs. Het Berlijnse filmmuseum wijdde zelfs een gehele zaal aan de diva. In 1997 ging bij Sotheby een aantal waardevolle persoonlijke bezittingen van Marlene onder de hamer, waaronder twee brieven van Ernest Hemingway voor 11 499 dollar en een gouden sigarettenétui die Dietrich eens van Gary Cooper cadeau had gekregen, voor 10 925 dollar. Maar ook de meest onbenullige zaken werden door fans voor exorbitante prijzen gekocht, zoals een eenvoudig reiswekkertje dat op 25 dollar geschat was en dat maar liefst 2085 dollar opbracht. De gehele veiling in Los Angeles bracht 659 023 dollar op.

Toen in Berlijn na lang beraad en onder veel tegenstand uiteindelijk een plein naar Marlene werd genoemd, wilde ook Parijs haar eren door in 2003 een plein Place Marlene Dietrich te dopen.

In Mériel, dertig kilometer boven Parijs en verscholen in het groen van de Oisevallei waar Gabin opgroeide, is een museum aan hem gewijd. Voor het museum staat op een sokkel een beeld van de acteur op het huis waar hij zijn jeugd doorbracht, werd onlangs een plaquette onthuld.

In 1981 werd de Prix Jean-Gabin ingesteld, die elk jaar wordt uitgereikt aan een veelbelovende jonge filmacteur. De eerste aan wie die eer te beurt viel was Thierry Lhermitte.

Bibliografie

Acosta, Mercedes de, *Here lies the heart*, Andre Deutsch 1960

Appelbaum, Stanley and James Camner, *Stars of the American Musical Theater*, Dover Publications New York 1981

Arce, Hector, *Gary Cooper an Intimate Biography*, A Bantam Book New York 1980

Ariotti, Philippe et Philippe de Comes, *Arletty*, Éditions Henri Veyrier – Paris 1978

Asper, Helmuth G. *Max Ophüls, Eine Biographie*, Dieter Bertz Verlag, Berlin 1998

Aumont, Jean-Pierre, *Le soleil et les ombres*, Éditions Robert Laffont-paris 1976

Aznavour, Charles, *Aznavour over Aznavour*, J.H. Gottmer Haarlem 1973

Baker, Joséphine and Jo Bouillon, *Joséphine*, Harper and Row New York 1993

Baker, Jean Claude, *Joséphine, the Hungry Heart*, Random House New York 1993

Ball, Gregor-Eberhard Spiess, *Heinz Rühmann und seine Filme*, Goldmann Verlag 1982

Barrot, Olivier/Raymond Chirat, *Noir et Blanc, 250 acteurs du cinéma Français 1930-1960*, Flammarion 2000

Baron, Turk Edward, *Hollywood Diva, a biography of Jeanette MacDonald*, University of California Press Berkeley-Los Angeles-London 1998

Baxter, John, *The Hollywood exiles*, MacDonald en Jane's, Londen 1976

Behr, Edward, *The Good Frenchman, The True Story of the Life and Times of Maurice Chavalier*, Villard Books New York 1993

Belach, Helga und Wolfgang Jacobsen, *Richard Oswald, Regisseur/P Produzent*, CineGraph 1990

Belach, Helga/Gero Gandert/Hans Helmut Prinzler, *Aufruhr der Gefühle. Die Kinowelt des Curtis Bernhardt*, Verlag C.J. Bucher München-Luzern 1982

Beller, Steven, *Wien und die Juden 1867-1938*, Böhlau Verlag 1993

Bemmann, Helga, *Berliner Musenkinder Memoiren*, Musikverlag Berlin 1981

Bemmann, Helga, *Marlene Dietrich ihr Weg zum Chanson*, Musikverlag Berlin 1990

Bemmann, Helga, *Claire Waldoff, Wer schmeisst denn da mit lehm?* Ullstein verlag – Frankfurt-Berlin 1994

Bergner, Elisabeth, *Bewundert viel und viel gescholten*, C. Bertelmann Verlag 1978

Benz/ Graml *Biographisches Lexicon zur Weimar Republik*. C.H, Beck Verlag 1988

Betti, Jean-Michel, *Salut Gabin*, Éditions de Trévise

Billard, Pierre, *Le mystère René Clair*, Plon 1998

Birmingham, Stephen, The *Story of Wallis Warfield Windsor*, A Futura Book Great Britain. 1981

Brynner, Rock, *The Man who would be King*, Berkeley Edition New York 1991

Bock, Hans-Michael, *Cinegraph, Lexicon Deutschsprachige Film*

Bock, Hans-Michael, *Joe May, Regisseur und produzent*, CineGraph 1991

Bonal, Gérard, *Gérard Philipe, Biographie*, Éditions di Seuil, Paris 1994

Boterf, Herve le, *Robert le Vigan, le mal aimé du cinéma*, Éditions France – Empire 1986

Boissel, Pascal, *Café de la Paix*, Éditons Anwile Paris

Brell, David, *The Mistinguett Legend*, Robson Books 1990

Brialy, Jean-Claude, *Le Ruisseau des Singes. autobiographie*, Éditions Robert Laffont – Paris 2000

Brieu, Jean François, *Jean Gabin, gueule d'amour*, Éditions Albin Michel Paris 2001

Brumstede, Emile, *Van bibberfoto tot cinemascope*, Querido 1958

Brunelin, André, *Gabin*, Éditions Robert Laffont. Paris 1987

Budzinski, Klaus, *Das Kabarett*, Econ 1985

Burton, Richard D.E., Blood in the City, *violence & revelation in Paris 1789-1945*, Cornell University Press London 2001

Cannavo, Ricard, *Monsieur Trenet – biographie*, Lieu Commun, Edima Paris 1993

Carné, Marcel, *Ma vie à belles dents, memoires*, L'Archipel – Paris 1996

Castans, Raymond, *L'imposible monsieur Raimu*, Éditions de Fallois – Paris 1999

Chateau, René, *Le Cinéma Francais sous l'occupation*, 1995

Colpet, Max, *Sag mir, wo die Jahre sind*, Ullstein 1991

Comes, Philippe de, Michel Marmin/Michèle Caillot/Raymond Chirat, *Le Cinéma Français*, Éditions Atlas-Paris 1984

Cook, Bruce, *Brecht in Exile*, Holt, Rinehart and Winston 1983

Courtade, Francis/Pierre Cadars, *Geschichte des Films Im Dritten Reich*, Carl Hanser Verlag 1975

Dachs, Robert, *Sag beim Abschied*, Verlag der Apfel, Wien 1994

Dahlke, Günther/ Günter Karl, *Deutsche Spielfilme von den Anfängen bis 1933*, Henschel Verlag 1993

Darmon, Pierre, *Le monde du cinéma sous l'occupation*, Édition Stock 1997

Dical et Bertrand, *Gréco- Les vies d'une chanteuse*, Éditions J.C. Lattès 2001

Dickens, Homer, *The Films of Marlene Dietrich*, Citadel Press 1968

Dietrich, Marlene, *Nemt nur mein Leben*, C. Bertelmansverlag. München 1979

Dietrich, Marlene, *Vlinders van Marlene*, A.W. Bruna & zoon, Utrecht 1963

Dillmann, Michael, *Heinz Hilpert, Leben und Werk*, Edition Hentrich 1990

Eisner, Lotte H., *Ich hatte einst ein schönes Vaterland*, Das Wunderhorn 1984

Doré-Rivé, Isabelle, *Chantond sous l'occupation*, Somogy éditions d'art – Paris 2003

Eisner, Lotte, *Fritz Lang*, A Da Capo Press, 1986

Everett, Susanne, *London, the Glamour Years 1919-1939*, Bison Books, London 1985

Fairbanks, Douglas, *Salad Days, an autobiography*, Fontana 1988

Fiedler, Leonhard M., *Max Reinhardt*, Rowohlt 1975

Ford, Charles, *Pierre Fresnay, le Gentilhomme du Cinéma*, Éditions France-Empire 1981

Fournier, Lanzoni Rémi, *French Cinema, from its beginnings to the present*, The Continuum International Publishing Group. New York-London 2002

François, Jacques, *Rappels*, Éditions Michel Lafon 1992

Freedland, Michael, *Jolson, the life and times of the worlds geatest entertainer*, Warner Paparback 1972

Fröhlich, Gustav, *Waren das Zeiten, mein Film-Helden Leben*, F.A. Herbig 1983

Fromm, Bella, *Als Hitler mir die Hand kuste*, Rowhlt Berlin 1993

Gabin-Moncorgé, Florence et Matthias, *Gabin, hors champ*, Édition Michel Lafon 2004

Gilbert Julie, *Opposite Attraction, the lives of Erich Maria Remarque and Paulette Godard*, Pantheon Books-New York 1995

Gilbert, Leatrice with John R. Maxim. *Dark Star, the untold story of the Meteoric Rise ans fall of the Legendary John Gilbert*, St. Martin Press- New York 1988

Giroud, Françoise, *Alma Mahler*, Uitgeverij De Prom 1989

Goebbels, Joseph, *Tagebücher 1924-1945*, Piper 1992

Gold, Arthur/Robert Fizdale. *Misia, the life of Misia Sert*, Vintage Boos, a division of Random House -New York

Gosling, Nigel, *Van Montmartre tot Montparnasse*, Uigeverij W. Gaarde b.v. Amerongen 1979

Gray, Marianne, *Jeanne Moreau, a biography*, Donald I. Fine Books New York 1994

Green, Stanley, *Broadway Musicals, Show by Show*, Hal Leonard Publishing Corporation

Gribetz, Juda, *The Timetables od Jewish History*, Simon ans Schuster

Grun, Bernard, *Gold and Silver, The Life ans Times of Franz Léhar*, W. H. Allen and Co. 1970

Guilleminault, Gilbert, *Le roman vrai de la III eme République, Les années folles 1918-1927*, Éditions Denoël – Paris 1958

Harding, James, *Maurice Chevalier, his Life, 1888-1972*, Secker and Warburg

Hayman, Ronald, *Thomas Mann*, Schribner 1995

Heilbut, Anthony, *Exiled in paradise*, Fitzheny and Whiteside 1983

Herzog, Peter/Gene Vazzana, *Brigitte Helm – from Metropolis to Gold-portrait of a Goddess*, Corvin New York 1994

Hesterberg ,Trude, *Was ich noch sagen wollte*, Henschelverlag – Berlin 1971

Higham, Charles, *The Life of Marlene Dietrich*, Granada Publishing London Toronto Sydney New York

Higham, Charles and Ron Moseley, *Princess Merle, The Romantic Life of Merle Oberon*, Coward-McCann Inc New York 1983

Hoare, Philip. *Noël Coward, A Biography*, Mandarin Paperback 1995

Holländer, Friedrich, *Von Kopf bis Füss*, Kindler Verlag 1965

Holz, Keith-Wolfgang Schopf, *Allemands en exil 1933-1945*, Éditions Autrement 2001

Hoopes, Roy, *When the Stars went to War*, Random House 1994

Hörbiger, Paul, *Ich hab für Euch gespeilt*, Moewig 1979

Horn, Camilla, *Verliebt in die Liebe*, Ullstein 1990

Infield, Glenn B., *Leni Riefenstahl, The Fallen Goddess*, Thomas Y. Crowell Company 1976

Jacob, Lars u.a., *Apropos Marlene Dietrich*, Verlag Neue Kritik 2000 Frankfurt am Main

Jacobsen, Wolfgang, *Babelsberg 1912-1992*, Argon Verlag 1992

Jacobson, Wolfgang/Kaes/Prinzler, *Gschichte des Deutschen Film*, J.B. Metzler Verlag 1993

Jackson, Julian, *The Fall of France, the Nazi Invasion of 1940*, Oxford University Press 2003

Jaray, Hans, *Was ich kaum erträumen konnte*, Almathea, Wien 1990

Jary, Michaela, *Ich weiss er wird einmal ein Wunder gescheh'n*, Edition q – 1993

Jungk, Peter Stephan, *Franz Werfel, a life in Prague Vienna and Hollywood*, Fischer Verlag Frankfurt am Main 1987

Jürgens, Curd, *...Und kein bischen Weize*, Droemer Knaur 1976

Kafka, Hans, *Hollywood Calling   Die Aufbau Kolomne zum Film-Exil*. Conference Point Verlag Hamburg

Karasek, Helmuth, *Billy Wilder, Eine Nahaufname*, Hoffmann und Campe Verlag Hamburg 1992

Katz, Ephraim, *The MacMillan International Film Encyclopedia*, 1994

Kelly, Andrew, *Filming all Quiet on the Western Front*, Victoria House, 1998

Kelley, Kitty, *Sinatra*, Sijthoff Amsterdam 1986

Kesting, Marianne, *Brecht*, Rowohlt 1992

King, Peters Arthur, *Jean Cocteau and his world*, Le Vendôme Press New York-Paris 1986

Kiste, John v.d., *Kaiser Wilhelm II Germany's last Emperor*, Sutton Publishing 1999

Kobal, John, *Rita Hayworth, portrait of a Love Goddess*, Berkley Books 1982

Korda, Michael, *Charmed Lives*, Penquin Books 1980

Kortner, Fritz, *Aller Tage Abend*, Kindler 1959

Koster, Simon, *Duitsche Filmkunst*, Brusse's uitgeversmaatschappy n.v. Rotterdam 1931

Krahl, Hilde, *Ich bin fast immer angekommen*, Langen Müller 1998

Kreimeier, Klaus, *Der Ufa Story*, Carl Hanger Verlag 1992

Krützen, Michaela, *Hans Albers, eine deutsche karriere*, Quadriga Verlag 1995

Lally, Kevin, *Wilder Times – the Life of Billy Wilder*, Fitzhenry and Whiteside 1996

Laregh, Peter, *Heinrich George, Komödiant seiner Zeit*, Langen Müller 1992

Leaming, Barbara, *If this is happiness, A Biography of Rita Hayworth*, Ballantine Books- New York 1989

Leander, Zarah, *Es war so wunderbar mein Leben*, Ullstein 1983

Lifar, Serge, *Les memoires d'Icare*, Sauret 1993

Loubier, Jean-Marc, *Jean Gabin-Marlene Dietrich. Un rêve brisé*, Acroplole 2002

Lyon, James K., *Bertolt Brecht in America*, Princeton University Press, 1980

Gilligan, Patrick mac, *Fritz Lang, The Nature of the Beast*, St. Martin Press 1997

Mahler-Werfel, Alma, *Mein leben*, Fischer Verlag 1993

Mann, Klaus, *Das Wendepunkt, ein Lebensbericht*, Rowohlt 1989

Mann, Klaus, *Mephisto, roman einer Karriere*, Rowohlt 1992

Mann, Thomas, *Dagboeken 1918-1939*, Arbeiderspers 1987

Marx, Arthur, *Goldwyn, a biography of the man behind the myth*, Library of Congress 1976

Mayer, Selznick Irene, *A Private View*, Alfred A. Knopf. Inc, 1983

Mentele, Richard, *Auf Liebe eingestellt, Marlene Dietrich's schöne Kunst*, Bollmann Verlag 1993

Meyers, Jeffrey, *Hemingway, a Biography*, Da Capo Press New York 1999

Missiaen, Jean-Claude/Jacques Siclier, *Henri Veyrier-Collection*, Flash Back

Mistinquette, *Toute ma vie*, Réné Juliard. Paris 1954

Moeller, Felix, *Der Filmminister, Goebbels und der Film in Dritten Reich*, Henschel Verlag Berlin 1998

Moncorgé-Gabin, Florence, *Quitte à avoir un père, autant qu'il s'appelle Gabin*, Le Cherche Midi Paris 2003

Morgan, Michèle, *Avec ces yeux-là*, Éditions Robert Laffont-Paris 1977

Motzkin, Leo, *Der Lage der Juden in Deutschland*, Ullstein 1983 1983

Nanache, Jacqueline, *Lubitsch*, Edelig

Naudet, Jean-Jacques/Peter Riva, *Marlene Dietrich*, Nicolaische Verlagsbuchhandlung Berlin und Marlene Dietrich Collection. München

Negri, Pola, *Memoirs of a Star*, Doubleday and Company 1970

Neumann, Uwe, *Klaus Mann*, Rowohlt 1991

Nielsen, Asta, *Die Schweigende Muse*, Carl Hanser Verlag 1945-1946

Nowlan, Robert and G. Wright Nowlan, *Cinema Sequels and Remakes 1903-1987*, McFarland and Company – London

Oertel, Rudolf, *Filmspiegel*. Wilhelm Frick Verlag 1941

Ott, Frederick W., *The Films of Fritz Lang*, Citadel Press 1979

Overech/ Saal, *Die Weimar Republiek*, Weltbild Verlag 1992

Oury, Gérard, *Mémoires d'Eléphant*, Olivier Orban 1988

Pacher Maurus, *Sehn Die, das was Berlin*, Ullstein 1996

Paris, Barry, *Garbo – a Biography*, Pan Books 1996

Pasternak, Joe, *Easy the Hard Way*, W. H. Allen 1956

Pérez, Michel, *Les films de Carné*, Éditions Ramsay 1986

Pickard, Roy, *Hollywood Gold*, Taplinger Publishing Co. 1979

Preston, Paul, *Franco – a biography*, Basic Books 1994

Prinzler, Hans Helmut, *Chronik des deutschen Films 1895-1994*, Verlag J.B. Metzler Stuttgart Weimar

Ray, Roland, *Annäherung an Frankreich in Deinste Hitlers? Otto Abetz und die deutsche Frankreichpolitik*, Oldenburg-München 2000

Reinhardt, Gottfriedt, *The Genius*, Alfred. A. Knopf 1979

Riefenstahl, Leni, *Memoiren*, Albrecht Knaus 1987

Riess, Curt, *Das gab's nur Einmal*, Sternbucher 1956

Riess, Curt, *Das war ein Leben*, Ullstein 1986

Riess, Curt, *Mein berühmten Freunde*, Herder 1987

Riess, Curt, *Gustaf Gründgens*, Herder 1988

Ringgold, Gene/ de Witt Bodeen, *The Films and Career of Maurice Chevalier*, Citadel Press 1973

Riva, Maria, *Meine Mutter Marlene*, C. Bertelsmann 1992

Rogers, Ginger, *My Story*, Harper Collins Publishers 1991

Rökk, Marika, *Herz mit Paprika*, Ullstein 1991

Romani, Cinzia, *Die Filmdivas des Drittes Reiches*, Bahia Verlag 1981

Rosay, Françoise, *La traversée d'une vie*, Éditions Robert Laffont Paris 1974

Salkfeld, Audrey, *A Portrait of Leni Riefenstahl*, Jonatan Cape 1996

Sakkara, Michele, *Die grosse Zeit des Deutschen Films 1933-1945*. Druffel Verlag 1980

Sander-Brahms, Helma, *Marlene und Jo, Recherche einer Leidenschaft*, Argon Verlag Berlin 2000

Sauder, Gerhard, *Die Büchverbrennung*, Carl Hanser Verlag 1983

Saunders, Thomas J., *Hollywood in Berlin*, University of California Press 1994

Schader, Bärbel, *Der Fall Remarque*, Reclam Verlag 1992

Schebera, Jürgen, *Damals in Neubabelsberg*, Edition Leipzig 1990

Schnauber, Cornelius, *Spaziergänge durch des Hollywood der Emigranten*, Arche 1992

Schöter, Klaus, *Heinrich Mann*, Rowohlt 1990

Schöter, Klaus, *Thomas Mann*, Rowohlt 1990

Schulberg, Bud, *Moving Pictures*, Penquin Books 1981

Schult, Berndt, *Heinz Rühmann*, Verlagsunion E. Pabel-Arthur Moewig 1994

Seidl, Claudius, *Billy Wilder, seine Filme-sein Leben*, Wilhelm Heyne Verlag 1988

Seiler, Paul, *Wollt Ihr einen Star sehen, Zarah Leander*, Albin Verlag 1982

Seiler, Paul, *Zarah Leander, Ein Mythos lebt*, Druckpunt Berlin 1994

Sennett, Ted, *Warner Brothers Presents*, Arlingtin House Publishers 1971

Seydel, Renate/Allan Hagedorff, *Asta Nielsen*, Handelsverlag Berlin 1984

Seydel, Renate/Bernd Meier, *Marlene Dietrich, Chronik eines Lebens in Bilder und Dokumenten*, F.A. Herbig

Siclier, Jacques, *La France de Pétain et son cinéma*, Éditions Henri Veyrier 1981

Snyder, Louis, Dr., *Encyclopedia or the Third Reich*, Bath Press 1976

Spangenberg, Eberhard, *Karriere eines Romans*, Verlag Heinrich Ellerman 1982

Spiess, Dominique, *Affiches Cinématographiques de la Cinéma Française. Histoires et vies des stars*. Edita Lausanne

Spira, Steffi, *Trab der Schaukelpferde*, Aufbau Verlag

Spoto, Donald, *Marlene Dietrich Biographie*, Wilhelm Heyne Verlag München 1992

Stern, Carola, *Die Sache die man Liebe nennt. Das Leven der Fritzi Massary*, Rowohlt Berlin 1998

Sternberg, Josef von, *Fun in a Chinese Laundry*, Secker and Warburg – London 1967

Sternburg, Wilhelm von, *Lion Feuchtwanger, ein deutsches Schriftstellerleben*, Aufbau Verlag 1994

Stiftung Deutsche Kinomathek, *Aufruhr der Gefühle, Die Kinowelt des Curtis Bernhardt*. Verlag C.J Bucher 1982

Stockham, Martin, *The Korda Collection*, Central TV. Enterprises 1992

Sturm, Sibylle M., Sturm/A. Wohlgemuth, *Hallo Berlin? Ici Paris! Deutsch Französische Filmbeziehung 1918-1939*, 1996

Stewart, Hull David, *Film in the Third Reich*, University of California 1973

Swindell, Larry, *Charles Boyer*, Weidenfeld and Nicolson 1983

John Russell Taylor, *The Hollywood emigrés*, Faber and Faber 1983

Terraine, John, *Het machtigste werelddeel, de geschiedenis van Europa in de 20ste eeuw*, Elsevier Amsterdam Brussel

Trewin, J.C., *Robert Donat*, William Heinemann Ltd. London 1968

Veyrier, Henri, *Jean Gabin*, Flash-Back 1977

Völker, Klaus, *Fritz Kortner*, Edition Hentrich 1993

Walker, Alexander, *Dietrich*, Mandarin Paperback 1989

Weber, Eugen, *The Hollow Years, France in the 1930*. W.W. Norton and Company Inc. New York 1994

Weill Speak Low, the letters of Kurt Weill and Lotte Lenya. University of California Press – Berkeley- Los Angeles

Weisweiller, Carole et Patrick Renaudot, *Jean Marais, le Bien-Aimé*, Éditions de Rocher 2002

Werner, Paul, *Die Scandal Chronik des Deutschen Films von 1900 bis 1945*, Fisher Verlag 1990

Weth, Georg A., *Ich will wat Feinet. Das Marlene Dietrich Kochbuch*, Ritten & Loening Berlin

Kraft Wetzel/Peter Hagemann, *Zenzur, verbotene Deutsche Filme 1945*, Verlag Volker Spess 1982

Wistrich, Robert, *Wer war wer in Dritten Reich*, Harnack Verlag 1983

Wood, Ean, *Dietrich, a biography*, Sanctuary Publishing Limited London 2002

Zolotov, Maurice, *Billy Wilder in Hollywood*, Proscenium Publicers 1992

Larousse dictionaire du film Français, 1987

Winkler Prins Encyclopedie van de Tweede Wereldoorlog, Elsevier-Amsterdam

Register

£22.95
£14.50
G